MW01451072

LE MONDE YIDDISH :

Littérature, chanson, arts plastiques, cinéma

Une légende à vif

Du même auteur

Poésie
Notre amour est pour demain (Seghers)
Amour de la patrie (Seghers)
Au clair de l'amour (Seghers)
Cantate aux inconnus (P J. Oswald, dessin de Jean Lurçat)
D'une voix commune (Seghers, illustrations de Robert Lapoujade)
L'Opéra de l'Espace (N R.F. Gallimard)
Capital terrestre ("La petite sirène", E F R)
Arbre d'identité (Rougerie)
Un cantique pour Massada (Europe/poésie)
Callifictions (Europe/poésie)
Table des éléments (Pierre Belfond)
Quarante polars en miniature (Rougerie)
Délogiques (P Belfond)
L'escalier des questions (Dominique Bedou, illustrations de Colette Deblé)
Les heures de Moscou (Europe/poésie-Les écrits des Forges, dessins d'Abidine Dino)
La vie est un orchestre (P Belfond, 1991. Prix Max Jacob)
Alphabase (Rougerie, 1992)
Fable Chine (Rougerie, 1996 Papiers froissés de Ladislas Kijno)
Géode (Editions PHI, 1998, dessins de Jacques Clauzel)

Prose
Adam Mickiewicz, pèlerin de l'avenir Essai/Anthologie, E.F R 1955
Couleur mémoire, nouvelles. Préface de Miguel Angel Asturias, E F.R. 1974, réédition Nykta 1997
Taromancie, roman, Messidor 1977
Traduit en justice, théâtre (Le Verbe & l'Empreinte)
Le commerce des mondes, nouvelles, Grand Prix de la science-fiction française (Messidor 1985)
Que jeunesse se passe, nouvelles (Scandéditions 1993)
La voir de toutes les couleurs, illustrations de François Féret (Cadex ed. 1995)
Les choses n'en font qu'à leur tête. Fictions. Dessins de Daniel Nadaud (Cadex ed. 1998)

Traductions
Dora Teitelboïm : *Le vent me parle yiddish* (Seghers)
Le miroir d'un peuple, anthologie de la poésie yiddish (Gallimard 1971, Le Seuil 1987)
Nazim Hikmet : *Anthologie poétique* (Messidor)
V Maïakovski : *Le nuage en pantalon* (Messidor 1989, réed. Le temps des cerises, 1997)
Rainer Maria Rilke : *Sonnets à Orphée* (Messidor, 1989, réed. La Différence, coll Orphée 1998)
Contributions à : *Khalastra* (La bande) Ed Lachenal & Ritter, 1989
Avrom Sutzkever ; *Où gîtent les étoiles* (Ed. du Seuil, 1989)

A paraître
Péretz Markish, *Le Monceau*

Charles Dobzynski

LE MONDE YIDDISH :

Littérature, chanson, arts plastiques, cinéma

Une légende à vif

L'Harmattan
5-7, rue de l'École Polytechnique
75005 Paris - FRANCE

L'Harmattan Inc.
55, rue Saint-Jacques
Montréal (Qc) - CANADA H2Y 1K9

Mais d'où renaîtra le yiddish ? D'où renaîtra le shtetl imaginaire ? N'y-a-t-il plus de shtetl qu'au-dedans de soi ? Qui construira ce passé réel ou fantasmé ? Qui trouvera la clé magique d'une mémoire autre ? Rassurons-nous, s'il est vrai que "ce n'est pas la perte de l'objet qui crée la nostalgie, mais c'est la nostalgie qui crée l'objet perdu" (*). Il y aura toujours même lézardée, même trouée, ensanglantée, une mémoire yiddish à construire.

Régine ROBIN, Le cheval blanc de Lénine, p. 217.
in *Le Naufrage du siècle* (Berg International)

* François Gantheret : "Trois mémoires" Nouvelle Revue de Psychanalyse, n° 15.

Que soit remercié Itzhak Niborski pour sa lecture du manuscrit, ses remarques, les corrections et les précisions qu'elles m'ont permis d'apporter.

© L'Harmattan, 1998
ISBN : 2-7384-7161-7

UNE LÉGENDE A VIF

Qu'est-ce que l'enfance ? Cela que l'on traîne derrière soi, non pas comme l'ombre des jours, ni la casserole de la dérision, ni la tache d'huile du submersible coulé, mais ce poudroiement en nous, à nos pas, d'un pollen de vie qui ne peut s'éparpiller ni du regard ni du langage. L'enfance : un papillon qui disparaît mais laisse l'irisation de ses ailes. L'enfance qui a tout d'une déroute en même temps que d'un retour. D'un passage en même temps que d'un arrêt indéfini. D'un piétinement sur place en même temps que d'un dépassement accéléré. Transaction, oui. Afin que l'admission se fasse, la transmission initiatique, sans certificat, sans diplôme. Transaction et transition, d'une rive à l'autre, vers quelque chose de soi d'insaisissable encore à l'œil ou à l'âme nue. Quelque chose qui, lentement, confusément, émerge de ce que l'on fut, de ce qui est l'objet de refus, de conflit.

Il y a une enfance juive qui baigne dans l'enfance de tous, telle une île, et pourtant s'en différencie. L'enfance juive vécue, mal famée, mal formée, construction et démantèlement du souvenir. Le souvenir est l'ardoise au mur de la classe. Un simple chiffon en efface le brouillon de craie ou les cris en blanc. Mais le contour en resurgit, comme la silhouette sur le voile de Véronique. La mémoire n'est-elle point la radiographie spectrale du réel ?

On ne sait pas, pourtant, que l'on est Juif, que l'on parle un langage de naissance, bâtard, boiteux, et ce langage il va falloir se l'inculquer avant d'en quitter la défroque. On est Juif, d'abord, dans l'oreille d'autrui, si peu réceptive à votre nom. Mes copains d'école ont longtemps cru que la bourgade polonaise de Kaluszyn, d'où j'étais réputé provenir, se situait quelque part en Chine, du fait de la prononciation KALOU-CHINE. Peu chinois, au vrai, mon patronyme, peu associable au Yangtsé ou à Tou-Fou, à moins qu'innocemment on articulât DOP-CHINE-SKI, ce qui prenait l'allure d'un slalomeur au pied de la grande Muraille...

Ainsi, dès le départ, tout est question de mots, de malentendus par les chassés-croisés et les hybridations des mots. C'est par leurs failles, leurs fissures, leurs interstices, que s'infiltre le soupçon d'étrangeté, d'incompatibilité. On est dans la situation triviale du laissé pour compte de l'ignorance ou de la paresse mentale. Trouver le Juif, non sous son masque, mais sous l'emballage-kraft d'une langue d'importation.

* * *

L'enfance juive, telle qu'elle me fut donnée, ordonnée, se confond avec la rue juive d'un quartier modeste de Paris.

Rue juive ? L'expression fera sursauter. Mais qu'on ne s'y méprenne pas : ce mot n'évoque en rien un ghetto, ni une "zone de résidence". Rue habitée en nombre par des Juifs, lesquels lui imprimaient un certain cachet, casher ou non, un accent d'ailleurs, une démarche un peu déhanchée, de guingois, un biais ou un dièze, une tonalité musicale vaguement litvaque, polaque, moldovalaque, qui, au bout d'un temps raisonnable, dans le concert, n'était plus un coup de pistolet...

On se coudoie. On se rencontre. Par petits groupes. Petites grappes. La parole est volubile. Volubilis suspendu à quelque invisible branche. La parole ou le pilpoul, non plus d'essence talmudique, incantatoire, discussion érudite, scansion de redites, mais dialectique au quotidien. Qui ergote, argumente, pérore, dégoise, se gave d'arguties, se gargarise de baratin, se débonde et abonde. La parole avec ses flèches et ses friches. Là où je suis né, l'herbe où nu je me suis vautré, dont le parfum imprègne à jamais chaque pore.

Paris n'était pas encore un supermarché. Une place financière. Une débauche puis une débandade de l'immobilier, mais une mosaïque de banlieues, des villages imbriqués les uns dans les autres. La véritable périphérie commençait sans périphérique, au-delà des fortifs qui n'étaient pas tout à fait des ruines, plutôt un extraordinaire méli-mélo de lotissements et de terrains vagues où proliféraient, de talus en talus,

Une légende à vif

les ordures et les mystères.

C'était la Grande Muraille des rêves d'enfance qui ceignait une vraie Chine. Une Chine plus pauvre encore que la nôtre.

La capitale, immense aimant, coagulait notre limaille. Capitale non pas d'un seul pays délimité, mais de ceux-ci qui de pays étaient privés, qui l'avaient perdu en cours de route, expulsés d'eux-mêmes avant de l'être de leur terre natale. Mais peut-on dire que la diaspora disposa jamais d'une terre natale ?

Creuset ou melting-pot à l'américaine : parmi les gens venus de partout et de nulle-part, du "pays de personne" que désigna le poète Leivick, s'effectuait, au goutte à goutte, au geste à geste, vaste brassage et métissage, mixage d'habitudes, de comportements, et jusqu'aux vêtements qui se retrempaient dans la coutume et la couleur locale. La France ne s'imposait pas. Elle s'insinuait. La langue n'était pas obligatoire, et beaucoup, c'était le cas de mon père, sans s'y refuser, ne parvenaient guère à l'assimiler. Les mots s'agglutinaient dans la bouche, mauvais gruau, sans former un comestible. La langue était une teinture qui prenait ou ne prenait pas et sous laquelle, quoi qu'il en fût, réapparaissit fatalement la trame, le tissu quelque peu passé, froissé, que le frottement du français à l'apprentissage - il faudrait dire le "parigot" - revigorait parfois d'un exotisme new-look, dans un invraisemblable télescopage des accents, celui de Belleville et des faubourgs venant se juxtaposer, sans pour autant l'estomper, à celui - relent d'ail et de canelle - des ruelles de Varsovie et de Vilna.

* * *

C'est ainsi que ma mère - mater judaïca - avait mêlé à la farine blanche du Français la mouture grège du matzoth de son parler natif. Le résultat était déconcertant et cocasse. Ma mère, qu'il me plaît de célébrer, avait le don des langues. Elle était dompteuse de langues, le polonais, le russe, le yiddish, le français, comme on est dompteur de puces. La langue s'agriffait à elle, se greffait en elle et donnait vie à des bourgeons de

Une légende à vif

plus en plus surprenants, à des locutions spontanées. Elle pratiquait les langues comme un art culinaire, d'une main experte, mais qui ne s'embarrassait guère de subtilités. Elle découpait en darnes le français, avec la même agilité que la carpe du Shabbat, en la farcissant d'une mixture appropriée, succulente, qui n'appartenait qu'à elle.

D'ailleurs, ô miracle, on arrivait à la comprendre, car ces paroles étaient mises en scène, ou du moins s'inscrivaient dans une expressive chorégraphie de mimiques, de moulinets manuels et digitaux, de regards qui étaient à la vue ce que la ponctuation est à l'orthographe.

Le yiddish conservait avec elle toute sa substance, son suc, sa ténacité de rhizôme et son aura d'arôme. Langue-magma. Langue-mamma. Inoxydable.

Hybride de violence et de tendresse. De cette solfatare à l'activité ininterrompue, jaillissaient les fumerolles sifflantes des imprécations, inépuisable lexique, féroce mais dépourvu de vulgarité. Car, à ce que nous appelons les "gros mots" se substituent des formules cabalistiques, maléfices et bénéfices, jettaturas de toute sorte, exorcismes frappeurs ou jurons conjuratoires. Jamais la moindre obscénité, chose scabreuse ayant trait au sexe, ne franchissait des lèvres modelées par le puritanisme juif. A peine un soupçon de scatologie, offusquant la pudeur. En revanche se bousculaient, sabre-au-clair, les injonctions résolument métaphoriques : "Que toutes les dents te tombent, sauf une pour la douleur" ; "Sois comme un oignon qui pousse la tête enfoncée dans le sol" ; "Sois comme une lampe pendue dans la journée, brûlant la nuit et s'éteignant à l'aube" ; ou encore, plus catégorique : "Que le choléra t'attrape dans ses griffes !" ; "Que l'enfer te tire par les pieds et te brûle !" ; "Sois réduit en cendres par un incendie !" ; "Que les vers de toi vivant se repaissent !" et d'autres aménités...

Quand je repense, le recul aidant, à ce vaudou verbal yiddish où foisonnaient tant d'adages fondés sur le feu, la fournaise, la calcination, la cendre, j'en ai froid dans le dos... L'histoire, rétrospectivement, donne le frisson.

J'ai parlé d'un hybride de violence et de tendresse. Il faudrait dire un alliage, où la tendresse complétait la fureur et s'y soudait. Tendresse : au lieu de vaudou, le mot doux qui met dans la bouche un bouquet de délicats diminutifs, presque maniérés : "lalkelé" (petite poupée)" "fidelé" pour fidl (violon), "boubélé" : petite-grand-mère. "hentelé" pour "hent" (mains), devenant "petites main..." Toutes les déclinaisons en "élé" en "éniou" qui transformaient en amulettes les prénoms. Chaïm donnant "Chaïmou", comme Charles "Charlélou..." Le terme de "merdeux" qui n'est pas tout à fait un compliment, s'adressant à un gamin, s'adoucissait en un affectueux "merdiniou", succédané de l'habituel "schmendrik".

Il arrivait ainsi que certains mots français fussent victimes - ou bénéficiaires ? - de ce tour de passe-passe du diminutif qui, sans en oblitérer le sens ou la portée, permettait d'apprivoiser le langage afin d'amadouer l'interlocuteur. Oncle se dit "feter" en yiddish :
mais le terme "onkléniou" en fait un personnage mythique. Cette faculté de remodelage magique du yiddish aurait permis de miniaturiser et d'alléger la Tour Eiffel elle-même en l'appelant "Toureiffeliniou..."

* * *

Mais revenons à la rue juive, où l'on parlait partout yiddish. On n'y vivait pas sous le manteau. On y avait des façons de façonniers. Des airs de petits artisans. Des destins de travailleurs à domicile. Mon père, pour gagner son pain et tisser sa laine avait dû louer une machine à tricoter, dès son arrivée à Paris. La nuit, dans la chambre d'hôtel que nous occupions en ces temps incertains, on entendait le raclement illicite du chariot d'acier passant sur la rangée d'aiguilles. Si les voisins se plaignaient, il fallait mettre une sourdine au bourdonnement métallique. Prendre garde de ne pas déranger. Car l'étranger toujours dérange. La plupart du temps, l'identité défaillait, s'esquivait : papiers périmés, cartes de séjour de plus en plus douteuses ou obsolètes, actes de naissance ou de mariage rédigés en polonais et qui exigeaient une traduction assermentée. On était toujours provisoires, résidents mal appointés, mais à pointer, atteints de cette singulière maladie

Une légende à vif

honteuse qu'est l'illégitime suspicion. Les papiers, si obstinément volatils, étaient les éternels objets d'une quête, et, de la part de ceux qui avaient pour rôle de les délivrer ou qui demandaient qu'on les exhibât, sous n'importe quel prétexte, d'une enquête.

L'identité qu'était-ce ? Un document, souvent un palimpseste, à faire valoir, à valider. On ne trouvait refuge que dans l'agrément, en s'agrégeant à l'ordre établi des paperasses, des estampilles officielles, des paraphes et des récépissés administratifs. C'étaient, aux yeux de mes parents, les mystérieux enchevêtrements des hiéroglyphes et des idéogrammes. Nous étions mis en pièces. Morcelés. Puzzle qui devait constamment se reconstituer au moyen de nos empreintes digitales et de nos photos prises de face, obtenues en mornes séries dans des cabines automatiques.

* * *

Mon quartier était un de ces villages de Paris accotés les uns aux autres, mutuellement peu perméables et jouissant d'une relative autonomie. Toute une pullulation d'immigrés de plus ou moins fraîche date, Polonais, Russes, Lituaniens, Biélorusses, Bessarabiens et Moldaves, y vivait dans une harmonie relativement stable, que garantissait la possibilité, pour chacun d'observer ses coutumes, de fréquenter ses boutiques, ses cafés privilégiés ou ses lieux de rendez-vous.

La rue juive de mon enfance parisienne était une résurgence ou une réminiscence du shtetl, un arpent de Pologne égaré en plein Paris, modernisé, bien sûr, harnaché de bitume sur ses pavés antiques, et donc exempt de boue, de paille, de criaillerie de volaille, de glapissements des forains et des colporteurs. L'industrie était là, avec ses cheminées fumantes, ses véhicules cahotants. Mais à l'aube, il y avait encore des chevaux qui trottaient à sabots lourds, halant des charretés de bidons de lait ou de bouteilles de gaz que l'on entendait tintinnabuler.

Parfois ces chevaux hennissaient en yiddish, échappés d'une écurie peinte par Chagall, et les cochers les fouaillaient de leurs imprécations dans la même langue.

Une légende à vif

S'agissait-il des "voleurs de chevaux" d'Opatoshou, venus des plaines de Mazurie ou des forêts de Volhynie où crépitent les sapins d'une électricité de gel ? L'enfance est cette éponge qui s'imbibe de tout ce qui l'entoure, particulièrement réceptive à ce fluide qu'est le parler quotidien. Dans l'océan du français émergeait cet archipel du yiddish, quelques rues populeuses du XIX° arrondissement, du côté du canal de l'Ourcq et non loin des Buttes-Chaumont qui faisaient campagne, au diable vauvert...

L'épicerie, je l'ai contée ailleurs(*) et j'ai traîné comme un halo ses arômes et ses relents, ses chuchotis "cha chtil" et ses parlotes bla-bla entre les barriques de concombres en saumure et de harengs marinés, les montagnes de matzoth en boîte et les baquets où des carpes jouaient à l'arc-en-ciel.

Le culte du yiddish - car le yiddish est un culte qui se cultive, un rite dont on hérite - s'exerçait dans ce temple alimentaire et gustatif ou le manger, qui est profane, trouvait sacralisation sous le coup du danger, lorsque tout repas juif, le pain ou le poisson, désignait le consommateur à la dénonciation.

La langue se sustente de nourritures terrestres. Ce qui maintient le corps en fonction communique à la langue sa chaleur et son énergie. La cuisine juive, inaugurant et pavoisant les jours de fête, n'appartenait nullement au train-train, mais dans la hiérarchie des annonciations et des associations d'images qui germent dans l'esprit, à ce degré de grâce où le rêve et la réalité, le goût et le dégoût, la sensation et la déception, cessent d'être perçus contradictoirement.

J'ai écouté souvent, sans en capter le sens, les conversations paternelles, je veux dire les propos que mon père tenait, jouant aux cartes avec ses amis, au moins une fois par semaine chez nous, parfois au café où j'allais le chercher... Il ne jouait pas pour de l'argent, mais pour le plaisir. Il fallait que le temps passât, comme un nuage, sans laisser de trace, pas même une flaque. Et je ne sais trop quel était ce jeu, le pinocle, je crois, une manière de belote, un jeu venu de Pologne, peut-

---

* Charles Dobzynski, COULEUR MÉMOIRE, préface de Miguel-Angel Asturias, E.F.R., 1974. Réédition Nykta 1997.

être d'Amérique, et les cartes étalées en éventail dans une main étaient pour moi des planisphères en réduction où s'esquissait une géographie de l'inconnu, où se figeaient les figures innommées d'un ballet dont les danseurs perdaient l'équilibre en récupérant leur face...

Et tandis que ces miroirs sans tain pour le temps s'abattaient et s'entrechassaient, il se faisait un remue-ménage de paroles en yiddish, de souvenirs, d'explications embrouillées, de controverses nées des événements politiques ou des faits-divers. Mon père, ancien talmudiste, se remémorait sa yeshiva, ponctuait d'allusions ou de sentences ses arguments et ses répliques. C'était un allègre pilpoul, tantôt à voix basse, tantôt à langue déployée, dans les volutes bleuâtres et la brume piquante des cigarettes qui striaient la pénombre de leurs minuscules braseros.

* * *

Tel était le climat. Je le retrace, si peu synagogal, d'abord familial, vrillant de vérité, c'est là qu'en moi s'est déposée la vapeur de la langue yiddish, émanation balsamique d'un hammam dont se sont conservées en moi les molécules, clous de girofle du vocabulaire qui finissent par se planter dans la mémoire et en maintiennent les étais. La rue juive fut le lieu privilégié de la parole. De la parole essaimée, rebrassée, répercutée.

Le yiddish est la caisse de résonance d'une oralité qui tient à la logique de la lettre, de toutes les lettres de son alphabet : celui-ci a pour vertu de sonoriser et de vocaliser les voyelles, à l'inverse de l'hébreu qui les résume par des signes, un morse de l'absence. Dès lors, la musique du yiddish occupe tout l'espace de la langue, comme un fleuve au plein des eaux occupe tout son lit. La poésie se met en bouche comme un mets, une saveur qui est savoir sensoriel et ne vaut que par sa durée de rémanence. Aux lèvres de ma mère, la poésie affleurait, non pas envers du parler, son tissu reversible, mais le cours le plus naturel, son rythme et sa pulsation artérielle. De même que la buée s'échappe de l'eau en ébullition, la poésie s'évaporait de toute la peau de ma mère, de son rêve cent

Une légende à vif

fois cousu et recousu à la machine ou à la main.

Poésie et chanson, organiquement associées, ou alternées, parfilées. En russe ou en polonais, la plupart du temps en yiddish, de Péretz à Morris Rosenfeld. Un trésor vocal, pareil à un essaim d'abeilles, une semaille de rosée. Ce bel canto bricolé résistait au tic-tac insistant de la Singer et aux multiples interruptions. Il se dilatait et se dilapidait durant les longues heures de couture, se dissipait à mon oreille, sans se lasser de dessiner en moi ses arabesques de nigunim, de mélodies et de complaintes, tatouage musical dont je ne retrouverais plus que la poussière impalpable en mes nuits.

Je veux parler des nuits d'après le néant. D'après la guerre, l'occupation, la mort cent fois frôlée ô buisson ardent des barbelés, mais qui par miracle nous épargna. Elle s'étalait et stagnait autour de nous, étang invisible mais indélébile, comme la tache sombre qui subsiste après le reflux d'une inondation.

Un jour vint où je vis l'ampleur de cette tache. Le gouffre. Sans comprendre ce qu'était vraiment ce gouffre-là. La fin d'une époque. La fin d'un monde. Gouffre de la langue et gouffre de la mémoire, où tout se dissolvait comme sous la chaux vive. La rue juive avait disparu. Disparu son petit peuple. Disparus de l'échiquier les pions, les fous, les cavaliers, le roi David, la reine de Saba. Transférés sur la scène d'un théâtre d'enfer où il ne reste qu'à mimer sa propre tragédie. Déportés. Emportés. Tombés avec les feuilles que nul ne songe à ramasser d'un éternel automne.

Plus tard disparaîtront également les édifices vieillots, les terrains vagues énigmatiques, tous ces témoins qui dans leurs vagues avaient bercé mon enfance.

Mais avant que les béliers de fonte n'eussent défoncé les façades, abattu les immeubles du quartier, l'école communale, les boutiques, les ateliers, afin qu'à leur emplacement fussent érigées les tours qu'on appelle Orgues de Flandre, comme si ces géantes colonnes de béton pouvaient retentir de Bach ou de Haendel et introduire dans la grisaille leurs fugues graves et pensives, avant que les excavatrices, les bétonneuses et les grues n'eussent balayé de leurs coups de boutoir jusqu'au souvenir de la rue juive, et le dernier moellon de ses maisons sans grâce, dotées pourtant d'un charme insidieux, mélange d'hétéroclite et d'archaïsme, ses maigres vitrines de bougnat et de boulanger, les habitants eux-mêmes s'étaient éclipsés. La rue n'était pas déserte, bien sûr, mais une eau différente avait rempli l'écluse. Les miens, tous les miens, par familles entières, s'étaient évanouis, et la langue yiddish, la chanson yiddish, la poésie yiddish s'étaient en même temps volatilisées, balayées par la bourrasque du 16 juillet 1942.

Volatilisées langue, chanson, poésie que ma mère autrefois, si gaiement, avait su faire vivre et revivre, d'une voix plus ou moins juste mais touchante, et d'une mémoire infaillible qui reprenait et renouait avec une infinie patience l'ourlet des choses, la doublure du monde.

* * *

La rue avait enlevé la langue comme les camions leurs chargements de gravats. Je n'avais plus de langue maternelle. Je ne voulais plus me reconnaître en elle. Je refusais de garder sur mon corps et dans ma pensée le sceau du désastre, la cicatrice laissée par l'étoile jaune. Après le polonais, parlé jusqu'à l'école élémentaire, j'oubliais le yiddish. Je sortais de mon identité comme on sort d'une cave où l'on fut enfermé. Ou plutôt d'un caveau où l'on fut enterré vif. La langue française était un merveilleux orphelinat. Une accueillante immensité où je me plongeais avec la volupté du nageur qui découvre à fendre le flot la souplesse et la solidité de ses membres, réfractaires à la dissolution.

Plus de rue juive. Pas le moindre petit grain de yiddish. Ne me parlez plus de ces sornettes. De cet arrière-goût de ghetto. Mais malgré tout, envers et contre tout ce qui avait tenté de le détruire corps et âme, restait le peuple juif. Ici ou ailleurs. Maintenant et plus tard. Restait la poésie.

* * *

Pratiquer la poésie dans la langue du bonheur de penser et du bonheur d'écrire, le français de Voltaire et de Hugo, me ramena peu à peu vers la langue du malheur d'être, vers la

Une légende à vif

langue saignée à blanc, incinérée, le yiddish de Manguer, de Katzenelson, de Markish, de Sutzkever.

Mot par mot, comme s'élabore une architecture de brindilles, de reliques, la poésie presque à mon insu me bâtit cette passerelle vers le passé, désormais indicible, passerelle très fragile entre deux langues, le français et le yiddish. Je ne me risquais plus guère à l'emprunter parce qu'en bas il y avait le vide, l'absence du côté yiddish, le trou sans fond, le puits de mort, et m'y pencher simplement menaçait de m'y entraîner, par attirance, sans même le recours de s'accrocher à la corde d'un regard.

Non, la poésie n'a pas été anéantie par l'anéantissement des Juifs. Ou ce serait nier qu'elle fût leur âme. Et cette âme-là, je le crois, est immortelle. Contrairement au faux adage d'Adorno, la poésie a pu exister après Auschwitz. Elle n'a certes pas été le moyen de dire ou de maudire l'extermination dans la dimension de l'horreur scientifiquement mise en œuvre. Mais elle a contribué, par son existence même, dans le splendide dénuement de son habit de cendre, dans sa tension désespérée pour persévérer dans son être, à prouver que la haine irrémédiable et la fournaise d'Auschwitz n'avaient pu triompher jusqu'au bout, n'avaient pu calciner et effacer jusqu'au dernier atome de cette parole-là, indestructible fil de la mémoire. Que cette parole était l'âme réapparue de tous les poètes disparus. Qu'elle flottait parmi nous, spectrale, translucide, ombre d'une ombre, en suppliant que par le livre un corps lui fut restitué.

Il se peut qu'elle n'était plus que cela : le sillage d'un navire englouti. Mais n'a-t-on pas finalement repéré l'épave du Titanic tout au fond de son sarcophage océanique ? Pourquoi ne pourrait-on aussi, en suivant le sillage de la mémoire, retrouver toute la poésie yiddish, la création yiddish, au fond d'un océan de larmes ? Mais s'il s'agit d'un engloutissement, à quoi bon, dira-t-on, en ramener à la surface les indices et les débris ? A quoi bon pleurer la cendre ?

Pour ceci : il n'y a pas de pleurs que la légende de la vie ne sache métamorphoser en diamants de mémoire. Il n'y a pas de cendre que la légende de tout ce qui fut espéré, rêvé, pensé, inventé, composé, mis en musique, joué, jeté sur la toile, gravé dans la pierre ou coulé dans le bronze, ne soit capable de transmuer en germination de connaissance et en fragment d'éternité.

Même si le langage est mort, ou condamné à mort, sa légende est à vif en nous. C'est un voir et c'est un savoir. Et c'est ce que j'ai tenté de cerner, de rassembler et de léguer à qui saura y percevoir un commencement à jamais fertile et non l'inscription sur une stèle.

* * *

Qu'on ne s'attende pas à un parcours encyclopédique, ni à une prospection esthétique, ni à l'érudition d'un inventaire tous azimuts. Je me suis borné, contre l'oubli, à disposer quelques balises. A suivre quelques pistes, ponctuation discontinue d'un itinéraire, de ce que j'ai vécu, approché, connu, appris. Ce que j'aime, je l'ai mis dans cet atlas de poche, arbitraire sans doute et partiel. Plusieurs portraits. Plusieurs repères. Ma table des matières ne couvre pas tout l'espace de création et comporte des lacunes, le théâtre, par exemple, que je n'aborde pas et que l'on peut trouver ailleurs(**). Mais c'est une table d'écoute, branchée sur un monde mutilé, expatrié, exproprié, en grande partie effacé. Table d'écoute pour résister à la table rase. Et c'est au moyen de ses antennes que j'ai pu détecter ces lieux d'appel d'où les voix continuent de nous atteindre.

**Entre autres : Béatrice Picon-Vallin · LE THÉÂTRE JUIF SOVIÉTIQUE PENDANT LES ANNEES VINGT. La Cité / L'Age d'Homme, 1973.

LE YIDDISH, UNE LANGUE

Langue majoritaire des Ashkénazes, le yiddish est devenu en Europe chez les Juifs langue minoritaire, langue peau de chagrin, réduite à veiller sa propre survivance, clairsemée par la disparition de la plupart de ses scripteurs et locuteurs dans la Shoah, langue sujette à caution désormais, à érosion fatale, pour ce qu'elle a représenté de sujétion, de résignation, de non violence, de vaillance sans emploi, de déviance par rapport à la norme, langue de résidence forcée, de résistance partielle et de dissolution totale, si peu prisée, si souvent méprisée, rejetée dans les ténèbres extérieures d'un inexpiable passé par les bâtisseurs d'un Etat juif, d'une dignité juive enfin restaurée, d'une auto-défense juive vite muée en capacité d'offensive, de maintien des conquêtes par la force des armées.

Langue qui gardera force des larmes, langue de personne, selon la terrible et magnifique formule de Rachel Ertel (1), parce qu'elle était devenue la langue des ombres, la langue des spectres sans visage et sans bouche, la langue des suppliciés sans explication, des supplications sans réponse, la langue des thrènes, des chants funèbres, des kaddish proférés pour le père et le fils, des lamentations égrenées devant le mur plus haut que Babel appelé Mort, devant ce mur qui rassemble tous les murmures, langue fantôme parce qu'elle appartient aux seuls rescapés, langue à qui l'offrande d'un cheval, de toute une harde de chevaux, n'aurait pu rendre son royaume, langue de ceux qui se pliaient et qui priaient, même au seuil des chambres à gaz, langue qui fut incinérée avec tant de corps dans les crématoires et dont il ne devait rester qu'une poignée de cendres, langue du souvenir haï des ghet-

---

1. Rachel Ertel. *Dans la langue de personne*, poésie yiddish de l'anéantissement (Ed. du Seuil, 1993)

tos, des zones de résidence, des quartiers réservés, des métiers réservés, des réserves de tout, des victimes sans quartier, des malheurs sans merci, des misères sans statistiques, des commerces de la misère, langue dont même les mots sont des *shmatès* à solder sur les étals des foires, langue des boutiques, des pas-de-porte, des ateliers, des sweat-shops que le siècle de l'industrie et de la technologie a remisés au rang des vieilles lunes, langue rendue caduque avant l'âge, démonétisée par la modernité du travail, langue des machines à remuer les souvenirs, des machines à coudre désormais vouées aux rencontres fortuites avec un parapluie sur une table de dissection, langue de la machine à tricoter de mon père, à tricoter le regret, à tricoter le tracas et l'amertume, moulin à café de la nostalgie qui aura toujours du grain à moudre, langue qui ne supporte pas la comparaison avec d'autres langues, surtout l'hébreu, rivale heureuse, rapiécée, rajustée, remise à neuf, à l'étude, dépoussiérée mais non dépossédée de sa mère-bible pour parler viril la langue des chars, des mirages, des laboratoires et des aéroports, langue yiddish laissée en quarantaine même en Israël comme je l'ai constaté lors d'un séjour à Jérusalem, mise au coin comme une mauvaise écolière, une fille de vie douteuse et de mort louche, avec des parents impossibles, pas présentables, dotés souvent de noms imprononçables, d'une couleur locale peu à peu délavée avant de passer, et d'ailleurs ses ascendants auraient-ils pu la reconnaître sous sa défroque ?

Le yiddish inspirait alors la méfiance, parfois le dégoût pour tout ce qu'il trimballait de sang, de larmes, de crachats subis ou honnis, langue comme une cloque dans la mémoire, une paire de claques qui resterait imprimée sur le visage, il fallait bien sans doute pour retrouver la fierté, puis l'orgueil, puis l'arrogance d'être Israélien, obliger la petite sœur de la pauvreté à la cure de désintoxication, au passage par l'étuve des pouilleux, des morveux, tandis que l'on rééduquait à toute vitesse le vieil hébreu Talmud-Torah pour qu'il reprît l'éclat de la jeunesse, devînt apte à la course aux diplômes, aux grades universitaires, aux chaires des sciences humaines et des recherches de pointe, au discours de la floraison littéraire et de la dissuasion nucléaire, l'hébreu qui prenait sa revanche de langue des érudits sur la langue des éradiqués, l'hébreu preuve absolue de la renaissance d'une nation sur la langue sans terre et sans nation des réprouvés, le yiddish réduit à la portion de l'incongru, à l'état de bizarrerie et d'anachronisme, rangé parmi les ossements, les ornements des stèles commémoratives, ou des morgues, avec, accrochée à l'orteil l'étiquette dialecte perdu, ou vestige d'une culture abandonnée dans la rue, langue qu'on n'osait plus appeler langue et dont même le romancier Philip Roth dans *Opération Shylock* résumait le destin en Israël en se faisant sardoniquement l'avocat du diable pour attribuer aux sionistes le raisonnement suivant : " / ils choisirent / comme langue officielle de l'Etat juif la langue d'un lointain passé biblique plutôt que le vulgaire dialecte européen sorti de la bouche de leurs ancêtres impuissants...".

Oui, ce "dialecte" des impuissants qui ne surent pas enrayer le fléau hitlérien, fût-ce en s'insurgeant dans les ghettos de Varsovie et de Vilno, dans le camp de Treblinka, en combattant sur tant de fronts, dans l'Armée rouge ou dans l'armée américaine, ce dialecte vulgaire qui n'a donné à la littérature - aux Etats-Unis il est vrai - qu'un seul prix Nobel, celui de Bashevis Singer, puisqu'on ne saurait porter à son palmarès un Saül Bellow, même si celui-ci a mis dans l'hydromel anglo-saxon des gouttes de miel yiddish, ce dialecte donc des laissés pour compte, cette langue de n'importe qui et de personne, cette langue qui n'a pas su opposer une véritable digue à la marée noire de l'antisémitisme et du nazisme, cette langue, il faut croire, de la piété et de la pitié, qui a fini par inspirer pitié, ou condescendance, cette langue à l'état latent, mais privée d'Etat, cette langue littéralement "en manque", en manque de peuple, et qui n'a pu s'accoutumer à ce sevrage absolu de sa substance vive, cette langue sans domicile fixe sinon les cimetières, les mémorials, la montagne tragique des témoignages, les images qui resurgissent des cauchemars ou des photogrammes d'un film tel que *Shoah*, cette langue des arrière-cours du souvenir, des fonds de tiroir et des fonds de miroir qui ont perdu leurs reflets, d'où se sont volatilisés les visages, cette langue que l'on n'étudiera pas comme le latin ou le grec ancien, faute de professeurs en suffisance, cette langue qui ne se convertira pourtant pas en hiéroglyphes grâce à la persistance rétinienne de son alphabet dans l'œil des lecteurs d'hébreu, mais qui peut-être lentement se voilera, s'obscurcira, entrera dans sa propre brume, dans son propre brouillage sonore et visuel, deviendra indéchiffrable comme les inscriptions cunéiformes sur les briques d'argile de Babylone, restera non seulement marquée au fer de la souffrance, mais portera le sceau de la culpabilité, le label de l'humiliation, cette langue spirituelle et laïque, prosaïque et lyrique, mélodique et ludique, dites-moi, oui, dites-moi par quelle aberration, par quel coup tordu de l'histoire et de l'âme elle est malgré tout devenue une langue de poésie, une langue qui jamais n'a abdiqué ni la conscience de la tragédie ni l'expression de la beauté ?

* * *

La poésie yiddish n'est pas la greffe d'un dialecte plus ou moins bien acceptée par un organisme étranger. Elle participe de la création d'un corps, d'une langue, laquelle à son tour agence et fusionne tous les éléments d'une culture cohérente.

Dans sa langue et sa culture, le poète yiddish, comme ses lecteurs - fussent-ils déjà en partie dans l'éloignement ou l'assimilation - se découvre à la fois un héritage et une identité. Il reprend pied sur sa terre intérieure. Il reprend possession de son destin et de son histoire. Il se fait humus, arbre généalogique et nation. Il s'appartient et il appartient à ceux qui l'écoutent. Il n'est plus seul au monde. Il est un monde qui a enfin trouvé son orbite, sa réponse, son miroir dans l'univers de la déshérence.

La poésie yiddish invente spontanément les mille et une façons d'être Juif. Etre Juif, c'est peut-être perpétuellement se demander : "qui suis-je" ? Celui qui sait d'où il vient ne sait jamais ce qu'il devient. La poésie serait-elle plutôt qu'une esquive, une sorte de réponse à cette énigme du rien qui s'ouvre sur l'infini ? A moins qu'elle ne soit qu'une question obstinée qui seule contient et connaît sa réponse ? L'être juif n'est rien d'autre qu'un miroir de l'homme. Un miroir en miettes, il est vrai, pulvérisé par des siècles d'éparpillement, de réification, mais sur lequel, en dépit de tout, se reconstitue l'image récurrente de celui qui est légataire d'une des plus douloureuses expériences de résistance au temps, à l'entropie de l'opprobre, à l'érosion de soi qu'entraîne l'opiniâtreté du rejet.

Et l'on voit bien dès lors que l'on ne peut définir l'être juif par un seul de ses paramètres, qu'il soit religieux, social ou psychologique. Par son inscription ambiguë, ou plutôt polyvalente, dans l'histoire, il échappe à la hiérarchie, à la grille des classifications. Si l'on cherche son essence, en distillant avec soin tous ses antécédents et toutes les données qui le font ce qu'il est, c'est en définitive un peu de l'or humain que l'on recueille au fond de l'athanor, mêlé à un peu de lie. Mais de l'humain quand même, avec cette part insécable qui le rend toujours pareil et toujours différent. Etre Juif, précisément, c'est atteindre en soi ce qui nous fait AUTRE, le JE est un AUTRE de Rimbaud, mais en même temps, le JE de tous les autres. C'est se reconnaître en tout ce qui vous méconnaît. C'est faire le tour de soi-même pour accomplir en même temps sa rotation dans l'univers. C'est emporter la poésie partout à la semelle de ses souliers, sac au dos et bâton de pèlerin, dans l'étrangeté et dans l'errance, jusqu'à la dernière étape, le dernier pas, le dernier souffle, au bout du monde et au bout de la langue.

LA POÉSIE YIDDISH
QUELQUES ÉTAPES D'UNE LONGUE MARCHE

1. LES PREMIERS BOURGEONS

Il y a un paradoxe de l'identité juive. Si enracinée qu'elle soit dans l'histoire, la culture et les Ecritures qui la fondent, c'est une identité à géométrie variable. Elle s'est établie et affirmée d'abord en terre biblique. Disséminée par la diaspora, elle s'est reformée et reformulée pour l'essentiel en Europe et sur le pourtour méditerranéen, avant de s'étendre jusqu'aux Amériques. L'Europe est son second berceau. Un carrefour et un confluent. Le creuset de la culture yiddish, laquelle, forgeant son unité, s'est constamment nourrie de diversité et régénérée de son rapport à l'autre.

Il y a un mimétisme de la pensée juive. Elle transforme ce qu'elle touche et retouche ce qu'elle forme. C'est ainsi qu'elle devient l'affluent d'une civilisation, dans l'Espagne médiévale où s'épanouit la société arabo-andalouse et sa forte composante juive, jusqu'à la destruction du royaume de Grenade de Boabdil et l'expulsion des Juifs d'Espagne en 1492, l'année même où Christophe Colomb découvre, au loin, la lisière de cette Amérique qui sera quelques siècles plus tard le refuge d'autres exilés.

Je n'ai pas l'intention de retracer l'histoire des Juifs, si complexe et mouvementée, gravée en lettres de sang, de larmes, de génie, dans la mémoire européenne dont elle est inséparable. On a repéré ses traces en France, de l'Alsace aux anciens Etats pontificaux d'Avignon à Carpentras et Cavaillon où subsistent les vestiges d'antiques synagogues et bains rituels. En Italie essaimèrent nombreux, notamment à Venise, les exilés d'Espagne ou ceux qui l'atteignirent en franchissant les Alpes, venant d'Autriche et d'Allemagne. C'est dans la cité des Doges que fut conçu le premier roman de chevalerie en yiddish. Mais la langue s'était implantée initialement aux XII° et XIII° siècles dans la région rhénane ou les communautés juives importantes et actives empruntèrent un dialecte allemand, le Mittle Hoch Deutsch, refondu dans le moule de l'alphabet hébraïque.

C'est ici que commence l'histoire d'une littérature et qu'apparaissent les premiers bourgeons de sa poésie.

2. L'AVANT ET L'APRÈS

Mais comment écrire ou décrire la poésie yiddish aujourd'hui, alors qu'on ne peut l'embrasser que d'un regard quasi rétrospectif ? Et ce regard ressemblera au manteau de Noé, non pour dissimuler l'état d'ébriété - ou d'hébréité ! - du patriarche, mais pour marquer l'entrée de cette poésie dans l'ère de l'absence, dans une vie seconde, transitoire, morcelée, conditionnelle.

Pour la poésie yiddish, l'AVANT foisonne dans la diversité, jusqu'à la Shoah, en dépit de quelques déconvenues. C'est une quête et même une conquête permanente. De l'esprit des pionniers qui l'anime, elle passe à l'esprit des détenteurs d'un patrimoine dont il faut à tout prix assurer la sauvegarde. Mais l'APRÈS se place sous le signe de la perte, de la raréfaction, du culte obligé qui conduit dangereusement à la muséification ou au folklore momifié, ce qui ne vaut guère mieux. L'APRÈS est un fantôme qui flotte dans la zone de l'hypothèse.

Quand on parle de la poésie française, on parle dans un train en marche. On voit défiler un paysage, toujours vers l'avant, vers le futur. On sait ce que l'on a laissé en arrière. De la poésie yiddish, dont on connaît tous les jalons, rien n'indique qu'elle va poursuivre son parcours, qu'elle va atteindre la prochaine station, s'y arrêter, tomber en panne peut-être, tomber en ruine, faute de combustible, de moteur ou de voyageurs...

J'écris dans l'improbable de la poésie yiddish, dans la

conjecture idéale qui serait sa résurrection, mais plus vraisemblablement une résurgence parcellaire, une survivance autonome ou assistée dans la périphérie de l'histoire juive, là où l'hébreu laisse subsister une marge à remplir par les vestiges et les bribes d'une grandeur révolue.

Pourtant, se confiner à l'inconsolable c'est supposer qu'il y a une fin à l'histoire. Or, tant que l'histoire est sujet de narration, tant qu'elle peut se raconter, passer de bouche à oreille, elle a une chance même infime de reprendre son élan sur la piste d'envol du langage.

Je veux vous raconter une histoire.

3. INVENTION DU YIDDISH

"Ikh wil aykh dertzeyln a maysse" : quand on dit cela en yiddish, je veux vous raconter une histoire, c'est que l'on va jeter dans la conversation comme une épice, une de ces anecdotes malicieuses ou truculentes que l'humour juif réinvente au gré de ses pérégrinations à travers le monde en suivant d'infinies variantes locales.

Mais il y a histoire et histoire. La petite et la grande. La petite, facétieuse, tourne en dérision ce qui souvent dérange ou fait mal. La grande, elle, nous retourne avec nos racines comme des mottes de terre dans le sillon qu'elle creuse. Elle nous façonne un masque qui fait office de visage.

La poésie, est-ce le vrai visage ou le faux masque de la pensée ? C'est une pensée qui s'arrache de nous et nous écorche. Mais elle ne s'enferme ni dans la souffrance ni sous la cicatrice de son arrachement. La plainte, la plaie, ne sont jamais que des passages à vif ou des passages à vide. La poésie est sans relâche son propre enjeu. Il lui faut, afin de se justifier à ses propres yeux, jouer et enjouer. Miser sur tous les tableaux, rire, larme, cri, imprécation, sarcasme. La spiritualité juive, dans sa pointe hassidique, est à la fois grave et gaie. Son flambeau se transmet et transmue en or du visible, l'épaisseur de plomb des ténèbres.

On a dit de l'humour juif qu'il est la politesse du désespoir. Je me permets d'ajouter : sa politique. C'est ce qu'il a de commun avec la poésie. Celle-ci, de surcroît, se fait filon de la mémoire. Elle thésaurise le langage, épargne, protège. Un legs que rien ne peut empêcher de s'accroître et de perdurer d'âge en âge, d'âme en âme.

Si le monde est mal fait pour les hommes, il l'est encore plus pour les Juifs. Entre les différentes manières d'en faire le procès, d'en démystifier, par la moquerie, les impostures, la poésie est une des plus rusées, des plus subtiles, et elle résiste davantage à la dévoration du feu et à la dilapidation du temps.

Si la poésie n'avait pas existé, il est probable que les Juifs l'auraient inventée. Sépharades et Ashkénazes, précisément en raison de leur diaspora. Car l'errance est le levain des rêves. Elle incite à la nostalgie d'une terre perdue, intouchable et sacrée, que seuls l'agencement des mots, le merveilleux des mots en mutation, permettent de retrouver. La Jérusalem du langage n'est pas moins chimérique que la Jérusalem céleste, mais la poésie en favorise l'approche. Les Juifs éparpillés depuis des siècles en Europe centrale et orientale, de l'Allemagne à la Russie, suivant le flux de leurs migrations, ont forgé de la poésie une armure, matériau réfractaire à toutes les entreprises de marginalisation ou d'élimination qu'ils durent affronter.

L'héritage du Tanakh, des Prophètes, des Psaumes, depuis des temps immémoriaux, les baignait, tel un fleuve en lequel on croit pouvoir se retremper afin de retrouver jeunesse et de reprendre voix. Mais on sait, depuis Héraclite, que l'on ne se baigne jamais deux fois dans le même fleuve. Sans oublier celle de la Torah, il leur fallait reconquérir leur source au fur et à mesure qu'ils s'inventaient une langue.

Cette langue le yiddish, un peuple l'a adoptée et accrue durant des générations. Langue arrachée à ses haillons, à sa méprisante appellation de "jargon" non pour se travestir mais afin d'honorer la fête et le travail. Langue pour s'entendre et pour créer, pour dire simplement le bonheur et exorciser à chaque instant le malheur menaçant ou dissimulé.

4. LES DEMI-FRÈRES

L'hébreu et le yiddish : deux demi-frères adultérins, demi-frères de même sang, parfois rivaux, jamais ennemis, indispensables l'un à l'autre pour franchir, en se faisant la courte-échelle, le rempart des siècles. L'hébreu / araméen, complément direct et composante du yiddish lui fournit jusqu'à 15 % de son lexique, dans le langage parlé comme dans le langage conceptuel ou savant, participant d'une intime fusion, visible dans l'écriture. Le yiddish, de son côté, a permis à l'hébreu de maintenir avec l'histoire et l'actualité le cordon nourricier d'une imagination féconde, d'une langue quotidienne bien pendue, évolutive et opérationnelle.

L'hébreu / araméen du texte incarne la noblesse héraldique, la splendeur gnoséologique et transcendentale du Livre, le hiératisme et la perpétuation du rituel et de la liturgie. Mais on ne pouvait avec lui pratiquer le quotidien profane, cuire son pain, agrémenter et épicer la conversation de quolibets et traits saugrenus, les femmes sans instruction en étaient simplement privées pour dire la prière. L'hébreu prend assise dans la pensée, la philosophie, la théologie, le commentaire qui questionne et condense la leçon du Talmud ou de la Kabbale. Ancré dans le texte biblique, voué au sort des grimoires et des codex, il reprend pourtant vigueur au Moyen Age, dans la sphère arabo-andalouse, avec la poésie lyrique ou mystique des Yehuda Halévy, Ben Ezra, Ben Gabirol, dans l'œuvre immense de Rambam, autrement dit Maïmonide, le Cordouan, auteur du *Guide des Egarés* (1190) maître à penser aristotélicien d'une science que le rationalisme touche de l'aile et incite au dépassement du dogme.

Nombre d'écrivains yiddish feront leurs premières armes en hébreu ou contribueront à sa résurgence, tel Bialik au XIX° siècle. C'est à cette époque que poètes et conteurs affranchissent le yiddish de sa condition roturière et font en sorte qu'il soit doté du statut de langue nationale et non plus strictement vernaculaire, où chacun, du haut en bas de l'échelle sociale, puisse se reconnaître.

La langue serve, promue langue maîtresse, est douée du pouvoir de tout dire et de tout traduire dans la plus complète des gammes, souffrance et joie, ironie et méditation, conflits et compassion, informations de tous ordres et débats idéologiques. C'est la flamme vive du shtetl, le village ou la bourgade juive dans les provinces de Pologne, Galicie et Volhynie, en Lituanie, dans la Roumanie et ses enclaves de Bukovine et de Bessarabie, en Moldavie, en Biélorussie, en Ukraine, dans cette partie de la Russie des tzars assignée aux Juifs comme "zone de résidence". le Shtetl qu'Isaac Bashevis Singer, Juif de Pologne devenu Américain dépeindra dans ses romans, et dont Marc Chagall, Juif de Vitebsk devenu parisien, transformera le souvenir en mythologie peinte et enluminures, l'un et l'autre infusant à la réalité une appréciable dose de merveilleux.

La poésie yiddish prend essor dans le dernier quart du XIX° siècle, déployant tout son registre de structures rythmiques, sa prosodie et ses performances sémantiques originales.

5. LA SOURCE VENITIENNE

Mais rien ne surgit du néant, surtout pas la poésie. A l'Age d'or de l'époque post-romantique, il y avait eu des antécédents sans lesquels sa floraison n'aurait atteint ni cette ampleur ni cet éclat.

Le Moyen Age allemand avait vu naître et proliférer une grande variété de poèmes épiques et de chansons de geste en yiddish, à l'imitation des minnesängers, puis des auteurs épiques de *Parzival* (Wolfram Von Eschenbach, 1170-1230) ou de *La Chanson des Nibelungen* (vers 1200). La matière biblique s'y combine à la matière légendaire et narrative des textes germaniques, tout en transposant leur métrique. Se situent dans cette tradition dont elles adaptent et infléchissent les règles, deux œuvres importantes, le *Melo"him Bukh* (*Livre des Rois*, vers 1519-1525) et le *Shmuel Bukh* (*Livre de Samuel*) édité à Augsbourg en 1544.

Toutefois, c'est en Italie, au XVI° siècle, plus particulièrement à Venise, la Venise des Doges, des marchands, des condottiere, des navigateurs, que s'accomplit au beau milieu de la Renaissance la véritable mutation. Il se trouve, paradoxalement, que William Shakespeare a placé dans le cadre de Venise l'un de ses plus célèbres personnages, mais célèbre par son ignominie et sa férocité, Shylock, l'usurier juif du *Marchand de Venise*, "Une livre de chair d'un gentil en échange d'une remise de dette de 3 000 ducats". L'interprétation biaisée de ce portrait classique, tranché mais puissant, a pu parfois servir un antisémitisme haineux et borné. Or, approximativement à l'époque du *Marchand de Venise* (pièce écrite en 1596), vivait dans la cité des Doges le maître incontesté de la poésie yiddish, Elie Bo'her Lévita (1469-1549). Le génie shakespearien a immortalisé l'usurier tandis que le poète demeurait pratiquement ignoré...

En Italie plus qu'ailleurs cependant, dans les vestiges du Saint-Empire en voie de désagrégation, s'est établie une relative liberté intellectuelle. Les puissants, seigneurs ou bourgeois, apprécient et favorisent les arts et les lettres qui mettent en valeur leurs mérites et leurs libéralités.

La critique, appuyée par l'essor des sciences, remet en cause des notions immuables, notamment le primat attribué au divin dans la nature du langage. L'élite de la communauté juive n'est pas indifférente à ces idées libérales et bénéficie de conditions plus propices à l'élaboration et à l'édition de textes d'inspiration profane.

Elie Bo'her Lévita est l'emblème de ce courant émancipateur. Né dans un village proche de Neustadt, grammairien et professeur qui enseigna à des chrétiens, notables ou ecclésiastiques, la langue du Livre nécessaire à leurs recherches où à la satisfaction de leur appétit de culture. Elie Bo'her Lévita a commencé très jeune par la migration et l'errance, du Palatinat à la Vénétie. Il a vécu d'expédients, rarement de sa plume, sillonnant la péninsule, de Rome à Padoue et Venise. Mais tout au long de son parcours, accumulant la connaissance et l'expérience, il met en chantier une œuvre d'une abondance et d'une qualité exceptionnelles : traités de grammaire hébraïque, études de langues, manuels de lexicographie, etc... Ses textes érudits usent conjointement de la langue sacrée et de la langue vulgaire. Il s'y fonde - et plus encore dans sa poésie - sur des principes résolument humanistes, la volonté de délivrer la langue du carcan théologique, de désenclaver et faire s'interpénétrer les savoirs, de procéder à une rupture avec l'ordre ancien et d'ouvrir à la poésie une voie inédite influencée par les grands modèles des littératures de l'Occident.

Si Elie Bo'her Lévita est passé à la postérité c'est principalement en tant que poète, et poète majeur, parangon d'une démarche audacieuse qui consiste à s'approprier mieux que ses devanciers le roman courtois, le "romanzo cavalleresco" qui fait florès en Italie. Avec le *Bovo Bukh* (*Livre de Bovo*, publié à Isny en 1541) puis *Paris un Viene*, qui s'y apparente mais lui est attribué sans certitude (une première édition aurait pu paraître en 1553-1554), Elie Bo'her Lévita fait franchir à la poésie yiddish une étape décisive : elle y atteint sa majorité et obtient ses lettres de noblesse, tant dans la communauté juive qu'à l'échelle de la littérature européenne. Lévita introduit dans la poésie yiddish des thèmes, des figures, un style inusités, l'idéologie courtoise de la Chevalerie, ses extravagances et son panache héroïque, mais concurremment une conception neuve de l'amour et du rôle de la femme, incarnée par l'admirable figure de Viene dans *Paris un Viene*, où s'affirment l'érotisme, la beauté du corps féminin, le désir, comme composantes naturelles d'une symbolique qui contredit sans ambages les tabous de la pudeur et de la pruderie qui hérissent la tradition juive. L'amour n'est plus l'objet d'une réserve ou d'un mystère savamment entretenu : il participe pleinement de l'ordre, du désordre, des mouvements du monde.

Elie Bo'her Lévita s'est inspiré des modèles épiques qu'illustrèrent Boiardi (*Le Roland amoureux*) l'Arioste (*le Roland furieux*) et Le Tasse (*Jérusalem délivrée*). Plus précisément, on trouve à l'origine une épopée anglo-normande du XIII° siècle, *Bueve de Hantome*, à partir de laquelle se ramifient dans les principales langues européennes une kyrielle de versions, jusqu'à celle du Florentin Andréa di Barberino (XIII° / XIV° siècle). Son *Reali di Francia* (*les Royaux de France*) inclut sous le titre "Buovo d'Antona" une partie que ses similitudes frappantes font apparaître comme la plus directe ascendance du *Bovo Bukh*. Pour autant, on est loin d'avoir affaire à un démarquage ou une simple extrapolation. Elie Bo'her Lévita fait œuvre originale, tant par le traitement du sujet que par

La poésie Yiddish, quelques étapes d'une longue marche

celui de la prosodie. Ainsi, il naturalise "l'ottava rima" italienne, strophe de huit vers rimés qui se prête fort bien à la narration. Grâce à quoi dans un langage coloré, bruissant d'actions, de faits d'arme, d'apparitions surnaturelles, d'épisodes amoureux, d'inventions picaresques et poétiques, le récit prend en yiddish son rythme propre, sa plasticité, ses modulations multiples dont les effets et les retombées ne se feront sentir qu'au siècle de la modernité. De cette modernité, le *Bovo Bukh* et *Paris et Viene* sont la préfiguration et, d'une certaine façon, l'instaurent, gratifiant la poétique yiddish de la vivacité, du faste langagier et de la liberté de pensée qui caractérisent la Renaissance.

Le poète Elie Bo'her Lévita noue et dénoue une intrigue multiforme, ou plutôt un entrelacs d'intrigues, de digressions, de récits dans le récit, au cours desquels l'auteur se donne le droit insolent d'interrompre la narration, si besoin est, afin de la commenter, d'y énoncer un jugement, avec une liberté de ton des plus modernes dans l'écart que ménage alors l'ironie à l'intérieur même de l'affabulation. Celle-ci a pour héros, en Bovo, un chevalier dont il est aisé de percevoir le cousinage avec Hamlet. Il s'est fixé pour mission de venger son père traîtreusement assassiné, et de récupérer son royaume usurpé. Motivé par la soif de vengeance et le sens de l'honneur, il subit l'humiliation, la captivité, se bat vaillamment au hasard d'une pérégrination dont les péripéties et les rebondissements le conduisent à affronter le sultan de Babylone. Il dispose d'une panoplie protectrice : une épée magique et un cheval enchanté dont le sobriquet yiddish, Pomelé, évoque par homonymie le français pommelé...

Le sultan, au moyen d'un subterfuge, l'attire à la cour et l'y retient pour le faire juger et condamner à la pendaison. Mais la fille du sultan intercède pour sauver de la potence un prisonnier dont elle est tombée amoureuse. On y mettra pour condition qu'il abjure sa foi et se convertisse à l'Islam. Si je résume sommairement cette saga complexe, prodigue en analogies avec bien des œuvres italiennes, c'est pour permettre de situer dans leur contexte les extraits du *Bovo Bukh* que je me propose de soumettre pour la première fois au lecteur. En effet, je m'étais résolu dans mon anthologie *Le Miroir d'un peuple* (1), à ne prendre que la fin du XIX° siècle comme point de départ. Mais la popularité du *Bovo Bukh* a franchi les siècles au point de laisser une trace proverbiale jusque dans les conversations les plus courantes. C'est ainsi que pour désigner une chose ou un fait extravagants on dit en yiddish "s'iz a Bovo maysse", c'est-à-dire une "histoire à la Bovo...".

Des fragments versifiés qui suivent, la traduction m'a été grandement facilitée, il est vrai, par les séquences du *Bovo Bukh* retranscrites avec bonheur en graphie latine dans un chapitre du remarquable ouvrage de référence de Jean Baumgarten *Introduction à la littérature yiddish ancienne* (2), transcription qui m'a ouvert l'accès (qu'il en soit ici remercié) à une lecture plus directe que l'original - dans une graphie archaïque où les hébraïsmes sont rares - rend problématique.

Cela étant dit je ne prétends à rien d'autre qu'offrir quelques échantillons du *Bovo Bukh* afin de donner, peut-être, de sa tonalité, de son rythme et de son style une idée différente de la version en prose. Une approche qui tend plutôt à transposer la tournure verbale et prosodique de l'époque.

Pour commencer, voici un extrait de l'introduction, qui indique que le Bovo Bukh, comme maintes chansons de geste en yiddish, devait être récité ou chanté, accompagné d'une mélodie :

> Mais de la mélodie, à mon grand dam,
> Qui s'accorde à ce chant ne puis rien concéder.
> Celui-là qui connait musique et gamme
> J'aurais pourtant volontiers pu l'aider.
> Si je le chante moi sur un air d'Italie
> Soit remercié qui un meilleur élit.

Quant à l'aspect "merveilleux" de la fable, et, d'autre part, à la manière dont l'auteur, avec une jubilante désinvolture, n'hésite pas à prendre position par rapport à ce qu'il conte, voici un autre exemple :

> Chevaucha sans savoir routes ni sentes
> Rencontra chevauchant force dragons,
> Par des contrées de très sauvages landes,
> Trouva maints animaux de forme étrange.

La poésie Yiddish, quelques étapes d'une longue marche

> Lui barra la route un géant furibond,
> De coups tant le roua qu'il le fit moribond,
> Mais à vous le dépeindre en rien ne songe
> Car tout cela je le tiens pour mensonge.

Enfin, voici la séquence où Elie Bo'her Lévita célèbre la fierté et le courage de Bovo, refusant au prix de sa vie, de céder aux exhortations du sultan qui prétend le contraindre à l'apostasie :

> Et lorsqu'il vint par devant le sultan
> A genoux il tomba. Le sultan ne lui parle
> Qu'après l'avoir toisé pendant longtemps :
> "Te voilà revenu, homme très honorable,
> Mais dis-moi en toute franchise si tu tiens
> A devenir dès maintenant païen,
> Je pourrais en ce cas te rendre la vie
> Et te pardonner ce que tu me fis".
>
> Voici comment Bovo lui fit réponse :
> Pas un instant vous ne sauriez penser
> Que même en me donnant votre royaume
> J'accepterai à ma foi renoncer.
> Je crois en un Dieu de majesté grande,
> Sans m'écarter de ses Commandements,
> Proclamerai son Saint Nom instamment
> Que pour Lui on me brûle ou me pende.
>
> Il est mon Créateur, louange à Lui,
> Qui ne m'abandonna de ma vie entière,
> Qui m'a aidé jusqu'au jour d'aujourd'hui.
> Qu'en son Saint Nom jamais ne désespère.
> A votre demande ainsi renoncez
> Et point ne me suppliez plus avant,
> A supposer que puisse le laisser
> Ou échanger contre un mort un vivant.

Au-delà de cette leçon de morale héroïque, c'est une conception éthique et poétique qu'entend défendre et illustrer Elie Bo'her Lévita : adopter des modèles "chrétiens" d'écriture et de narration n'est nullement le signe d'un reniement ou d'un abandon des valeurs propres du judaïsme, mais manifeste la conscience aiguë de son nécessaire aggiornamento à la lumière de la pensée moderne.

6. UN CLASSIQUE

La poésie yiddish est tenaillée par le temps, par la dualité du temps. Elle ressent la nécessité quasi viscérale, pour rester au contact de son public, de ne pas perdre une bribe de la diaspora. Mais il lui faut pour rester un vecteur significatif de la création, coller étroitement à son époque, rattraper le temps perdu, le retard que les siècles ont fait peser sur un monde juif isolé et sur sa culture dominée. C'est pourquoi sa conquête de la modernité, impatiente, fébrile, est une quête permanente, parfois une fuite en avant vers la rupture brutale, mais toujours un souci d'insertion dans son temps qui la placerait enfin sur un pied d'égalité avec l'expression poétique des autres langues, celles qui constituent les principaux modèles, russe, polonais, allemand, français et anglais.

Pour y parvenir il ne faut pas hésiter à prendre son bien où il se trouve, à emprunter, à imiter, à délimiter son domaine dans la connaissance et la reconnaissance des autres. Pendant sa période de formation, le mimétisme fut à la poésie yiddish sa façon d'être, de progresser, d'assurer son autonomie, elle qui était si peu admise, encore moins reconnue en tant que forme artistique et moyen d'expression du peuple.

Simon Samuel Frug, I.L. Péretz, Chaïm-Na'hman Bialik sont différents et proches de leurs contemporains russes Nadson, Sologub et Goumilev, populiste et néo-romantiques, Mendele Moï'her Sforim et Sholem Aleikhem diffèrent tout autant de Gogol, Tourgueniev et Dostoïevski, malgré la proximité des cultures et le multilinguisme des auteurs yiddish. Les arbres ont beau être plantés dans la même terre, les fruits qu'ils donnent sont d'une autre espèce, le yiddish ayant mûri dans les affres d'une expérience humaine cruellement conflictuelle. Issue du peuple, par réaction à un usage trop savant et élitaire de la langue, la poésie yiddish annexe tout naturellement le populisme, y intégrant éléments folkloriques et tradition orale. Mais sa critique sociale, sa contestation des coutumes et de l'archaïsme, contribuent à accélérer la sécularisation entreprise par le mouvement rationaliste des lumières, la Haskala.

Poésie en transit, de bouche à oreille, transmise de tréteaux en colportage, à l'instar des feuilletons romanesques dont se délectent les femmes parfois en cachette, ou des traductions d'auteurs "best-sellers" étrangers, de Dickens à Zola, tout un bouillonnement de littérature populaire, de musique et de chansons, que répandent les conteurs et les "klezmorim", à l'occasion des fêtes traditionnelles, mariages, barmitzva, etc... La vie communautaire voit se développer tout un réseau associatif qui permet la promotion de petits groupes amateurs de théâtre, des chorales, des lectures de poésie qui relèvent plus ou moins du patronage "paroissial" mais contribuent à l'éducation de la sensibilité. Cette frénésie de communication agit aussi comme ferment de création, érode les cloisonnements ancestraux et l'emprise de la religion.

L'instrument du lyrisme yiddish trouve en I.L. Péretz (1852-1915) son interprète privilégié. Il porte la poésie au plus haut de l'échelle, là où elle devient valeur identitaire et composante de la mémoire collective. Commencée en hébreu, poursuivie en yiddish, elle passe de l'un à l'autre tour à tour ou même simultanément et opère la fusion de plusieurs courants, socialisme et mysticisme (le hassidisme lui doit des pages admirables), réalisme, romantisme et symbolisme. La diversité de ses registres lui permet de se faire l'écho des drames et des aspirations des humbles, lui qui sillonne sans relâche la réalité comme un champ à ensemencer, mais en raison même de cette perpétuelle circulation, il fait du texte littéraire un centre de rayonnement et de transmission de la conscience juive. On est frappé par ses drames, la *Chaîne d'or*, l'*Enchaîné*, la *Nuit sur le Vieux-marché* et la puissance d'expression d'une psychologie et d'une peinture du quotidien du shtetl, confrontation amère du rêve et de la vie. Le roman en vers *Monish*, son œuvre poétique la plus accomplie, tente de rivaliser avec le *Don Juan* de Pouchkine et le *Pan Tadeusz* de Mickiewicz. Elle prendra la patine d'un véritable classique.

Pourtant, c'est en Amérique du Nord, pôle attractif d'une énorme migration, de 1880 jusqu'à la Première Guerre mondiale, que cet instrument gagnera de nouveaux solistes, les plus nombreux et les plus doués.

7. POPULISTES

Provoquée par la détresse économique, l'absence de perspective, l'intolérance et les pogromes, la diaspora de l'âge industriel jette plusieurs millions de Juifs sur les routes transatlantiques d'un exil aiguillonné par le mirage d'une terre promise, moins rude que l'îlot d'Israël où ne se risquent encore que quelques hardis défricheurs.

Ils débarquent pour la plupart à New York, chargés de leur barda de nomades, de leur marmaille, de leurs ballots bourrés de "schmatès" (chiffons et nippes) et d'espérances. Arrachés à leurs racines, à un quotidien pourtant ingrat et souvent invivable, ils en garderont paradoxalement la lancinante nostalgie. A Brooklyn et Harlem - ce Harlem juif qui est le décor autobiographique de *A la merci d'un courant violent* de Henry Roth (3) - plus tard au Bronx, ces travailleurs manuels le plus souvent spécialisés dans la confection et l'habillement, vont s'évertuer à préserver au moins une lueur lointaine et fragile du shtetl évanoui, ne serait-ce qu'un semblant de son climat culturel. Dans les sweat-shops, ces ateliers de fabrication où le temps s'égoutte moins vite que la sueur, ils sont exploités sans vergogne, parfois "au noir", contraints à s'adapter vaille que vaille au rythme industriel et au "struggle for life" de la mégapole. La rage au cœur qu'attise la dureté d'une condition ouvrière qui robotise les individus et altère les liens jadis tissés par la famille, l'éducation, la communauté, place la poésie en tant que levain de révolte et contre-société, au diapason de leurs aspirations et des luttes syndicales qui les entraînent.

De ce singulier amalgame d'ancien et de nouveau émerge une poésie qui se veut prolétarienne, protestataire, engagée dans ce qu'elle croit être un processus d'émancipation. La vérité pratique que cette poésie prend pour but est naïvement

La poésie Yiddish, quelques étapes d'une longue marche

naturaliste. Elle ne consiste pas à rechercher ou à dire le beau, mais le vrai d'une réalité qui aliène inévitablement le vrai à des schémas simplificateurs. Elle retrouve en yiddish avec les chansons, les accents polémiques et revendicatifs des Béranger, Pierre Dupont, J.B. Clément, Eugène Pottier, ou les évocations "réalistes" de François Coppée et surtout Jean Richepin. Le souvenir du Victor Hugo des *Misérables*, largement diffusés, joue un grand rôle dans cette illustration et cette dénonciation de la misère et de la servitude.

Les poètes Vintchevski, Edelstat, Rosenfeld, Avrom Reisen et Bovshover, accusent la déhumanisation qu'engendre le machinisme, la nouvelle barbarie technologique, et exaltent l'utopie teintée de marxisme de la révolution sociale présentée comme une nécessité et une fatalité. Leurs poèmes déplorent, fulminent, passent de la complainte à l'élégie, de l'élégie au tract d'une "agit-prop" encore en herbe. Ils s'accordent sans peine aux angoisses et au sentimentalisme d'un lectorat que le langage poétique, habilement combiné à la mélodie des "nigunim", aux rythmes scandés des complaintes et des cantilènes, entretient dans ses frustrations, ses colères inassouvies, et berce de ses illusions libératrices.

Il est vrai que ces bardes sont écoutés, lus et chantés dans le Lower East Side et ailleurs, où le rêve de révolution se conjugue au mysticisme. Mais par le biais d'une critique sociale acerbe qui stigmatise le chaos, l'enfer de la corruption, du stupre, de la pauvreté endémique, d'une ville plus tentaculaire et écrasante que celles de Verhaeren (on en aperçoit les rougeoiements dans *Les feux de Broadway* (4) d'Avrom Liessin) commence à se profiler une tout autre Amérique, qui n'a plus rien à voir avec la vision récurrente et fantomatique du shtetl. Une Amérique rurale, citadine et provinciale, une Amérique des grands espaces et des grands projets, d'une réalité humaine insoupçonnée (*Kentucky*, d'Israël-Jacob Shwartz, 1925), de la transhumance vers l'Ouest, des paysages dont le gigantisme et la sauvagerie ne tardent pas à éclipser ceux de la vieille Europe.

Natif de la Lituanie (1872-1927) Yeohash incarne pleinement cette échappée au-delà des démarcations géo-sociologiques et des mythologies traditionnelles. Il quadrille un territoire encore vierge pour la poésie yiddish, un territoire où s'accuse le choc des contrastes et des splendeurs de la nature et des horreurs du racisme, dans ses variantes antisémite ou anti-nègre. Son esprit centrifuge refuse décidément de prendre l'usine ou le confinement urbain pour creusets exclusifs de la fusion poétique.

8. LES JEUNES

La génération suivante qui apparaît peu avant ou peu après la première révolution russe, en 1905, va tenir largement compte de cette leçon et verra en Yehoash un précurseur. De ce nouveau contingent d'émigrés de Pologne, de Biélorussie et de Russie, venus de milieux ruraux souvent arriérés, émerge une constellation de poètes.

Rien ne les distingue à première vue des ouvriers et artisans de leur entourage. H. Leivick, né en 1888, s'est évadé de Sibérie où il avait été déporté en raison de son activité révolutionnaire ; arrivé aux U.S.A. en 1912, il est d'abord colleur de papier peint. Zisho Landau (né en 1889) arrivé en 1906 est peintre en bâtiment. Many-Leib (né en 1883) arrivé en 1905, est cordonnier-bottier. M.L. Halpern (né en 1886), arrivé en 1905, garçon de restaurant.

Ils connaissent d'emblée, eux aussi, les aléas et les épreuves du quotidien, l'engrenage de conditions sociales peu propices au travail créateur. Mais au lieu de fréquenter les clubs syndicaux et les meetings, ils mènent une vie de semi-bohème, se rencontrent de préférence dans les cafés littéraires de Broadway. La presse juive conformiste les observe d'un œil suspicieux et ne ménage pas ses railleries à ces "Parnassiens de boutique". Certes, ils sont pauvres comme Job, mais habités par une foi, une passion et une conception de la littérature qui les séparent radicalement des aèdes prolétariens. Par la force des choses, la société juive est entrée dans l'âge industriel. Eux, parallèlement, vont faire entrer la poésie yiddish dans l'âge de la modernité. Ils ont lu Baudelaire (notamment dans la traduction en yiddish de Naïdus),

Verlaine, Laforgue et Mallarmé. La poésie russe, de Pouchkine à Biély et Alexandre Blok leur est familière, comme la poésie de langue allemande, de Heine à Rilke. Ils s'attachent à transmettre ce qu'ils découvrent. Ils revendiquent la doctrine de l'art pour l'art, ou du moins la totale autonomie de la création. Ils se considèrent comme les enfants et les pionniers d'une ère nouvelle et constituent un petit groupe dénommé *Di Yunge* (Les Jeunes). Une de leurs premières publications, en 1910, s'intitule *Litérarur*. A peine une décennie plus tard, ce sera le titre de la revue fondée par Soupault, Breton et Aragon, il est vrai par antiphrase, et comme signe avant-coureur du séisme surréaliste.

Mais jeunes, d'abord, parce que leur périodique, *Yugnt*, en 1906, a pris la jeunesse pour étendard. Parce qu'ils se jettent dans la poésie comme dans une arène, avec la fougue et les ambitions de ceux qui prêchent le renouveau en renversant les anciennes idoles. Ils sont iconoclastes, mais non point révoltés comme leurs aînés. Leur premier manifeste n'entend pas énoncer une conception du monde, ni suggérer des moyens de le transformer. Il propose une esthétique qui restitue au moi son privilège et à la subjectivité son rôle dans la démarche poétique. Il s'agit en premier lieu de débarrasser la poésie de sa défroque prolétarienne devenue un uniforme. Zisho Landau, sarcastique, ne mâche pas ses mots. A ses yeux, la poésie sociale n'est rien d'autre que le "département des rimes du mouvement ouvrier juif". La poésie doit au plus vite quitter cette galère, sous peine de naufrage.

Les jeunes sont conscients d'un décalage et d'un retard de plus en plus accentué sur l'évolution générale du langage poétique, tel qu'il s'est développé en France, en Russie, en Allemagne et aux Etats-Unis depuis Walt Whitman. Temps à rattraper. Vide à combler. Modernité en état d'urgence et qu'il s'agit de fonder plus encore que d'importer. Ils s'y emploient au moyen de formules et de textes que marquent encore l'empreinte et le poids du symbolisme. Ils sont soucieux, prêtant l'oreille à Paul Verlaine, de "musique avant toute chose", déterminés à épurer la poésie de tout pathos sentimental et populiste. Du point de vue lexical, leur yiddish prend lui aussi un bain de jouvence, expurgé des excès de germanismes et d'hébraïsmes. La poésie selon eux doit s'affranchir de tout apostolat spiritualiste ou socialiste. Elle ne saurait être une courroie de transmission de l'idéologie, de la politique, ni une gardienne jalouse du temple des sacro-saintes valeurs juives.

Cette position tranchée ne va pas sans tiraillements ou déchirements. Couper les ponts avec la tradition fait mal et s'avère parfois malaisé. Mille liens encore puissants soudent les *Jeunes* à leur enfance, à leur sol natal, à leur village, au passé que la distance idéalise et qui sécrète un brouillard de nostalgie. L'appel au combat social et révolutionnaire cède désormais la primauté aux inquiétudes et aux interrogations individuelles, aux problèmes philosophiques et ontologiques. Le cri de révolte, s'il jaillit, n'est plus obligatoirement motivé par les iniquités sociales. Il est le symptôme d'une solitude insupportable et d'une angoisse existentielle sans remède.

Chez M.L. Halpern, par exemple (né en Galicie en 1886, mort à New York en 1932) gronde la vague de fond d'un défi négateur, d'un nihilisme qui semble l'écho lointain des "maudits" Rimbaud et Lautréamont. Pamphlétaire autant que visionnaire, le poète dresse un réquisitoire véhément contre la civilisation des affaires et du machinisme. Mais le procureur n'oublie jamais qu'il est d'abord un écrivain, et, qui plus est, un maître de la forme. Forme où se heurtent et se combinent l'outrance et l'audace, où règne une fièvre destructrice et vengeresse, tempérée parfois par les souvenirs bucoliques du village, les réminiscences bibliques et un sens tragi-comique de l'absurde au cœur du banal qui fait de chaque poème un singulier mélange chimique, un précipité de réalisme et d'insolite. Son usage du prosaïsme, des discordances, de la trivialité parfois agressive, rappelle Apollinaire et ses "poèmes-conversations". Halpern, lui aussi, nous dit dans chaque vers : "A la fin tu es las de ce monde ancien". Parmi les *Jeunes*, il est celui que son état de rébellion conduit le plus loin dans la rupture esthétique et le sentiment désespéré de la vie. En même temps, il effectue sur le langage un tel travail de refonte et d'appropriation qu'il parvient à jumeler et à identifier comme personne judéité et modernité.

H. Leivick (1888-1962) quant à lui, s'il participe au mouvement de rénovation poétique, tant en Amérique que dans la vieille Europe, reste attaché à son indépendance et à la pluralité des expressions. Il sympathise avec les unes et les autres, leur apporte volontiers son concours, mais il n'est pas de ceux qui s'embarquent à bord d'un bateau-école avec la prétention d'en être le pilote. Sa vaste culture nourrit une thématique qui puise avec autant de bonheur dans le trésor biblique et dans les légendes médiévales (*Héloïse et Abélard*). L'ampleur de son registre lyrique ou dramatique, qu'il s'inspire du sacrifice d'Abraham, du Livre de Job, ou du Golem, implacable procès de la violence aveugle, confère à son œuvre une complexité et une dimension que l'on a pu qualifier de nationale. Paradoxalement, c'est l'idée de nation qu'il semble désavouer ou reléguer parmi les chimères dans un de ses poèmes : *Au pays de personne* (5) qui désigne, pour la poésie, un lieu apatride de non-être et d'étrangeté. Ce poème, il faut noter qu'il fut publié dans le premier numéro de *Khaliastra*, la revue d'avant-garde qui prit Varsovie, en 1922, pour base de lancement. C'est ainsi qu'entre plusieurs groupes et courants, malgré leurs dissemblances, tous sollicités par l'aggiornamento sinon par le bouleversement de la poésie, se propagent des idées productrices et se tissent des liens transcontinentaux qui sont secrètes ramifications et racines entrecroisées de la modernité.

9. EN SOI

Le débat sur les principes et les prévalences esthétiques qui occupe et divise les poètes n'est ni futile ni circonstanciel. Il porte sur la nature même du fait poétique, du poème en tant qu'élément du langage, sur sa pratique et son expression mais aussi sur l'essence de la littérature yiddish, et en cela il implique le problème de l'identité, de la présence aux autres. Un art d'écrire est-il ou peut-il être proprement juif et affirmer la modernité par le truchement du yiddish ? En quoi la modernité, formulée en yiddish, se distingue-t-elle de celle qui a cours dans une autre langue ? La modernité n'a-t-elle pas pour effet, précisément, d'atténuer voire d'abolir les clivages nationaux et de conduire par sa nature même à un universalisme de l'art ? Pour les *Jeunes*, il n'y a aucune solution toute faite à ce dilemme, et surtout aucune solution d'ordre purement théorique. C'est dans la substance des œuvres elles-mêmes, autant que dans leur formalisation, que doit s'effectuer l'alliage indestructible entre judéité et modernité, de telle façon qu'il soit d'emblée reconnaissable.

Si les *Jeunes* ont réhabilité la subjectivité, mis en œuvre une vision impressionniste et intimiste du monde, puisé dans les élans, les tourments et le vague de l'âme une coloration particulière, embuée de mélancolie et d'intranquilité, ils ont surtout porté le coup de grâce à l'instrumentalisme et au manichéisme anarchisants de leurs prédécesseurs.

Le groupe *In-Zikh* (En soi) qui se constitue à New York après la Première Guerre mondiale, va porter l'aventure à ses conséquences extrêmes, avec la cohérence, l'intrépidité et l'intransigeance d'une véritable avant-garde.

Pour Jacob Glatstein (1896-1971), Aron Glantz-Leyeles (1889-1967) et Nahum-Baruch Minkoff (1893-1958), chefs de file du mouvement, le retour à soi devient un retour "en soi" comme l'indique le terme In-Zikh. Cette formule lapidaire situe l'individu comme seul objet et centre d'une recherche exploratoire ; l'imaginaire, l'instinctif, l'originel comme terres d'élection de cette recherche. Les introspectivistes - vocable qui traduit approximativement "inzikhistn" - lancent alors un fracassant manifeste de 23 pages, pour ne pas être en reste sur ce point avec les futuristes et les surréalistes, recordmen du manifeste. Le leur est principalement un brûlot contre les *Jeunes*, pris pour cibles et voués aux gémonies en raison de leurs inclinations symbolistes désormais classées comme "vieilleries poétiques". Il n'est plus question de distiller des états d'âme évanescents en ayant recours à la palette impressionniste. Découvrir et révéler en ses tréfonds l'authentique vérité du moi exige une approche différente et un autre langage. On ne saurait l'atteindre sans recherche de la vérité du monde et sans la connaissance objective. Il ne s'agit pas en conséquence de céder au mirage du narcissisme. Si rien ne prouve que les introspectivistes, à ce moment-là, aient eu accès aux travaux de Freud, on discerne chez eux une approximation ou une intuition, comme ce sera le cas en France chez les surréalistes. Dans leur théorie, composite quand elle n'est pas floue, on décèle aussi des échos et des retombées de Nietszche, Croce, T.S. Eliot, Ezra Pound, l'influence de l'imagisme américain, du futurisme, du vorticisme de Grande-Bretagne et de l'expressionnisme allemand.

Le fait est que ce qu'ils proposent, en première instance, c'est le sondage méthodique de ce monde intérieur, ou de cet "espace du dedans" nommé par Henri Michaux, qui s'apparente de toute évidence à l'inconscient.

Philosophiquement, c'est à l'individu, et donc à son psychisme, qu'est accordé le rôle primordial, ce qui suppose avec les structures d'une réalité si hostile et menaçante pour l'individu un rapport de suspicion et de conflit.

Ils écrivent :

"Pour nous, tout est personnel. Les guerres et les révolutions, les pogromes et le mouvement ouvrier, le protestantisme et Bouddha, l'école juive et la Croix, les élections municipales et l'interdiction de notre langue ; tout cela peut nous toucher ou non, tout comme la femme blonde ou notre propre inquiétude peut nous toucher ou non. Si cela nous touche, nous écrivons de la poésie, sinon nous nous taisons. Dans tous les cas nous écrivons sur nous-mêmes, car tout cela n'existe que dans la mesure où c'est perçu introspectivement" (6).

La plongée des introspectivistes dans le Moi ne les conduit pas pour autant à abdiquer tout contrôle de la rationalité sur le texte. Ils en rejettent les conventions, les structures sclérosées. Ils s'attaquent même à la sacro-sainte rime, ce "bijou d'un sou" verlainien, qui demeure un accessoire indispensable à la prosodie yiddish, grâce auquel le poème est aisément transférable en chanson, passerelle sonore vers le public qui s'avérera pendant très longtemps inamovible... Eux sont en quête de rythmes inouïs, d'associations d'idées originales et d'images-chocs. Cette volonté d'outrepasser les normes du goût, de la mesure, voire de l'intelligibilité, les rend esthétiquement proches de l'expressionnisme, plutôt que de l'écriture automatique ou délirante des surréalistes. Leurs vers libres, articulés sur les homophonies, les lilotes, les oxymores, usant volontiers de mots-valises, veulent être le contrepoint syncopé des dérives de la pensée et du chaos répercuté de la grande ville, du monde contemporain tel qu'il est perçu et vécu par l'individu.

Le Journal de Fabius Lind (7) d'Aron Glantz-Leyeles, est la chronique de la vie intérieure et du comportement d'un homme de son temps, chronique constituée d'une mosaïque d'images hétérogènes et d'impressions heurtées. L'auteur prendra part lui aussi à la livraison initiale de *Khaliastra* avec un curieux poème-fable "le Chant du pêcheur" qui symbolise comme signe du destin la poursuite éperdue d'un chimérique "poisson d'or".

Nahum-Baruch Minkoff, de son côté, porte à son comble l'abstraction verbale et le pouvoir de suggestion indirecte de ses poèmes qui sont parfois, dans leurs découpages et leurs asymétries de véritables "mobiles" de mots en suspension, accrochés aux arêtes d'une typographie éclatée et échelonnée qui n'est pas sans rappeler le Mallarmé du *Coup de dés*.

Mais le poète le plus considérable du groupe est sans conteste Jacob Glaststein. A son premier livre, en 1921, il donne pour titre son propre nom, signifiant ainsi de façon ostentatoire (que l'on peut rapprocher de Maïakovski donnant pour titre *Vladimir Maïakovski* à sa tragédie-poème de 1913), la prédominance du JE. Un je mis à nu, mis en scène, sans masque, un je qui est un individu repérable et ne prétend pas être ou interpréter un autre, un double, un personnage de fiction. L'œuvre de Glatstein, au moins dans cette première phase, ouvre une voie royale aux virtualités, circulations et manipulations du langage poétique. Langage qui devient chez lui lieu de métamorphoses, accès à l'universel, sans que soit oubliée un seul instant la judéité dont il est l'enregistreur et l'émetteur. Judéité qu'il extrapole à l'occasion, évoquant de manière ironique et ludique ("Chante ladino") l'enchevêtrement des langues sépharade et ashkénaze : "notre enchanté jargonino / notre universel ladino" (8). De l'innovation syntaxique lexicale et phonétique, Glatstein fait un usage stupéfiant de virtuosité qui le situe, d'une certaine façon, dans la lignée des Khlebnikov, Pound et Huidobro. Dans un jaillissement de jeux de mots, de coqs-à-l'âne, d'humour noir, de dérision et de collisions sémantiques, allant du cocasse à l'apocalyptique et qui ne cessent de surprendre, sa poésie est un défi perpétuel. Défi de l'individu au monde et défi du Juif à l'univers. Car le poète se refuse au pardon des offenses, des humiliations et des persécutions que le monde chrétien a fait subir aux Juifs. Il construit, comme une armature, une morale orgueilleuse et solitaire, une "judéitude" qui serait à la fois retour aux sources et repli vers ce qu'il appelle la "vie juive désolée" par opposition à la civilisation occidentale et même à la "loqueteuse démocratie", désavouée dans "Bonne nuit, monde", poème du rejet absolu, de la porte claquée à la face des "goyim", où il renvoie dos à dos à leurs utopies tous les "libérateurs", tous les "Jésus-Marx". Plus tard pourtant, face aux menaces de l'hitlérisme, puis à la tragédie de la guerre et du génocide, Jacob Glatstein reviendra à la tradition, assumant la revendication de dignité et l'exigence de mémoire d'un peuple martyr qui a perdu sa voix, sa langue, ses poètes, dans le cataclysme. Ce passage de l'expérimentation personnelle la plus sophistiquée au sentiment de responsabilité dans le destin collectif, caractérise d'ailleurs la plupart des animateurs de l'avant-garde des années vingt, qu'ils aient vécu aux Etats-Unis ou en Union soviétique. Mais le langage de Glatstein, dans la douleur ou l'imprécation, ne s'est nullement assagi : son écriture reste un concentré de violence et de mots déchiquetés, sans équivalent, pour dire l'inadmissible.

10. UN VOYAGEUR UNIVERSEL

L'avant-garde, bien entendu, n'est pas toute la poésie vivante. A côté de tous ceux qui rebâtissent le langage et refondent leur thématique, indépendamment de leurs conceptions mais souvent proches des leaders, Halpern, Many-Leib, Leivick, Glatstein, d'autres poètes effectuent des percées, franchissent des frontières, liquident des tabous, découvrent des formes d'expressions inédites dans la poésie yiddish.

Meylekh Ravitch (1893-1976) a publié son premier recueil à Vienne en 1912. Il séjourne à Berlin, à Varsovie, puis en 1941 s'installe définitivement à Montréal. Il incline d'abord vers une philosophie fiévreuse d'interrogations et de ferveur mystique (*Poèmes à Spinoza*, 1918), puis tournée vers le nihilisme, faisant table rase du dire poétique lui-même (*Chants nus*, 1921). Mais il va libérer le torrent de son panthéisme dans son *Chant au corps humain* (1922) que publie *Khaliastra*. Avec un souffle, une éloquence, une crudité de vocabulaire et de ton à la Walt Whitman, il exalte le corps dans sa plénitude biologique, la sexualité dans son rayonnement. Alors même qu'ils sont niés ou tenus en lisière par toute une culture religieuse, il leur restitue, lui, leur synergie essentielle et leur imbrication dans la réalité sociale. Il est difficile d'imaginer le scandale soulevé par ce texte dans une communauté soumise aux préjugés les plus tenaces et capitonnée dans la pruderie. On sait comment Whitman provoqua l'indignation des bien-pensants avec *Feuilles d'herbe*. Le naturalisme et la robuste sensualité de Ravitch énonçant en vers un véritable inventaire physiologique, furent considérés comme des obscénités, à l'égal des *Fleurs du mal* de Baudelaire en 1857. Mais ce voyant insoumis, récusant toute vision idyllique et mystifiante de la nature humaine, était aussi, cosmopolite par vocation, un inlassable voyageur, tout le contraire d'un touriste. Il déchire le rideau de scène du monde, ouvre l'espace à 190° sur des horizons inconnus, observe les coutumes et les manières d'être avec une curiosité et une minutie d'ethnologue. A l'instar de Valéry Larbaud, Claudel ou Ségalen, il introduit dans la poésie - dans cette poésie du shtetl jusqu'alors si recroquevillée sur elle-même - une dimension géographique et une dimension de rêve qui englobent l'Asie, l'Australie, l'Indonésie, Shangaï et Saïgon, lesquels deviennent chez lui des "faits poétiques" aux antipodes de l'exotisme. Surgissent comme des estampes, moirées de mystère, des sites jamais entrevus, des civilisations et des mœurs connues seulement par ouï-dire. La poésie de Ravitch se déplace à la vitesse de la modernité, par air ou par mer ; elle est un incomparable facteur de rapprochement et de confrontation des expériences humaines. L'universalisme ne s'y ramène pas à une pétition de principe : il impose dans l'agencement des mots et des évocations une réalité non univoque mais palpable, incandescente, transfigurée par les télescopages ou les raccourcis de l'écriture.

11. ITZIK MANGUER LE MAGICIEN

La poésie yiddish a ses mages, ses prophètes, ses farfadets. Le singulier Aron Lutski appartient sans doute simultanément à ces trois catégories. C'est un acrobate du verbe, doué et même surdoué d'une vision cosmogonique et d'une écriture extensible qui lui permettent de sauter sans filet depuis les astres jusqu'aux hommes, d'osciller entre métaphysique et pataphysique. Il s'acharne à étudier et à élucider les mystères du monde, au moyen d'une subtile et talmudienne dialectique, trempée dans le noir d'encre de l'humour ou dans le bain révélateur des proverbes et adages empruntés à la sagesse populaire, mais aussitôt reformulés et rajeunis.

Moyshe Nadir (1898-1943) pourrait être comparé à Mark Twain : l'humour est son métier, exercé avec brio plus encore que le journalisme. Cet humour, en symbiose avec le climat newyorkais, le contamine durablement. Il contribuera à donner une saveur inimitable à la littérature et au langage de Big Apple, tel que Philip Roth le répand dans le roman et Woody Allen dans les films. Nadir - le pseudonyme lui-même est un jeu de mots qui dit "tiens, prends" - fait flèche de tout bois dans l'aphorisme et l'apologue, manipule les métaphores, conduites à leur logique extrême, en jeux de dominos du langage, un peu à la manière d'un Raymond Devos. Son alacrité, ses sarcasmes, n'épargnent aucune hypocrisie, aucun ridicule, aucune tare de la société. Sur les plate-bandes de la poésie, ses *Humoresques* ont installé des jets ininterrompus de cocasserie. Sa philosophie est une acupuncture par le sourire et par le rire.

Le plus inclassable de tous est certainement Itzik Manguer (1901-1969), en premier lieu parce que sa vie est tout entière le puzzle d'une errance, de Tchernovitz, en Bukovine, où il est né (vingt ans avant Paul Celan), jusqu'en Israël où il acheva ses jours, transitant par Varsovie, Paris, Londres, New York, escales successives de son itinéraire. Il y a en lui du tzigane, vagabond et ivrogne, et ce voleur de feu nous léguera un "romancero" yiddish qui n'est pas indigne du *Romancero gitan* de Federico Gardia Lorca, ni sans affinité avec la méthode du poète andalou qui prospectait le folklore et le transmuait dans une forme absolument moderne. Manguer ratisse lui aussi le folklore, le mythique, le proverbial, afin d'en extraire une substantifique moëlle. Il sillonne en même temps la Bible avec une érudition sans faille, en opérant des transferts d'une époque à l'autre, jouant savamment des anachronismes et des quiproquos dans le dessein de recréer à la fois le monde archaïque et la société juive en voie de dissolution. Manguer se veut un "troubadour", mais c'est à Villon plutôt qu'aux minnesänger qu'on peut comparer l'accent et l'esprit de ses admirables ballades (réunies en 1967 en un volume unique *Chansons et Ballades*) où l'on remarque des mendiants, des miséreux, des mères qui "pleurent sept jours la mort d'un enfant et sept jours la mort d'un pain blanc", des reines de Zanzibar et des crucifiés. Dans ce domaine où l'alchimie du verbe ordonne les épiphanies et les enchantements, le judaïsme ingénument rencontre le christianisme, le "luftmensh" du shtetl le jeteur de sort de la forêt de Brocéliande et Abraham à l'autel du sacrifice le rêve encore intact de l'Octobre rouge... Certaines de ces pièces ("Sur la route un arbre" par exemple) sont devenues des chansons tellement populaires qu'elles sont tombées dans l'anonymat, fondues dans la mémoire collective.

L'écriture poétique de Manguer, limpide et drue, son sens des images imprévisibles, de la parabole, ne ressortissent qu'en apparence au populisme. S'y épanouissent, en vérité, les plus folles végétations de l'imaginaire, de la légende, du merveilleux, de la "fable du monde" par quoi il serait le cousin d'un Supervielle.

Avec ses *Chansons du Pentateuque*, ses *Meghilé Lider* (*Chansons du Livre d'Esther*) et son *Midrash d'Itzik*, Manguer a inventé un genre dont il restera le maître et l'unique pratiquant. Il ne s'est point simplement diverti à pasticher les épisodes de l'histoire biblique, mais il les a transposés dans le cadre familier d'un shtetl de Galicie à la fin du siècle dernier, comme les Américains ont transporté, pierre à pierre, des monastères médiévaux d'Espagne et de France aux Cloysters de New York. Mais ses poèmes ne se contentent évidemment pas de "délocaliser" des pièces de musée : ils insufflent la vie aux événements et un sens quotidien à une morale. Sous l'effet multiplicateur du décalage chronologique, du mélange inextricable des situations, de l'humour malicieux ou satirique qui lui servent de support, le Livre saint, désacralisé mais non point profané, simplement dégagé de son apparat solennel et didactique, se convertit en mini-drames et mini-scènes, tantôt tragi-comiques, tantôt franchement burlesques. Sous le déguisement un peu carnavalesque du poème, ce sont les constantes et les plus communes misères de la pauvre humanité qui se trouvent redéfinies à coups de croquis et de portraits révélateurs, picaresques ou hilarants à l'occasion. Le poète passe au crible les aspects multiples, comportements et expressions, d'une culture millénaire, auxquels la finesse de l'observation, le lyrisme distancié par l'ironie, la pureté et la vivacité primesautière du langage restituent toute la couleur et tout l'éclat d'un éternel présent.

Fantaisie et empathie, chez Manguer, ne masquent pas toujours une sensibilité d'écorché, un mal-être que n'apaise pas son impénitent nomadisme. Mais son écriture, si rayonnante et allègre dans ses réussites, la conjonction de tant de qualités rares, ont placé l'œuvre de Manguer au croisement de tous les modernismes, dans le seul espace qui lui convient : le classicisme. Un classicisme sans cérémonial ni panthéon, que couronna en 1948 les *Sonnets pour mon frère Note*, où l'éthique et le poétique atteignent un degré suprême d'accomplissement dans la perfection de la forme.

12. L'AGE DE LA MODERNITÉ

La modernité dans l'aire de la poésie n'est pas un système clos et invariable, résultat d'un schisme, d'une rupture brutale, vouée à éclipser du jour au lendemain ce qui l'a précédé, quand bien même elle ne viserait pas à la *tabula rasa*. Elle n'est jamais le "calme bloc ici-bas chu d'un désastre obscur" du poème de Mallarmé, car elle ne serait alors qu'un monolithe, fût-il pulvérisé... La modernité inclut nécessairement la diversité et les clivages qui la renforcent ou la nuancent. C'est toujours un état transitoire, sursaut ou avancée prospective, qui permet de dépasser ce qui est périmé, mais risque tôt ou tard

La poésie Yiddish, quelques étapes d'une longue marche

de subir à son tour le dépassement et l'obsolescence. La modernité se manifeste dans la pluralité des lieux, des disciplines et des vecteurs qui vont assurer son expansion. Mais elle ne peut se borner au geste individuel, quel que soit le génie qui lui donne impulsion, Rimbaud, Cézanne ou Debussy. En vérité, elle constitue un réseau. Réseau de techniques, de principes, de références, d'idées innovantes, qui possède comme tout réseau des propriétés capillaires et s'établit par une série d'interactions et d'interconnections qui convertissent les énoncés théoriques en mouvement des esprits. Celui-ci s'incarne alors dans les œuvres qui répondent à ses critères et paramètres inédits. Dans le cas de la poésie, c'est la simultanéité, la discontinuité, le brassage et le mélange des genres, le collage et le redécoupage métrique, la préférence accordée à l'impur, à l'impair, à l'hybride, l'écoute d'un monde que le machinisme et la technologie ont déjà remodelé avant que l'informatique ne lui fasse franchir une nouvelle étape.

Se pose en même temps le problème de la communication du poème. Mallarmé voyait dans l'obscurité du poème non pas un obstacle mais une qualité supérieure. Il apparaît au demeurant que l'obscurité, en poésie, est toujours relative, qu'elle dépend de l'entrelacement des niveaux de lecture autant que des habitudes de lecture qui changent avec le temps. Pour la poésie yiddish en tout cas, l'hermétisme, selon l'acception occidentale, n'a jamais été un vecteur ou une condition de la modernité. Mais qu'est-ce que l'hermétisme ? Pas nécessairement une opacité recherchée, une fermeture ou un "trobar clus", plutôt un étagement pluriel ou un quadrillage du sens, ambivalence et polyvalence, la proposition d'une lecture non unilatérale. Mais la modernité, qui ne réside pas exclusivement dans la brisure et la fragmentation, peut aussi agencer une multilecture sans passer par les normes d'un hermétisme axé sur la seule ambiguïté ou le détournement méthodique du sens.

Tout en s'écartant de la littéralité et en se risquant à plonger dans les strates profondes du langage, la poésie yiddish a rarement perdu le fil de la communication avec son public. Elle est entrée dans l'âge de la modernité, elle aussi, sous les espèces d'un réseau dont les éléments se sont imbriqués à l'intérieur d'un espace transnational et en vertu d'une cohabitation acceptée. Le classicisme de Manguer est exactement contemporain de l'introspectivisme de Gladstein. La pratique de la modernité se répartit entre des créateurs, des groupes, des revues, disséminées de l'Europe jusqu'à l'Amérique. Sur l'ancien continent le courant passe de Berlin à Varsovie, de Vilno à Kiev, Moscou, Tchernovitz. On est en droit de rattacher ou de situer cette germination dans le contexte général des mouvements d'avant-garde qui jalonnent les deux premières décennies du siècle, non seulement dans la littérature mais surtout dans les arts plastiques.

La poésie yiddish participe de cette vague de fond qui bat en brèche les esthétiques sclérosées et les relations sociales. Mais elle s'en distingue par sa couleur et sa rumeur propres. Il ne s'agit ni d'une couleur locale ni d'une couleur vocale. Plutôt d'une couleur identitaire : ce qui la détermine n'est pas un apport folklorique mais une fusion d'éléments hétérogènes. Elle fonde son unité sur le disparate. Elle gravite dans la zone de l'expressionnisme et du futurisme russe sans pour autant les adopter tels quels ni l'un ni l'autre. Elle les retravaille dans la pâte, les refond, les adapte à ses déterminations et à ses particularités élocutives et discursives, en y puisant tous les matériaux qui pourront concourir à la formation d'un langage spécifique.

Si habitée qu'elle soit par l'exigence de renouveau, il lui faudra d'abord déployer un dur effort pour s'arracher aux pesanteurs de la tradition dans une société juive beaucoup plus archaïque et arriérée que son environnement. L'enjeu n'est pas uniquement l'aggiornamento ou même la refondation d'un langage mais une conception du monde. Quelle image acceptable tirer d'une vie secouée jusqu'en ses tréfonds par le séisme de la guerre de 14 / 18 qui montre le roi nu ? Dans la boucherie, l'horreur et l'absurde, une certaine idée de la civilisation a fait faillite. Cette constatation nourrit un pessimisme fondamental en même temps qu'une confuse et messianique espérance. Les pionniers de la modernité sont en effet confrontés d'une part à la révolution soviétique et d'autre part à la révolution spartakiste, noyée dans le sang en

Allemagne.

Or, c'est justement l'Allemagne, de Dresde à Berlin, avec le groupe *Die Brücke* d'Emil Nolde, E.L. Kirchner, etc... et à Munich avec le groupe *Die Blaue Reiter* (le Cavalier bleu) qui réunit entre autres Wassili Kandinsky, August Macke et Franz Marc, qui fut à partir de 1905 le berceau de l'expressionnisme. Emergeant dans une société en pleine crise où s'est accéléré le passage de l'âge agraire à l'âge industriel, l'expressionnisme traduit, face à cette mutation, une angoisse et une révolte. Gottfried Benn en proposera cette définition : "Un soulèvement avec éruptions, extases, haine, soif d'une humanité nouvelle, avec un langage qui vole en éclats pour faire voler en éclats le monde". Il ne s'agit pas d'imposer un style qui, en peinture, s'apparente au fauvisme, mais d'une "entreprise de subversion esthétique" (J.P. Faye) en réaction violente à l'impressionnisme et au naturalisme. En même temps que les formes canoniques de l'art ancien, ce qui est rejeté c'est l'image du réel. On fait appel à des transcriptions naïves, au primitivisme, à l'imagerie populaire. On exalte et privilégie dans l'art le sentiment revivifié de la nature, la culture paysanne, le choc du monstrueux et du barbare.

A Berlin, dans l'immédiat après-guerre, les poètes yiddish côtoient les artistes et écrivains venus, comme eux, d'ailleurs, en transit entre deux mondes, deux époques, deux identités. C'est un lieu de rencontres, d'échanges, de débats forcenés qu'animent des dadaïstes (Hugo Ball et Hans Arp) des Russes nomades (Victor Chklovski, Ehrenbourg, Ossip Brik, etc...) et une kyrielle de peintres d'avant-garde : Kandinsky, Chagall, Oskar Kokoschka parmi d'autres. Dans les rangs des poètes yiddish se détachent trois figures de premier plan : Uri-Zvi Grinberg, venu de Varsovie, Péretz Markish, de Kiev et Moïshe Kulbak de Lituanie.

Tout diffère de leur démarche et de leur itinéraire. Mais on peut y lire en filigrane comme un abrégé du destin de la poésie yiddish, de sa métamorphose dans l'aura de la modernité jusqu'à sa destruction dans les années quarante.

Aux côtés du romancier Ozer Warszawski (9), Markish et Grinberg participent au début des années vingt à la fondation de la revue *Khaliastra*. Cette publication incendiaire (premier

numéro en 1922, deuxième en 1924), bien qu'elle rassemble des collaborations d'Europe et d'Amérique, se distingue de ses homologues du nouveau monde. Péretz Markish, dans le poème-manifeste qui ouvre la revue (10) en définit précisément le propos :
"Notre mesure n'est point la beauté mais l'horreur".

On y ébranle furieusement l'édifice des traditions, des mythologies et des apparences. Grinberg, moraliste et pamphlétaire, y vitupère dans "Le monde sur la pente" ceux qui corrompent l'âme juive et avilissent la religion. Markish, dans les vastes poèmes qui font suite à son étonnant *Monceau* (1921), mais se réfèrent moins à la Bible qu'à l'arsenal expressionniste, traduit en faisceaux d'images flamboyantes sa vision apocalyptique d'une civilisation que la guerre a fait voler en éclats. Profondément religieux, et même intégriste, habité par un feu mystique et la voix d'un prophète, Grinberg quittera la Pologne pour la Palestine dès 1924, y choisira d'écrire en hébreu des hymnes au jeune Etat d'Israël, ou d'amères déplorations de la Shoah. Mais l'éthique qu'on voyait à l'œuvre dans son *Méphisto* se confondra désormais avec la proclamation d'un ultra-nationalisme farouche et d'une théosophie qui érige la foi en absolu du judaïsme.

Markish, après maintes pérégrinations, de Berlin à la Palestine, puis à Paris, retourne en 1926 dans une Russie devenue soviétique. Il y rallie la Révolution "rédemptrice" d'un peuple misérable et analphabète. Malgré les tracasseries des commissaires juifs du "prolet-kult", il poursuit une œuvre que sa richesse et sa dimension universelle permettront de considérer comme "classique" aussi bien en langue yiddish qu'en russe.

Cela n'empêchera pas le poète, en 1952, avec vingt autres écrivains, d'être la victime expiatoire d'un stalinisme qui farde à peine son antisémistisme.

13. MOÏSHE KULBAK

Moïshe Kulbak rejoindra lui aussi l'Union soviétique en 1928, mais il périra avant ses confrères en 1940 dans le goulag où il fut déporté. Bien qu'élu en 1927 président de la section yiddish du Pen-Club international, il n'en fut pas moins accusé de "nationalisme". En vérité, le poète, qui fut aussi un auteur dramatique et un romancier de premier ordre (11) était lié au groupe lituanien de *Young Vilné* (Jeune Vilno) ce qui vraisemblablement accrut la suspicion à son endroit lorsque fut planifiée en sous-main (suite au pacte germano-soviétique) l'annexion de la Lituanie. Kulbak est le poète des errants, des vagabonds, des marginaux. Son écriture, qui tient du modernisme sa puissance et ses hardiesses, ne rejette pas pour autant certaines modalités traditionnelles de prosodie. Il combine le panthéisme et le légendaire folklorique dans sa fresque paysanne *Raysn* (Biélorussie) où il élève à la hauteur d'un mythe la vie rustique des bourgades et hameaux, montre le milieu rural ancestral en proie à la tourmente et à la mutation de l'époque révolutionnaire. A l'instar de Markish dans ses longs poèmes de *Khaliastra*, "Le repas des pauvres" et "Jours de semaine", Kulbak récuse la sanctification sabbatique. S'il intitule *Lundi* un de ses romans, c'est pour signifier la primauté à ses yeux du jour de semaine, du jour laïque, le "lundi jour fruste où les miséreux vont mendier de maison en maison", sur le jour institué du repos sabbatique. Il se détourne du mysticisme et de la théologie pour exalter la sainte pauvreté en tant que principe éthique : "la pauvreté absolue est la suprême élévation" affirme Mordecaï Marcus, principal personnage de *Lundi*. Dès lors, pour l'homme, c'est le dénuement total, le dénuement volontaire et la recherche d'une communion avec la nature et l'univers qui constituent les seules vraies valeurs et la voie du salut. Cependant, l'œuvre poétique de Kulbak est irriguée par plusieurs veines et joue sur plusieurs registres. L'un est le réalisme épique que survolte la sensualité : il investit et repense une enfance rurale nimbée de nostalgie, de tendresse et de mystère, dans le sillage d'une demi-douzaine d'oncles mi-réels mi-fictifs qui convertissent en légendaire le pittoresque quotidien d'une famille paysanne. L'autre est un lyrisme chatoyant qui s'inspire de Vilno, où le poète enseigna au lycée juif et à l'école normale de 1923 à 1928. De la ville qui fut un des plus prestigieux foyers intellectuels du judaïsme européen, Kulbak retrace une image troublante, composite et fantasmagorique, mêlant tristesse et joie, la "grisaille du yiddish" et la beauté scintillante du "talisman noir encastré dans la terre de Lituanie" (12).

Cette vision de Vilno est sans exemple dans la littérature yiddish, du moins jusqu'à Avrom Sutzkever, originaire comme Kulbak de la bourgade de Smorgon, et principal animateur avec Chaïm Grade du groupe *Jeune Vilno*.

A ces deux affluents d'une œuvre multiforme, il faut ajouter la veine moderniste, voire avant-gardiste par la nouveauté du sujet et l'ampleur orchestrale et métaphorique de son traitement. On la découvre à son point culminant dans le poème semi-autobiographique Le *Childe Harold de Disné* (Disné étant une localité de Lituanie-Biélorussie). La référence byronnienne souligne la quête néo-romantique, en fait le roman d'apprentissage, d'un héros à la fois candide et dandy, surnommé "l'homme à la pipe", qui prend la route de Berlin, paradis supposé de l'occidentalisme, où il rêve, délivré des contraintes familiales et religieuses, d'accéder enfin à la vraie vie des hommes de son temps. Le poème met en scène une capitale cosmopolite, fiévreuse et glauque, Berlin conforme à l'image qu'en donnent les tableaux et les films expressionnistes. La lumière blafarde des rues, des bas-fonds et des cafés, des réunions et des orchestres, les fêtes délirantes et les grèves réprimées dans le sang, le suintement de la haine, de la violence, de la cruauté fardée en plaisir, comme si le poète pressentait, sous les masques, les grimaces, les vapeurs du champagne et l'étalage de l'hédonisme et des mondanités d'une bourgeoisie dans l'euphorie de son pouvoir, l'apparition d'une "bête immonde" encore innommable. Poème prémonitoire mais en même temps qu'il fustige une société en déliquescence, il porte à l'apogée par ses ellipses syntaxiques et ses séquences, syncopées comme du jazz, la frénésie de la modernité narrative et épique.

14. LA SAISON DES REVUES

De cette expansion rapide de la modernité, on observe d'autres signes et d'autres manifestations en ce début des années vingt, en Pologne comme en Russie. Avant que ne s'y abatte la chape du plomb du stalinisme, c'est la Russie qui devient le laboratoire du renouveau dans la littérature et les arts.

C'est la saison des orages, des ruptures, de toutes les éclosions et de toutes les apories. C'est aussi la saison des revues. Les revues sont des embarcations parfois légères et fragiles qui mènent vers des ports ou des rivages non encore répertoriés. Elles surgissent un peu partout. On a vu *Khaliastra* prendre le départ à Varsovie. *Albatros*, dont le titre est un hommage à Baudelaire, prend également son envol en Pologne, mais brutalement interdite par une censure qui l'accuse de "blasphème" elle va se réfugier pour un temps à Berlin avec Uri-Zvi Grinberg, son animateur. Une autre revue voit le jour à Berlin : *Milgroïm* (Grenade), dirigée par David Bergelson et Der Nister. Le groupe *Young Yiddish* avec sa revue éponyme se constitue dès 1919 à Lodz, sous l'impulsion de Moïshe Broderson, dramaturge et poète d'origine russe (1890-1956), dont la famille s'était fixée dans la métropole industrielle polonaise. Broderson est un fougueux journaliste qui rallie non seulement des écrivains mais des peintres d'avant-garde, parmi lesquels Marc Chagall et El Lissitzky, Il noue des relations avec les futuristes polonais du manifeste Gga, Anatol Stern et Alexander Wat, et d'autre part, avec Julian Tuwim et le groupe Skamandre. *Young Yiddish* donne congé au réalisme et au naturalisme et proclame l'avènement de l'expressionnisme et du futurisme russe comme une ère nouvelle de la littérature yiddish. Ce qui prime pourtant toutes ces influences, c'est celle du modernisme américain. *Young Yiddish* se rendra d'ailleurs aux Etats-Unis pour y présenter une exposition des artistes de son choix, saluée par la presse, et qui connaîtra un succès encore plus grand lors de sa réédition polonaise en 1922.

En Russie, les revues essaiment aux points culminants de la démographie juive. Markish fonde *Der Shtrom* (Le courant) à Moscou. *Eygns* (Notre Bien) est l'organe du groupe de Kiev. *Di Roïte Velt* (Le monde rouge) et *Der Shtern* (l'Etoile) circulent à Minsk. Il y eut encore *Di Vog* (La balance), *Baginen* (l'Aube), *Naïa Tzaït* (Nouveau temps), *Ringen* (Anneaux) et

Oifgang (Ascension) ... Pareille prolifération coïncidait avec le bouillonnement des idées, l'explosion de la créativité, la volonté de construire un monde où les Juifs trouveraient enfin leur juste place. La Révolution d'Octobre avait attisé les espoirs d'émancipation d'un peuple de crève-la-faim, de traîne-misère, souvent confiné dans les ghettos de la "zone de résidence". Nombreux sont les poètes qui prirent alors fait et cause pour un mouvement qui proposait de transformer la société de fond en comble et d'en bouleverser toutes les données économiques, psychologiques et culturelles.

Osher Shwartzman, maître d'hébreu à Berditchev et Kiev, s'engage dans l'Armée rouge en 1919 lorsque l'Ukraine est ravagée par des pogromes, et il meurt sur le front à l'âge de vingt-neuf ans. C'est ainsi que ce jeune poète devint la figure emblématique du groupe de Kiev et de sa revue *Eygns* à laquelle collaborent Pérez Markish, David Hofstein, Leib Kwitko, Der Nister (futur romancier de *La famille Machber*) et quelques autres. Itzik Fefer (1900-1952) et Aron Kushnirov (1890-1940) appartiennent également à cette génération de poètes combattants aux côtés des Bolcheviks, dont Isaac Babel a été, par l'épée et la plume, l'un des plus illustres prototypes.

15. PARADOXES DE LA RUSSIE SOVIÉTIQUE

Tout commençait dans le bruit, la fureur et l'enthousiasme d'une épopée révolutionnaire où ces jeunes poètes se jetaient sans hésiter à corps perdu, habités par la foi du charbonnier, la certitude qu'il fallait en finir avec l'ancienne société, libérer le peuple de ses chaînes, bâtir un monde de justice et d'égalité. Comment pouvaient-ils alors soupçonner que l'épopée de leur jeunesse virerait au cauchemar et que la tragédie assombrirait l'idéal pour lequel ils s'étaient dévoués avec une totale abnégation ?

Itzik Fefer, qui devint chef de file du courant prolétarien dans la poésie, militant zélé du communisme, proclamera avec orgueil dans un de ses poèmes de guerre, "Je suis un Juif" ! sans se douter que cela résonnerait plus tard comme un défi, de même que sa participation au Comité antifasciste juif, présidé par le grand acteur Mikhoëls, avec l'appui des autorités soviétiques mais ensuite décimé, Fefer étant lui-même abattu au cours de l'hécatombe d'août 1952.

Si cette fin sinistre fut épargnée à Aron Kushnirov, il n'en eut pas moins à subir sa propre part de martyre : sommé en 1948 de prononcer un réquisitoire contre ses confrères juifs, au cours d'une séance de l'Union des Ecrivains, sous la houlette de Jdanov, il fut terrassé par une hémiplégie et resta paralysé jusqu'à sa mort en 1949.

L'histoire de la poésie yiddish en Union soviétique est l'histoire pathétique d'un élan spontané et d'une illusion mortifère, d'une adhésion raisonnée au régime et d'un étouffement progressif des énergies et des talents sous les pressions bureaucratiques et les directives de la "Yevsektia", ce commissariat aux affaires juives institué au sein du comité central du parti communiste. Ceux qui fondèrent leur rêve sur un accord de principe avec le changement et y plièrent leur écriture, vécurent de plein fouet ou à petit feu la dénaturation de leur idéal, conduisant à de nouvelles aliénations.

Parmi les écrivains yiddish, les communistes étaient nombreux. Ils ne périrent pas du fait d'une doctrine raciste affichée, comme le nazisme, mais victimes de leur propre parti dont l'objectif proclamé était une société de fraternité d'où l'antisémitisme serait définitivement proscrit. C'est que la foi en l'utopie ne protège ni de l'aveuglement ni de ce terrible retour de manivelle qui fait des plus fidèles des sacrifiés.

Paradoxe parmi beaucoup d'autres, la Russie fut peut-être le seul pays où la langue yiddish, conséquence de la Révolution, avait acquis droit de cité dans l'enseignement et l'édition. Langue d'une minorité nationale, elle fut admise au rang de langue nationale, à l'exclusion de l'hébreu, dans la mesure où fut créée, pour la forme, une nationalité juive, visible seulement par estampille sur le passeport. Cette pseudo nationalité ne disposait pas, cela va sans dire, des attributs réels propres aux ressortissants d'un Etat, puisqu'aucun territoire ne garantissait l'ancrage de celui-ci.

Cette fiction eut la vie dure, même après la fondation en 1932, aux confins de l'Asie centrale, de la région autonome du Birobidjan dont la population n'excéda jamais vingt mille

La poésie Yiddish, quelques étapes d'une longue marche

âmes. Région découpée pour la montre et défrichée dans les pires conditions par une poignée de courageux immigrants venus de la Russie et même de l'étranger (on compta aussi un contingent français !) Un microcosme juif s'y mit à vivoter avec ses coutumes et sa langue, malgré toutes les difficultés d'acclimatation. On y publia même un journal local en yiddish, *Birobidjaner Shtern* (l'Etoile du Birobidjan) où quelques écrivains et poètes - Emmanuel Kazakiévitch et Aron Verguelis, pour les plus notoires - firent leurs premières armes, avant de se rendre à Moscou, en romancier prisé du public pour Kazakiévitch, auteur d'un best-seller, *l'Etoile*, et pour Aron Verguelis en apparatchik de la culture, poursuivant sa carrière dans l'ombre et au service du pouvoir tutélaire, épousant avec soin dans sa revue *Sovetish Heimland* (la Patrie soviétique) les méandres de la politique officielle et tout particulièrement l'antisionisme de rigueur dont on n'ignorait pourtant pas la véritable coloration.

Malgré sa soumission à une censure draconienne, cette revue tenta toutefois de sauvegarder ce qui subsistait d'une littérature décapitée par le massacre de 1952, vidée de son âme par le mutisme obligé, la prudence, le départ pour Israël, à l'heure de l'exode des Juifs soviétiques, d'une partie de ses collaborateurs, Zamie Telessin, Rachel Boïmwol, Hirsh Osherovitch, Shlomo Roïtman, etc... Un sursaut se produisit après 1985 à la faveur de la "pérestroïka" gorbatchévienne. La revue publia alors régulièrement la terrifiante chronique des intellectuels et des écrivains victimes du stalinisme, une liste qu'on était loin de connaître dans toute son étendue. Elle publia des textes moins conformistes et surtout révéla quelques jeunes poètes, Lev Berinski et Vladimir Tchernine par exemple, qui allaient s'éparpiller lorsque l'effondrement du régime, en 1991, entraîna la disparition de la revue*.

Le Birobidjan avait servi d'alibi, réplique caricaturale au

---

* En 1993 a commencé à paraître à Moscou une nouvelle revue en yiddish, *Di yiddishe gass* (La rue juive) toujours sous la direction d'Aron Verguelis, mais grâce à des appuis financiers d'origine américaine. Le tirage de cette revue - autour de 2 500 ex. - donne la mesure de l'extrême réduction de l'audience du yiddish en Russie.

sionisme qui revendiquait depuis Hertzl un authentique Etat pour les Juifs, mais un Etat qui ne trouverait sa pleine signification que sur une terre, Israël, légitimée par la religion et les antécédents historiques.

Si la langue peut à la rigueur se passer d'un territoire (la circulation du yiddish ne fut-elle pas toujours transnationale) ? il n'en va pas de même d'une nationalité, à fortiori de son incarnation dans un Etat. Le pouvoir de la langue réside dans l'esprit. Le pouvoir de la nationalité dépend du territoire qui la consacre.

Rachel Ertel dans son essai *Dans la langue de personne* (13) rappelle que "chaque génération se voyait dans l'obligation de renouveler l'acte d'élection qui était à l'origine de la littérature yiddish moderne, de réitérer le geste d'allégeance, de sceller cette alliance entre la langue et ses locuteurs".

Par exception, du fait de la "fiction nationale" instituée par le pouvoir soviétique dans ses rapports avec la population juive, ce "geste d'allégeance" n'eut pas besoin d'être réitéré. Reconnu comme langue du peuple grâce à son implantation séculaire, le yiddish, semblait-il, pouvait librement évoluer en gardant son lien étroit avec les locuteurs par le truchement d'une littérature qui bénéficiait de l'aval des autorités. En vérité, ce qui se mettait en place, dès le départ, c'était une stratégie de l'ambiguïté. La langue yiddish, en effet, jouissait d'un quasi monopole, l'hébreu, langue de la religion et des lettrés, étant considéré comme langue des "ennemis de classe", voire comme une langue étrangère. Or, bannir l'usage de l'hébreu c'était en fait porter un coup dur à la langue yiddish, la condamner à s'appauvrir, sinon à dépérir, l'amputer de toute une part de son réseau référentiel dans la culture classique et dans son terreau biblique.

En Amérique, les animateurs de In-Zikh, il est vrai, dans un souci d'unification du langage, avaient adopté une nouvelle graphie du yiddish en phonétisant systématiquement les mots d'origine hébraïque ordinairement écrits sans voyelles.

En Russie soviétique, obéissant à la même volonté de modernisation, mais aussi à la "commande" idéologique, un certain nombre d'écrivains et de poètes s'appliquèrent à deshébraïser l'écriture yiddish tout en homogénéisant son orthographe ainsi élaguée. Au prix d'une acrobatie lexicale et morphologique, les textes poétiques furent "épurés" de leurs hébraïsmes.

C'est à quoi s'exerça entre autres Péretz Markish qui avait prouvé pourtant dans ses œuvres de jeunesse que l'usage de l'hébreu était un élément indispensable de son art. Se substituait dès lors à "l'acte d'allégeance" initial et au pacte d'alliance entre créateurs et lecteurs, un acte d'allégeance strictement politique au pouvoir établi. La primauté octroyée au yiddish fut troquée contre sa normalisation linguistique. Dans cet empire de la fiction et du faux-semblant qui piégea tant d'esprits dans sa dualité et sa double apparence - bénéfique et maléfique - avant de les soumettre à la terreur, cette normalisation pouvait apparaître comme un progrès, sinon comme une conquête. Une part de l'aspiration à l'autonomie culturelle (naguère un des mots d'ordre du "Bund") s'y trouvait satisfaite. De même, les Juifs virent se concrétiser leur revendication d'une identité nationale, mais uniquement sous la forme dérisoire du tampon "juif" apposé sur leur passeport. Une fois les "droits nationaux" réduits à cette peau de chagrin, ce label obligé allait devenir le filtre redoutable d'une nouvelle suspicion, sinon d'une ségrégation.

16. GARDER OU RETOURNER SON ÂME

Le miroir soviétique est un miroir biseauté. On y lit soit des contre-vérités, soit des contre-figures. Les contrastes les plus nets y deviennent flous et les ombres s'y travestissent en lumière. Dire pourtant que tout ce qui fut produit dans la période soviétique est nul et non avenu serait remplacer un schématisme par un autre. Le despotisme n'a pas empêché la littérature russe de subsister - parfois sous le manteau, usant du samizdat - et de se développer. La littérature yiddish n'a pas davantage été entièrement étouffée par l'auto-censure et le dogmatisme règnants. Elle connut même quelques années de prospérité, lorsque vers le milieu de la deuxième décennie les écrivains exilés revinrent en U.R.S.S., Markish de Pologne et de France, Kulbak un peu plus tard de Vilno, Kwitko de

Hambourg et Bergelson du Danemark.

Pour quelques-uns allait se poser de façon aiguë et parfois insoluble le problème de l'adaptation à de nouvelles normes, ou d'une complète reconversion. Le romancier Der Nister, par exemple, dans une lettre de 1934 à son frère qui vit à Paris, écrit :

"Le symbolisme n'a pas de place en Russie soviétique et, comme tu le sais, je suis et j'ai toujours été un écrivain symboliste. Il est très difficile pour quelqu'un comme moi qui a travaillé dur à perfectionner sa méthode, sa manière d'écrire, de passer du symbolisme au réalisme /.../ Ici, il est nécessaire de naître à nouveau. Ici il faut retourner son âme" (14).

Certains parvinrent sans la perdre à "retourner leur âme" ou tout au moins à passer un compromis vivable sinon satisfaisant entre leurs convictions politiques et leur conception de l'écriture. On ne saurait contester la sincérité de leur engagement : la révolution socialiste n'assurait-elle pas dans son principe l'égalité et la promotion des masses juives ? Avec ce lectorat en pleine mutation sociologique (urbanisation et éducation font des progrès foudroyants) il importait d'établir une communication appropriée. La littérature yiddish vécut alors un véritable "boom" et des tirages considérables, sans que cessassent pour autant les débats sur le caractère plus ou moins "socialiste" des œuvres et le "message" qu'elles étaient supposées transmettre.

Les hérauts de la modernité littéraire défendaient avec vigueur leurs conquêtes et tenaient par dessus tout à préserver l'autonomie de la littérature. Le pouvoir politique ne se faisait pas faute de rappeler à l'ordre les créateurs par l'intermédiaire de responsables vigilants, tel M. Litvakov (surnommé par Markish" le Shylock de la littérature" tant il l'exécrait). La ligne à suivre était tracée : la culture juive pouvait se déployer, à condition qu'elle fut communiste et laïque. Partisans du renouveau et de la laïcité déjà préconisée jadis par la Haskala, puis par le "Bund" social-démocrate, les écrivains ne rejetaient pas à priori cette perspective, pourvu qu'elle ne les contraignît point à concilier l'inconciliable et à gommer des aspects à leurs yeux essentiels de la judéité. Puisque la littérature était investie d'une mission éducative, ils mirent en œuvre une certaine pédagogie, bien que la démarcation entre pédagogie et propagande fut parfois des plus floues...

Si un Itzik Fefer s'affirme très tôt adepte et militant de la "littérature prolétarienne", d'autres sont loin de vouloir sacrifier leur personnalité à des formules édictées, malgré les harcèlements dont ils seront l'objet. Markish semble renoncer de son plein gré aux audaces les plus percutantes du futuro-expressionnisme, mais s'attache à préserver l'originalité de sa démarche et de son style, tout en reléguant au tiroir certaines de ses œuvres trop "intimistes" ou d'un judaïsme trop accentué : *l'Homme de quarante ans* et *Pour une danseuse juive* (15) ne paraîtront qu'à titre posthume et en Israël. Il s'efforce vaille que vaille de s'accorder au réalisme socialiste avec son roman *Une génération vient, une génération va*, et trouve dans la poésie le chemin d'un classicisme qui tiendra largement compte des apports de la modernité. On peut penser, à cet égard, à un Aragon qui en France suivra un itinéraire comparable, passant du surréalisme à une tradition réinterprétée.

Cette nouvelle phase, dans l'œuvre de Markish, prend sa pleine dimension dans sa gigantesque fresque en vers *Milkhome* (Guerre) : il y retrace dans une polyphonie de séquences dramatiques, documentaires, lyriques, de portraits et de récits, la servitude et la grandeur des Juifs et des Russes aux heures noires de l'invasion hitlérienne, et leur coude à coude dans l'écrasement du nazisme. Tentative hors du commun - des milliers de vers, la taille hugolienne ou nérudienne ! - de restituer l'histoire dans son climat dantesque, la complexité et l'enchevêtrement des destinées dans le cadre d'un séisme humain qui remet en cause tant de notions admises, dans le brassage simultané de la mort et de la vie, et porte à un très haut degré la conscience de l'identité juive au moment même où celle-ci est en voie d'annihilation. Ce qui rend cette affirmation possible c'est la guerre elle-même et la nécessité où se trouve le gouvernement soviétique de rassembler contre l'adversaire toutes les forces, toutes les minorités et leurs sentiments religieux qui contribuent à cimenter le patriotisme.

Si pour leur part les romans de Der Nister, Bergelson et Kulbak - en particulier, de celui-ci, les *Zelminiens* - sont loin d'obéir strictement aux règles du réalisme socialiste (héros positif, optimisme de commande, éloge de l'édification), la poésie se réserve également la marge de liberté et d'ambivalence que sa nature lui permet. Pour être partagés, définis ou exaltés, les idéaux soviétiques ne font pas l'objet d'un transfert mécanique. Ils s'intègrent tant bien que mal à des formes extrêmement diversifiées, complexes, lesquelles parfois contredisent ou subvertissent le contenu patent ou la pesanteur d'une morale édifiante. La poésie s'avère irréductible à un quelconque manichéisme idéologique et c'est son hétérogénéité naturelle, la prescience d'un au-delà des mots, d'une énergie vitale propre à la subjectivité et au lyrisme qui lui servent de sauvegarde contre sa désagrégation dans l'uniformité et l'instrumentalisme.

Avant de mettre en scène un monde "politiquement correct" et esthétiquement aseptisé, les poèmes de David Hofstein, Jacob Sternberg, Leib Kwitko, Samuel Halkin, Izi Harik, laissent filtrer l'inquiétude et l'interrogation ontologique qui concernent en même temps l'individu et son appartenance à un peuple et à un destin commun. "Quel vent de solitude immense sur la vie" écrit Hofstein en évoquant les terres de Russie recouvertes par l'hiver, où sa "maison juive" se trouve perdue dans la neige et perdue dans l'histoire (16). Leib Kwitko dit de la "mort russe" qu'elle est "mort de toutes les morts" et dans la sombre ironie d'une strophe aphoristique qui n'est pas loin de la manière de Paul Celan, il ajoute :

> Plaie du monde à vif,
> Comment va votre cœur à présent ?
> Demande au petit enfant,
> Demande à l'enfant juif.

Ses poèmes pour les enfants, notamment, avaient acquis à Kwitko une très vaste audience. Il est de ceux qui n'hésitent pas à dénoncer les bureaucrates et les cyniques arrivistes de la nomenklatura, comme le fit en son temps le Maïakovski de *La Punaise* :

> Gratifications pour les villégiatures, les étés en Crimée.
> Le pays est pour lui comme un sanatorium...

La poésie Yiddish, quelques étapes d'une longue marche

> ... - Et depuis quand êtes-vous au parti ?
> Ce bon camarade entra au parti
> une semaine avant le décret de la NEP
> _ Que croyez-vous ? Je suis de votre bande !
> Etre un chef pour moi, la belle affaire !
> La belle affaire, vous éliminer !
> Profitez-en pour le moment ! (17)

Kwitko, hélas ne croyait pas si bien dire en publiant ces vers satiriques dans *Royte Velt* : il n'allait pas tarder lui-même à être éliminé de la rédaction de la revue, quelques années avant son "élimination physique" en 1952 par les chefs de la même "bande..."

En dépit des tracasseries des petits tyranneaux des Lettres, la poésie continue, camouflant ses secrets et ses sous-entendus, ou se cloîtrant dans le silence et le non-dit. Il faudra attendre le "dégel" de 1957, sous Khrouchtchev, pour qu'un poète juif prenne directement à partie le dictateur défunt et son système d'oppression. Il s'agit de Motl Grubian, rescapé du goulag où il passa sept années. Prendre pour cible Staline dans un poème épigrammatique non publié avait valu à Ossip Mandelstam son arrestation en 1934. Grubian avait déjà payé cher pour pouvoir parler librement et dénoncer un mythe encore solide :

> Lénine nous a jadis alertés
> En ce guide un dibbouk habite
> Couronné Dieu, c'est notre liberté
> Que le Géorgien décapite !

On remarquera d'une part le souci de préserver l'image charismatique du dirigeant révolutionnaire, Lénine, et, d'autre part, la référence inattendue à la démonologie juive (le dibbouk) pour étayer l'acte d'accusation !

Pendant longtemps encore vacillera sans s'éteindre la petite flamme de l'espérance, ou la persistance de cette illusion qui reportait sur Staline et son entourage la responsabilité de tous les maux et de toutes les dérives. Malgré les preuves tangibles de la trahison et le retournement de nobles idées en aberrations monstrueuses, on voulait croire le système amendable pour peu qu'il revînt à la pureté originelle de ses sources révolutionnaires.

On a vu ce qu'il en advint suivant la succession des équipes gérontocratiques au pouvoir, jusqu'à Mikhaïl Gorbatchev dont la tentative de réforme, bien tardive, devait échouer. Condamnée à l'anéantissement par l'hitlérisme, la culture yiddish avait subi sous le "socialisme réel" d'irréparables dommages et elle paraissait vouée à son dépérissement fatal.

Mais avant que ne se cristallise la conscience d'une double catastrophe conjuguant ses effets, il fallut affronter en Russie soviétique la terrible fracture de la guerre, de l'invasion nazie sur tous les territoires qui englobaient la géographie du yiddish : la Litvakie (cette extension historique et culturelle de la Lituanie comme foyer du yiddishisme) et la Pologne, les pays baltes, la Biélorussie, l'Ukraine et la Russie. Cette marée noire de la barbarie - sous-tendue par la planification du génocide mis en œuvre dans les régions occupées - eut pour conséquence le plus atroce traumatisme jamais éprouvé par le peuple juif, menacé non seulement dans son existence concrète mais dans sa survie, dans l'héritage d'une spiritualité et d'une culture sur le point d'être englouties avec ses millions de locuteurs et de créateurs.

Dans les ruines fumantes des shtetl et des ghettos, dans les fours crématoires d'Auschwitz et de Treblinka, c'est aussi la poésie qui se transformait en cendre.

17. LA GUERRE, LA RÉSISTANCE, LA SHOAH

L'heure n'était plus aux débats sur les rapports de la politique et de l'esthétique. Une seule priorité s'imposait, d'ordre éthique, l'exigence que l'on fît face au principal danger, celui de l'anéantissement programmé. La solidarité s'organisa sous l'égide du Comité juif antifasciste, présidé par Mikhoëls. Plus tard lorsque le désastre fut perceptible dans toute sa dimension, on entreprit, sous la direction d'Ilya Ehrenbourg et de V. Grossmann (l'auteur du grand roman *Vie et destin*) l'élaboration d'un *Livre noir*, implacable inventaire de témoignages et

La poésie Yiddish, quelques étapes d'une longue marche

de faits touchant les crimes du nazisme dans les régions occupées et les actes de résistance (18).

La Résistance juive, héroïque sursaut, sursaut souvent ultime et désespéré, se manifesta sous de multiples formes, isolées ou collectives : participations aux combats sur de nombreux fronts, dans les rangs de l'Armée rouge ou d'autres armées, engagements à l'arrière aux côtés des partisans - le poète yiddish Moshe Teïf les a évoqués dans ses *"Poèmes de guerre"* : "Nous dans cette forêt nous sommes embusqués / la tête dans la neige et les pieds dans la boue" (19) - insurrections des ghettos de Varsovie et de Vilno. A celle-ci, le poète Avrom Sutzkever prit part et relata l'usage "détourné" du plomb de l'imprimerie Romm (laquelle avait illustré durant des décennies le rayonnement intellectuel de Vilno) :

> Il nous fallait rêveurs devenir combattants
> Muant l'esprit du plomb en balles meurtrières (20).

La Résistance juive est peut-être la face la moins connue et surtout la moins médiatisée du martyrologe, mais elle devait laisser une trace indélébile dans la mémoire des hommes. Elle inspira quelques-uns des textes par lesquels la poésie yiddish allait marquer sa place dans l'histoire de la Deuxième Guerre mondiale. L'exemple fut donné par Hirsh Glik, jeune poète de Vilno qui mourut les armes à la main pendant l'été 1944 à l'âge de 22 ans. Il écrivit avec *Mir zeynen do* (Nous sommes là) une page inoubliable, l'hymne de la résistance armée juive des ghettos de Vilno et de Varsovie :

> Ne dis jamais que tu vas de ton dernier pas...
> L'heure viendra que nous avons tant espérée,
> Frappant le sol nos pas diront : nous sommes là ! (21)

Poète vétéran d'une autre génération (mort en déportation en 1942), Mordekhai Gebirtig avait dès 1938 sonné l'alarme du grand incendie ravageur de la guerre et des persécutions antisémites, en appelant à la conscience du péril, à la lutte solidaire, au refus de la passivité, dans son poème *Notre ville flambe*, devenu lui-aussi un chant populaire des ghettos, notamment parmi la jeunesse à Cracovie :

> Ne restez pas ainsi frères, à regarder
> les mains immobiles,
> Frères n'attendez pas, éteignez l'incendie
> qui brûle notre ville !

Directement impliqués, les poètes yiddish d'Union soviétique contribuèrent largement à ce qui devint, peu à peu, pour la poésie yiddish dans son ensemble, le thème majeur à quoi tous les autres sont subordonnés, se réfèrent ou font écho. Chacun s'était fixé une mission sacrée : composer le mémorial du désastre incommensurable qui venait de frapper le peuple juif. Mais ce désastre, par son ampleur qui dépassait l'entendement et rendait dérisoire le commentaire, n'était-il pas proprement indicible ? Ne fallait-il pas s'en tenir au silence du deuil préconisé par Adorno : "Après Auschwitz, écrire un poème est barbare et engloutit aussi la connaissance qui explique pourquoi il est devenu impossible aujourd'hui d'écrire des poèmes" (22). Mais Adorno a-t-il vraiment compris dans cette thèse la fonction du poème non seulement comme instrument de connaissance mais comme déraison de la critique et critique de la déraison ? Thèse fausse, par conséquent, qui équivaut à fermer la porte de l'histoire, à bâillonner la vérité, à coudre un autre linceul pour la nuit. Certains ont été tentés par le mutisme et la renonciation. Le sentiment d'une perte absolue et d'une déperdition de l'individu pouvait conduire à la déperdition de la parole, à l'aphasie. En fait, la poésie était à reconstruire, à réinventer, comme le fit plus intensément que quiconque un Paul Celan.

Pour Samuel Halkin (1897-1960) futur déporté au goulag, la disparition d'une si grande partie de son peuple est l'annonce d'un nouvel exil. Le poète ne peut plus concevoir sa place et trouver d'autre asile que parmi les morts. Sa résidence n'est pas sur la terre mais sous la terre, avec eux :

> Fosses profondes, rouge argile
> J'eus autrefois un domicile /.../
> Et plus rouge encore est l'argile
> à présent mon seul domicile,
> C'est là-bas où gisent mes frères.

La poésie Yiddish, quelques étapes d'une longue marche

S'il importait en première instance de comprendre et d'analyser le désastre, d'en recenser les modalités, l'étendue, les conséquences, ce n'était pas au pouvoir de la poésie. La poésie avait le seul pouvoir de se muer en prière, en kaddish que l'on prononce pour un défunt, un très proche parent. Mais comment imaginer un kaddish destiné à des millions de morts, frères et dissemblables, engloutis dans le même océan d'anonymat ? Se taire, pour la poésie, ç'eut été non seulement consentir au silence, mais se faire complice du plus insupportable des silences : celui de l'histoire, le mensonge par omission, le non-dit de la vérité, la non-reconnaissance et finalement la négation de l'holocauste et des méthodes sans précédent par lesquelles il avait été perpétré.

Le travail du deuil passait aussi par la poésie.

La poésie yiddish était tenue, plus que tout autre, de témoigner, fût-elle écartelée par là-même entre le déchirement du silence et le déchirement du cri. Peut-être fallait-il aussi pouvoir se prouver à soi-même que l'unique dignité du poète consistait à prêter sa voix justement, si malhabile fut-elle, à tout ce qui avait été enseveli, dissimulé, privé de toute parole. Le monde, après ce cauchemar, ce déluge d'irrationnel, pouvait-il encore avoir un sens ? Il appartenait au poète de l'arracher à l'obscur.

Quel était le sens de la souffrance, à ce degré de démesure et d'inhumanité ? Que signifiaient vivre et mourir quand la vie avait été si complètement avilie qu'il valait encore mieux mourir ?

Quel était le sens de la mort qui effaçait d'un seul coup tant de vivants de la carte sans que se révoltât la conscience du monde ? Fallait-il la placer simplement sous le signe d'une implacable fatalité ?

Quel sens devait-on maintenant attribuer à l'écriture et à la fabrication d'un livre lorsque, comme on l'a vu, les plombs des caractères d'imprimerie étaient fondus pour servir à la confection des balles contre les ennemis de l'intelligence ?

Le sens de toute chose, bouleversé, démantelé, arraché comme une racine, il appartenait au poète de le relever, de le reformuler, de le réintégrer à la conscience humaine. La Shoah, au nom des sans-corps et des sans-voix, rendait la liberté de leur parole aux poètes. C'était peut-être en yiddish leur dernière parole, mais elle devait être dite, même si les mots n'étaient plus que les mots de la fin.

Si les mots s'avéraient incapables de jouer leur rôle d'exorcisme à l'endroit du mal, de la désolation et du vide, incapables à eux seuls de panser les plaies, de compenser le manque, d'offrir à l'esprit une issue vers la rédemption, ils restaient pourtant indispensables comme mortier de la mémoire, chargée de dresser une digue contre la crue de l'oubli, de l'indifférence, de la falsification. Il fallait encore recourir à tous les vocables, et à ceux de la poésie tout particulièrement, si l'on voulait que tant d'êtres humains ne fussent pas morts sans laisser sur terre la moindre trace, en désespoir de toute cause. Il incombait donc aux survivants de faire en sorte que la vie ne soit plus jamais une offense, une humiliation, une insulte à l'humanité.

Rachel Ertel a parfaitement défini, dans l'essai déjà mentionné, incontournable référence, la situation qui pour les poètes résultait du cataclysme :

"Pour les poètes rescapés ou pour les survivants, que ce soit en Union soviétique, aux Etats-Unis ou ailleurs, tous cernés par le silence, la parole était un impératif catégorique de leur être comme pour tout créateur. Mais elle leur était en outre imposée, arrachée même, avec violence, par la tyrannie des morts et des vivants. Tout ce qui a été produit en yiddish pendant et après le génocide parle de façon directe ou oblique de l'anéantissement. Les catégories de l'esthétique et de l'éthique sont confondues dans l'ordre qui leur est intimé de dire le deuil".

Tous les poètes yiddish ont dès lors participé à ce travail du deuil, à la composition de ce thrène universel qui n'était pas uniquement la voix du chœur antique des pleureuses, la complainte sans écho, mais une réflexion et un retour sur soi. Une philosophie, une connaissance de l'homme différente de celle léguée par les siècles, pouvaient-elles se déduire de cette plongée dans le noyau des ténèbres ? Or, on a constaté que la philosophie elle-même, élucidatrice par excellence, avait pu être obscurcie et contaminée au plus haut niveau en la personne de Martin Heidegger qui pactisa avec le diable et garda le silence sur ses crimes.

18. DIALOGUE ET NON-DIALOGUE AVEC DIEU

Quant à Dieu, il semblait avoir déserté, ignorant le sort de son peuple. Comment renouer le dialogue alors que l'impuissance céleste semblait redoubler celle des hommes ? Dieu à la fois revendiqué, pris à témoin, sommé de donner des explications à une somme de malheurs tellement inexplicables et que l'on ne pouvait absoudre. Pleurant la destruction du temple de Jérusalem, Jérémie l'attribuait à la justice divine infligeant aux pêcheurs un châtiment qu'appelaient leurs fautes. Mais comment voir dans le massacre des innocents autre chose qu'une injustice fondamentale que le Dieu de la Torah laissait sans réponse et sans réparation ?

Il se produisit alors une chose étonnante : le clivage traditionnel entre "ceux qui croyaient au ciel" et "ceux qui n'y croyaient pas" sembla s'effacer un moment. Plus exactement les pôles s'étaient inversés. S'il y avait divorce, à présent, et divorce des plus graves, c'était entre Dieu et les croyants. En revanche, ceux qui avaient fait profession d'agnosticisme ou d'athéisme convaincu retrouvèrent le chemin de leur public, sans distinction d'appartenance, en réinvestissant dans leur poésie une composante religieuse pendant longtemps éradiquée ou soigneusement camouflée.

Au cours de la guerre, alors que l'horreur de la Shoah, il est vrai, n'était que partiellement connue, les poètes yiddish d'Union soviétique et d'ailleurs étaient revenus aux sources originelles, aux images et aux scansions bibliques, aux références prélevées dans la liturgie et dans les Ecritures sacrées. Cette réinsertion dans la poésie des laïques de l'héritage spirituel semblait nécessaire pour traduire la tragédie dans sa dimension universelle. Itzik Fefer, par exemple, visant à affirmer sa judéité, la trempe dans un singulier alliage, en tant que "fils du peuple des Soviets", il opère une fusion syncrétique et revendique dans son legs en bloc les révoltés de Bar-Kochba, les Macchabées, Isaïe et Salomon, Yehuda Halévy, Spinoza et Karl Marx. S'il exalte dans "Les ombres du ghetto de

Varsovie" (23) le sacrifice héroïque des insurgés d'avril 1943, c'est en rappelant l'ancienne prière du Seder : "Esclaves nous étions !". Artifice de propagande ? J'aurais plutôt tendance à croire au cri du cœur.

Péretz Markish, quant à lui, puise dans le thème du Cantique des Cantiques un poignant parallélisme avec ses "Amants du ghetto" enlacés au cœur du "fatal et sauvage anéantissement". Acte de passion et de foi qui fait scintiller "les astres blancs de l'amour" dans la noirceur même de la fin, sous le dais de flammes qui remplace le dais de noce. Noce calcinée par le feu chez Markish, noce emprisonnée dans les glaces chez Sutzkever : le symbole de l'union amoureuse devient pour les poètes l'oxymore de la destruction immortalisée.

Chez d'autres, l'invocation de Dieu se fait dans la véhémence, le procès ou le blasphème. Jacob Glatstein a renoncé à l'introspectivisme de sa jeunesse afin de consacrer sa méditation à l'immensité de la catastrophe : ses mots y prennent la résonance sourde et ténébreuse d'un glas qui martèle :
"Les cadavres ne chantent pas la louange de Dieu" :

> Et tu pleurais ainsi :
> La Torah nous l'avons reçue au Sinaï
> et à Lublin nous l'avons rendue.
> Les cadavres ne chantent pas la louange de Dieu,
> La Torah a été donnée pour la vie (24).

Désaveu solennel, mais désaveu d'écorché qu'il répète : "La dernière flammèche de notre dernière heure vacille / Dieu juif bientôt tu n'es plus".

Leïser Eichenrand (1912-1988) évadé du camp où il avait été déporté depuis la France, vécut l'après-guerre en Suisse. Il n'a cessé de s'interroger, dans ses poèmes d'une densité et d'une économie exceptionnelles - ils font penser aux "Charniers" de Guillevic - sur l'essence métaphysique et ontologique de la perte et de l'absence d'interlocuteur :

> Dans les villes mortes
> où souffle un vent noir
> qui dit la prière des morts, qui implore

qui appelle Dieu maintenant ?(25)

H. Leivik, lui, inverse l'ordre des valeurs et désigne un Dieu réduit à un silence si paralysant qu'il a besoin de l'aide des hommes pour recouvrer la parole :

> Aide-moi demande Dieu en signes muets
> J'ai perdu tous les mots. Et je cherche
> Ne fut-ce que l'écho lointain d'un son
> Pour rallumer le cœur des hommes et des choses (26)

Kadia Molodowski (1894-1975) très proche par l'intonation et la gravité douloureuse d'une Anna Akhmatova, depuis les Etats-Unis où elle écrit *Lider fun 'Hurbn* (Poèmes de la destruction) s'adresse au "Dieu de miséricorde" et l'exhorte à relever le peuple juif de sa mission de "peuple élu", élection qui n'a attiré sur lui que tourments et malédiction :

> Choisis un autre peuple élu.
> Nous sommes las de mourir, d'être morts
> et nous n'avons plus de prières.

Itzhak Katzenelson interpelle les "Cieux" qu'il a vu s'écrouler sur sa tête aux heures les plus dramatiques du ghetto de Varsovie. Lui, respectueux de la loi de Moïse a vu sa foi trahie et bafouée sa piété. Il ne comprend pas pourquoi. Il ne comprend pas en quoi son peuple a démérité ou offensé Dieu. Il demande des comptes et il dénonce une duperie :

> Vous nous avez trompés depuis toujours, vous avez trompé mes aïeux, vous avez trompé mes prophètes !

I. Katzenelson (1886-1943) est le poète qui a su, mieux que tout autre dans *Le chant du peuple juif assassiné*, retrouver le souffle et les accents des prophètes bibliques, Elie, Jérémie, Ezechiel, conjuguant la colère et la douleur, entrelaçant dans ses versets les scènes dantesques de l'agonie d'un peuple dans l'indifférence générale, la faim, la maladie, l'épouvante, l'arbitraire, l'organisation méticuleuse de l'extermination. Scènes bouleversantes qui font revivre la communauté dans son chaos de visages connus et inconnus, êtres aimés, rencontrés et perdus, chacun irremplaçable, inoubliable. Scènes vécues par le poète avant son évasion grâce à un faux passeport. L'œuvre est essentielle et unique, aux antipodes du modernisme, certes, mais en associant la clameur et l'incantation, le témoignage visuel et le jugement éthique, elle atteint une grandeur et un sens du destin qui n'ont d'équivalent peut-être que dans la tragédie grecque.

Le Chant du peuple juif assassiné a été écrit au camp de Vittel où Katzenelson fut interné avant sa déportation à Auschwitz, via Drancy, en 1943. Le manuscrit, retrouvé après la disparition du poète, était enroulé dans des bidons au pied d'un arbre du camp de Vittel. On voit ainsi se confondre dans le romanesque le plus noir, l'histoire extraordinaire d'un texte poétique avec l'histoire non moins extraordinaire de son auteur, qui n'échappa une première fois à l'anéantissement du ghetto de Varsovie que pour périr ensuite à Auschwitz, mais en passant par cette filière française du génocide mise en place par le gouvernement de Vichy, si zélé à servir le nazisme. Le calvaire emblématique de Katzenelson, pas plus que son "œuvre-vie" ne s'achèvent pourtant sur le mutisme d'une bouche d'ombre, d'une bouche de cendre, mais au contraire sur la parole retrouvée, déterrée, remise en circulation, inextinguible, et inscrivant sa sévérité comme un message sulfureux et miraculeux dans la bouteille de ce siècle.

D'une réalité qui dépassait de si loin la fiction et l'imagination, il était impossible de parler autrement que par le détour rhétorique de la parabole, le recours à la profération oraculaire des prophètes qui dénoncèrent les grands fléaux, les grandes défaillances et les afflictions de l'humanité, ou suivant l'exemple des apôtres de l'Evangile qui annoncèrent l'apocalyse comme étape dernière de cette humanité.

19. AVROM SUTZKEVER ET YOUNG VILNO

Un autre témoin de l'apocalypse, et un témoin capital, de ceux auxquels croyait Pascal ("je ne crois que les histoires dont les témoins se feraient égorger") est Avrom Sutzkever, le poète de Vilno où il vécut jusqu'à l'ultime phase le soulèvement et la destruction du ghetto.

La poésie Yiddish, quelques étapes d'une longue marche

Il parvint à rejoindre les partisans dans les forêts et, de là, récupéré par un avion soviétique, il se rendit à Moscou. Son histoire, répercutée dans la presse par Ilya Ehrenbourg, y avait fait grand bruit et il fut accueilli en héros avant d'être sollicité d'apporter son témoignagne au procès de Nuremberg (27).

Avrom Sutzkever est un poète hors norme dont l'œuvre, comme la vie, semble un confluent et un résumé de la poésie yiddish dans son parcours historique du XX° siècle. Il incarne en effet à lui tout seul, par l'expérience humaine et l'expérience du langage, les trois passages et les trois mutations décisives de cette poésie. Passage de l'enfance, dans la solitude sibérienne au bord du fleuve Irtych, au bouillonnement intellectuel de la jeunesse de Vilno, où s'effectuent la découverte et la mutation de la modernité. Passage par l'extrême, dans l'horreur absolue de la guerre (le drame personnel d'y perdre un enfant nouveau-né) et mutation d'une poésie, jusqu'alors vouée au raffinement formel, à la virtuosité et à la magie du verbe, et qui pour traiter de l'extermination va forger des poèmes aigus, vibrants et étincelants comme des lames de couteau, aptes à transcender à chaque fois la circonstance, pour symboliser l'humanité dans les pires conditions, élever l'acte jusqu'à la pensée, dire l'insondable de la douleur, la continuité et la précarité de l'être, de brisure en résurrection. Passage enfin de l'Europe au Proche Orient et mutation nouvelle du poète à partir de son enracinement en Israël, dès la création de l'Etat juif. Il fonde à Tel-Aviv en 1949 la revue *Di Goldene Keyt* (la Chaîne d'or) qui représente depuis plusieurs décennies, accompagnant l'essor tumultueux de la nation israélienne, au centre de la création et de la critique en yiddish, un point de repère et un point stratégique du monde littéraire yiddish dans son ensemble.

Un itinéraire aussi riche rend malaisé de définir une œuvre et une vie si fortement soudées, mais dont les composantes sont faites de mobilité perpétuelle et de complexité.

Paradoxalement, libre de toute mystique religieuse et profondément panthéiste, la poésie de Suzkever a fait de la beauté et de la vérité humaine sa seule véritable religion. La pensée du poète est loin d'ignorer les angoisses et les interrogations métaphysiques, le rapport de l'infime et de l'infini, de l'âme et du temps, mais elle opère une symbiose où les divers éléments de la nature sont intégrés et irrigués par une sensibilité qui tend constamment, sous son éclairage particulier, à en décrypter pour nous les énigmes et les codes.

Qu'elle pratique le vers régulier, le vers libre - également remodelés - ou le poème en prose, l'écriture de Sutzkever use avec maîtrise d'une double dynamique : celle de l'image, métonymique ou analogique, dans sa conception moderne, et celle de l'oxymore, jeu poétique des contraires, comme source révélatrice par les fissions et les fusions dont elle est le foyer.

Avant la guerre mondiale, à Vilno, au sein du groupe *Young Vilné*, qui incarnait tout le génie et toute l'originalité de ce que l'on a appelé la "Litvakie" territoire dont la géographie moins administrative que spirituelle ne recoupe qu'en partie les frontières des Etats limitrophes de la Lituanie, Sutzkever avait joué un rôle déterminant, mais un rôle à part. *Young Vilné*, dernier en date des mouvements modernistes, n'était plus tout à fait une avant-garde, mais l'affirmation d'une volonté d'autonomie esthétique et éthique. Il réunissait plusieurs peintres et des poètes de talent, tous de tempérament très distinct.

Leïser Wolf (1910-1943), orfèvre inventif du style, caustique dans la satire et l'épigramme, savait pousser la fantaisie et la fabulation jusqu'à l'orée du surréel. Chaïm Grade (1910-1982), grand érudit en matière de talmudisme (il avait été étudiant dans une yeshiva fameuse) et défenseur passionné du yiddishisme, transposa avec une perfection formelle très classique, l'ascèse des "Musserniks" adeptes d'une morale de l'existence quotidienne et d'une austère formation du caractère. Elhonen Vogler (1907-1969), né à Vilno, vécut pendant la guerre à Alma-Ata et Moscou, puis séjourna à Lodz et enfin à Paris. Ce poète inclassable avait le don de transfigurer tous les aspects de la réalité, les sons, les lumières, le kaléidoscope de la ville (Paris, en l'occurrence, qui lui inspira des poèmes étonnants) en mystérieuses et fascinantes fantasmagories.

Young Vilné subit de plein fouet le choc de la guerre et se désagrégea dans une diaspora forcée. Vogler allait finir ses jours d'écrivain en marge dans ce Paris tant aimé qui sait rarement rendre leur amour aux poètes étrangers qui l'ont célébré. Vogler, troubadour du trouble et du souvenir, bohème égaré de la modernité qui retrouvait par l'écriture, illuminant un petit "café bleu près de la Bastille", la nostalgie et le désenchantement d'un Vilno volatilisé.

Leïser Wolf mourut en Ouzbékistan où les réfugiés de Lituanie avaient été expédiés, sans voir la fin de l'opaque tunnel de l'occupation nazie. Chaïm Grade, fixé aux Etats-Unis en 1949, après avoir passé lui-aussi la guerre en U.R.S.S. y poursuivit une œuvre de très haute tenue, de plus en plus tourmentée et d'une pensée exigeante, fructifiée par le mysticisme et une vision gnomique de la nature et de l'humanité.

Avant 1928, date de son départ pour l'Union soviétique, Moïshe Kulbak avait marqué *Young Vilné* de son empreinte, et son influence continuera longtemps à rayonner sur le groupe.

Avrom Sutzkever, je l'ai dit, se situait non pas à l'écart de ce groupe aux activités duquel il participait pleinement, mais sa démarche poétique l'en singularisait. Il refusait à la fois les ardeurs de l'engagement et la tentation du piétisme. Ses affinités l'inclinaient davantage vers les modernistes américains dont Glantz-Leyeles, son ami, se fit l'intercesseur, que vers les futuro-expressionnistes dont l'héritage était encore très présent.

Sutzkever, proche à ses débuts d'un symbolisme teinté de folklore yiddish, ne tarda pas à se construire par le langage un instrument très personnel, susceptible de percevoir et de transcrire dans la diversité de ses registres, toutes les variations de la polyphonie juive dans l'univers, y compris les plus rares et les plus intimes. Le sens de la musicalité des mots et de leurs rapports les plus subtils avec les sensations, le sens de la couleur offrant au poème la palette d'un peintre - avec une prédilection pour la couleur verte comme l'attestent les proses de *l'Aquarium vert* (28) - se partagent d'ailleurs et harmonisent les virtualités d'un lyrisme qui agit à la façon d'un prisme de la connaissance et de l'intelligence des choses et des événements.

Un lyrisme que les tragédies de la guerre et de la Shoah ont porté à sa plus haute tessiture, à un paroxysme et à une stridence presque insoutenables. Le poète a littéralement vécu sa mort, expérience physique et expérience intellectuelle dont les mots ne peuvent rendre compte qu'en étant eux-mêmes des écorchés vifs. Le poète nous parle d'un lieu qui n'est pas que la margelle de l'abîme, mais déjà le premier pas dans le néant. De la bière où il fut enfermé "comme en un habit de bois". De la fosse qu'il dut creuser de ses propres mains avant l'exécution. Et c'est alors que de cette fosse surgit un ver de terre que la pelle tronçonne et qui continue à remuer, ainsi découpé, si bien que le poète en tirera cette leçon d'amère dérision :

> Puisque refuse un ver de céder à la lame
> es-tu donc, homme, moins qu'un ver ? (29)

Depuis les champs de neige, il contemple l'alignement macabre et vertigineux des "Juifs gelés" :

> Sans un souffle étendus, marbrifiés et bleus
> Leurs corps sont là, pourtant la mort n'est pas en eux
> Car leur âme gelée a des lueurs fugaces... (30)

Le poète ne transpose pas cette vision d'un Breughel d'enfer : il la traverse en halluciné, mû par l'obligation de prendre la parole pour les morts et pour ainsi dire, d'entre les morts, "réveillé par l'archet des morts" comme s'il n'était rien lui-même que l'instrument enfoui par "le violoniste du ghetto" (31) puis déterré afin de jouer une ultime mélodie. Sa poésie se lève, pareille à Lazare émergeant du tombeau, la bouche encore pleine de terre. C'est la voix à peine audible du ressuscité. Et désormais la poésie yiddish est-elle rien d'autre que le léger et translucide vêtement des ressuscités ?

20. RÉSURRECTION OU MÉTAMORPHOSE ?

Pour Sutzkever, cependant, comme pour d'autres rescapés, une métamorphose va se produire et les gisants, réveillés par l'archet de la vie, vont quitter leur habit de spectres.

Ce qui s'ouvre alors pour la poésie yiddish, ce n'est pas à proprement parler une ère nouvelle, mais le domaine privilégié d'un nouvel enracinement, promesse de fécondité, d'élan,

La poésie Yiddish, quelques étapes d'une longue marche

de rebond vers un avenir qui ne serait plus hypothétique ni hypothéqué par les pesants reliquats du passé.
Cette métamorphose a pour nom Israël.
Le poète de Vilno, s'il a perdu la ville de sa jeunesse, auréolée de tant de génie et de douleur, a retrouvé à Tel-Aviv, parmi les siens, un lieu de découverte et de recommencement, un lieu où l'on doit remettre en chantier le possible et l'impossible.

Sa mémoire, dans *Sibérie* (32) avait magnifié les steppes glacées, d'une blancheur presque irréelle, dans ce trou perdu de Sibérie où l'attendait la "hutte de son enfance" et le souvenir de son père. A présent, Avrom Sutzkever voit le soleil brasiller et tisonner l'ondulation des sables, aux confins du Néguev, dans ce désert torride, tout le contraire de la Sibérie, où apparaissent furtives et fugaces comme des ombres les "Gazelles de Yamsouf" aux "longs visages de violons" qui font penser à des créatures chimériques de Chagall.

Voilà que Sutzkever a pris la mesure du monde, de l'Occident à l'Orient, et son langage ne cessera de mûrir et de parfaire une vision non point judéocentrique mais anthropocentrique, pour qui Israël est une base de lancement vers l'inconnu du devenir. Sa poésie ignore le repos, mais atteint parfois une sérénité stoïque, au prix de la confrontation ininterrompue avec les récurrences du cauchemar et la multitude des questions qui harcèlent sans répit les pages de son "Journal intime" (33). Vivre en Israël permet au poète de trouver un accord, peut-être un modus vivendi, avec lui-même et avec le monde, d'aller jusqu'au bout d'une évolution vers l'essentiel qui confère à sa pensée une acuité et une précision incomparables. Mais cette réussite personnelle que le grand âge n'a aucunement amoindrie, ne saurait suffire à elle seule à assurer la continuité d'une poésie, même si la résurrection du poète, désormais exempté du rôle trop astreignant de porte-parole, concorde exactement avec la résurrection de son peuple. Ce fut aussi l'occasion pour lui, avec une autorité magistrale, d'animer *Di Goldene Keyt* qui resta jusqu'à sa récente disparition (1996) un carrefour de forces créatrices, d'études et d'analyses littéraires de premier ordre.

21. LE RENDEZ-VOUS D'ISRAËL

Cette résurrection, on a pu croire qu'elle pourrait en conséquence être aussi celle de la poésie yiddish. Or, c'était peut-être trop tard. Le yiddishand englouti corps et biens ne resurgirait que fragmentairement sur la terre des lointains ancêtres. Celle-ci, après le déluge, accueillait les survivants de l'Arche, ceux qui avaient hâte de reconstruire leur existence et leur image dévastée, mais suivant de nouvelles modalités et dans une langue, l'hébreu, vite assimilée et devenue langue généraliste de tous les échanges officiels et intercommunautaires.

Certes, le rendez-vous messianique "l'an prochain à Jérusalem" n'était plus celui des rêves inachevés et des espérances contredites. Un Etat avait été promis par le sionisme, et une terre par la religion, mais c'était une terre disputée, transformée en bastion par l'hostilité et les guerres successives, une terre, en définitive, qui ne pourrait rester celle d'une conquête, qu'il faudrait inévitablement partager avec ceux qui depuis longtemps l'habitaient, les Palestiniens, si l'on ne voulait pas continuer à vivre l'arme au pied, en proie aux affres de conflits et d'attentats à répétition.

L'Etat juif avait pour principal but de remettre les Juifs en état. Autrement dit de faire en sorte que tant de parias, de réprouvés, d'expulsés, de personnes tellement déplacées qu'elles finissaient par n'être plus personne nulle part, ne soient plus les jouets du destin, mais les architectes d'un destin collectif et les citoyens d'une véritable nation, moderne et démocratique. Le projet a connu des bonheurs, des aléas et des échecs, comme toute entreprise humaine. Le peuple de la diaspora, pareil au géant Antée, en touchant terre a pu reprendre force, récupérant sa pleine vitalité, un dynamisme qui a contribué à la construction d'une société dont nul ne peut nier les progrès dans de nombreux domaines, même si ces progrès sont handicapés par les ultras de la religion alliés aux ultras du nationalisme, lesquels aggravent les déchirements et les contradictions.

Parmi ces contradictions, justement, celle de la culture

Chaque communauté d'émigrants tend à préserver la

sienne, au moins partiellement. Mais le creuset de la culture hébraïque actuelle fait fusionner ou englobe peu ou prou toutes les autres, de génération en génération. La littérature israélienne s'est déployée non seulement dans les frontières du pays mais à l'échelle internationale. La langue yiddish et sa poésie, petites poches de survivance et de création, mais privées des infrastructures scolaires et universitaires, étaient-elles dès lors condamnées à péricliter ou à subsister dans l'assistanat et une zone périphérique du développement de l'esprit?

Pourtant, la terre d'Israël offrait à la poésie yiddish un ancrage, une sécurité qu'elle n'avait jamais connue, des moyens d'existence (éditoriale et autres) non négligeables, des potentialités thématiques extrêmement prometteuses, mais elle ne pouvait pour autant lui signer une assurance tous risques sur sa postérité.

Par la force des choses, son audience allait se restreindre. A tel point que l'on peut se demander aujourd'hui si le yiddish n'est pas appelé à son tour à jouer le rôle de la langue sacrée, en lieu et place de l'hébreu devenu langue nationale, langue vernaculaire... Le yiddish n'est-il pas depuis longtemps, plus que la langue du Livre, la langue *des livres*, chargée de la transmission d'un héritage sacré que la religion ne permet en rien de sauvegarder ? Dans la langue elle-même, il n'y a pas de rivalité avec l'hébreu, sinon que la modernisation lexicale de celui-ci pose le problème de sa graphie en yiddish.

Le yiddish reste le "trésor de la vieille tribu" pour reprendre la formule du poète Arie Shamri (1907-1978). Celui-ci, né en Pologne, à Kaluszyn (c'est la ville natale de mon père...) est très représentatif de la génération qui élabora, dès l'avant-guerre, dans la Palestine sous mandat, une composante yiddish pour la poésie d'Israël, une transmutation de l'expérience hassidique et de la ferveur religieuse, une exaltation des valeurs du travail et de la transformation d'une terre aride en oasis de prospérité et d'accueil.

Cette poésie reposait sur le principe "sur des pensers nouveaux faisons des vers anciens", car elle était encore sous la dépendance d'une forme très traditionnelle, de ses tournures de style datées et de son arrière-texte, tout en ayant la volonté de traduire tout l'inexploré, tout le virtuel d'une nation qui n'existait pas encore. La plupart des poètes d'alors étaient comme Shamri originaires du yiddishland d'Europe, imprégnés de ses coutumes et de ses manières d'être, mais ils s'identifièrent très vite à la mentalité des défricheurs du désert et des bâtisseurs de kibboutz. Certains de ces pionniers étaient imbus d'un esprit pastoral ou habités par l'utopie socialiste et collectiviste : ils prônaient l'égalitarisme, la coopération, la régénération par le travail agraire et la vie fruste du terroir où il était interdit à l'argent d'imposer sa tyrannie.

Généreuse et fervente utopie, sans doute, que l'essor économique accéléré de l'Etat hébreu (un essor à l'américaine) n'allait pas tarder à démanteler et à rendre caduque comme quelques autres illusions lyriques.

Il n'empêche que la poésie yiddish trouvait là non point une voie vers la modernité, différente de celle tracée par les groupes américains et européens, mais le levain d'un incontestable renouveau thématique et stylistique.

On le vit se matérialiser dès 1924 avec Joseph Papiernikov (1896-1976), barde d'une Palestine ouvrière. Son langage simple et volontiers didactique semblait faire de lui l'émule des populistes américains d'antan, Morris Rosenfeld et Avrom Reisen, bien que sa poésie s'inspirât plutôt d'un sionisme utilitariste et agreste de la glèbe et du rabot. Douée comme celle des Américains d'une transparence et d'une musicalité immédiate, son écriture se convertissait aisément en chansons qui firent sa renommée. Papiernikov, d'autre part, est un des premiers à se montrer conscient du nécessaire malaxage des différents groupes ethniques ou migratoires dans le melting-pot d'une nation à inventer. Elle doit absolument tous les intégrer à cette fin, comme par exemple les Juifs yéménites qu'il appelle à accueillir "ainsi qu'un troupeau de moutons / avec leur tribu tout entière".

Moïshe Youngman (1922-1982) ira beaucoup plus loin dans la reconnaissance et la description de la réalité israélienne. Sorti du cercle ashkénaze et yiddishophone, il descend dans la rue, dans les caves, visite l'humble lieu de vie du "clan familial / des hommes à la nuque brune" débarqués parfois de fraîche date des rivages méditerranéens où l'on parle ladino", et l'on porte sur soi / les noms de soie / de Prahi et d'Al Kahali". Il ne s'agit pas d'une enquête ethnographique à la manière de celles menées jadis par Ansky en Pologne et en Lituanie, mais d'un sentiment national puissant - nourri sans doute par le sionisme - et qui conduit à vouloir supprimer toutes les barrières de langage, de coutume, de culture, pour ne voir enfin, en chaque Juif, d'où qu'il soit originaire, que le membre à part entière d'une communauté destinée à s'unifier.

Directeur d'école en Israël (il y vint en 1947, de Russie et de Pologne), Moïshe Youngman fonda en 1954 la revue *Jeune Israël* qui répondait à ce dessein fondamental d'unification. Il fut ainsi l'un des principaux promoteurs d'un lyrisme authentiquement israélien mais qui adopta résolument une forme d'écriture moderne.

D'une génération antérieure, Jacob Fridman (1910-1972), ne put se fixer en Israël qu'en 1949, ayant d'abord été arrêté par les Anglais et interné dans un camp de réfugiés à Chypre. C'est un poète très proche de Manguer, non seulement par le cousinage géographique (il naquit en Galicie) mais surtout par la mise en œuvre savoureuse, pittoresque et souvent dérangeante par ses décalages, du merveilleux yiddish, mariant dans des fables et des poèmes d'une trompeuse limpidité, le légendaire du shtetl et le légendaire biblique. Jacob Fridman incarne une symbiose exemplaire avec la réalité israélienne, ses aspects contrastés, son peuple multi-culturel et multi-ethnique dont il orchestre savamment la danse et la fête, une fête illuminée d'œcuménisme poétique, au cours de laquelle, possédés du même rythme endiablé, s'accordent symboliquement les Yéménites, les Marocains, les "Persanes au châle rouge" et les "Tunisiennes voilées de tulle" (34). Une fête qui se voudrait, comme chez Youngman, celle d'une nation rassemblée où les différences, sans être abolies, ne comptent plus guère dès lors que l'on revendique la même identité.

Jacob-Zvi Sharguel (1905-1995) s'installa en Palestine dès 1926. Glatstein a pu saluer en lui l'un des "pionniers de la poésie yiddish en Israël", mais son œuvre se distancie des professions de foi sionistes ou religieuses pour investir son sens de la beauté dans les éclats et les états de la nature, des paysages, des âmes humaines. Sa poésie conjugue dans une écriture élégiaque des vertus proprement virgiliennes et les infinies variantes d'une ironie très contemporaine dans son maniement de l'absurde féroce et d'une logique très relativiste.

22. QUESTIONS SANS RÉPONSE

La poésie yiddish en Israël s'est formée et fortifiée jusqu'à présent de l'afflux des poètes, hommes et femmes, venus de tous les horizons, Union soviétique, Pologne, Etats-Unis, avec le désir de s'identifier à une nouvelle patrie, tout en préservant leur personnalité et leur bagage culturel. Les femmes ont été nombreuses et actives dans cette pépinière. Il est vrai que pour la plupart elles commencèrent à écrire loin d'Israël, Rivka Basman en Lituanie, Rachel Boïmwol à Moscou qu'elle quitta en 1971 à la pire époque brejnévienne, Assia (née en 1932) en Pologne, Rachel Fishman (née en 1935) aux Etats-Unis, Dora Teitelboïm (1914-1993) également aux U.S.A. d'où, via Paris où elle séjourna une dizaine d'années, elle rejoignit Israël en 1972.

Ecritures et sensibilités forment un éventail très ouvert : les plus jeunes tendent de plus en plus vers l'économie, la brièveté, le poème se fait impressionniste, laconique, intériorisé, comme gravé à la pointe sèche. Il renonce autant à l'idéologie du message, social, événementiel ou politique, qu'à une certaine démagogie du pathos émotif et de l'épanchement du moi. De même que le vers libre, dépoussiéré et décorseté, renonce aux enflures de l'ancienne rhétorique.

En ce qui concerne Dora Teitelboïm, longtemps adversaire acharnée du sionisme, son cas est singulier. On remarque que son œuvre a suivi une évolution significative depuis qu'elle choisit Israël pour y résider et y travailler. Ce choix était le résultat d'une expérience et d'une certitude. Expérience malheureuse d'un socialisme dont elle ne pouvait se cacher la dérive. Et certitude : elle voulait vivre "au milieu de son peuple" comme elle l'affirmait avec un mélange d'orgueil et d'humilité. Mais cette vie n'allait pas toujours de soi et ne ressemblait en rien à la pratique agitée et enthousiaste de ses débuts newyorkais sous le signe de la poésie sociale. Sachant réévaluer et nuancer ses parti-pris sans renier ses options idéologiques et surtout son action en faveur de la paix, aux côtés du mouvement Peace Now, elle remodula son lyrisme de passion et d'effusion qui ne s'était pas toujours gardé de l'emphase allégorique ou sentimentale. Le nouveau style qu'elle façonna, plus direct, plus discret, plus incisif, mit un découpage de brèves séquences au diapason des complexes réalités israéliennes et son amour panthéiste de la nature s'y exprima dans une lumière sobre et délicate.

Ce qui apparaît à l'évidence si l'on examine un panorama en mosaïque, c'est que le passage par Israël, pour tout poète yiddish, est une étape primordiale et parfois une transformation.

Cependant, on est obligé de constater que la poésie yiddish en Israël, à l'exception d'Avrom Sutzkever - dont l'œuvre s'était déjà constituée ailleurs - n'a pas donné à la modernité des créateurs aussi convaincants et aussi intrépides qu'en Europe et en Amérique, voire, bien sûr, en Israël où c'est la poésie en hébreu qui a pris le relais de la recherche, de l'innovation et de la découverte.

Question d'époque ou plus exactement question d'âge. Mais question qui reste sans réponse. Disparition ou vieillissement des générations d'immigrés d'après guerre. Absence surtout d'une relève conséquente. Eduqués dans une culture hébraïque en pleine expansion - qui attire même des écrivains arabes - les jeunes créateurs ne sont évidemment guère tentés par l'aventure d'une langue minoritaire à l'audience forcément limitée.

Malgré l'ampleur et l'originalité de son héritage, la poésie yiddish est-elle là aussi vouée au déclin et à l'extinction ? Il semblerait qu'on assiste ces dernières années à un regain d'intérêt pour les sources et les ressources du yiddish. Si cet engouement pour le patrimoine s'avère durable, signe que tous les ponts sont loin d'être rompus, il n'apporte pas encore à la création poétique ce tremplin qui lui est indispensable pour rebondir dans le temps et pour atteindre un échelon, dans l'histoire, qui ne soit pas uniquement celui de la nostalgie et de la piété filiale.

NOTES

(1) Ed. du Seuil, 1987.
(2) Ed. du Cerf, 1993.
(3) Ed. de l'Olivier, 1994.
(4) Le Miroir d'un peuple, Ed. du Seuil, 1987. Pp. 54 / 55 / 56.
(5) In. Khaliastra, La Bande, p. 55. Ed. Lachenal & Ritter, 1989.
(6) Voir "Khaliastra et la modernité européenne" par Rachel Ertel, in La Bande.
(7) Le Miroir d'un peuple, p. 157.
(8) Ibid. p. 305.
(9) D'Ozer Warszawski, on peut lire en français le roman "Les Contrebandiers" (Ed. du Seuil) et "L'arrière-Montparnasse" (Lachenal & Ritter).
(10) Trad. Ch. D. In La Bande, p; 11 / 12.
(11) Voir Lundi, trad. par B. Vaisbrot, préface de Rachel Ertel (Ed. l'Age d'Homme, 1982) et les Zelminiens, trad. et présentation de Régine Robin (Ed. du Seuil, 1988).
(12) Voir la traduction par Rachel Ertel du poème "Vilna", in "Lituanie juive" (Ed. Autrement, Collection Mémoires, sept. 1996).
(13) Ed. du Seuil, 1993.
(14) Voir, Régine Robin, préface à Autour de la gare, de David Bergelson (Ed. l'Age d'Homme, 1982).
(15) Fragments in le Miroir d'un peuple, p. 275.
(16) Ibid. p. 161.
(17) Ibid. p. 195 / 196.

(18) Ed. Actes-Sud.
(19) In Le Miroir d'un peuple.
(20) Ibid. p. 484.
(21) Ibid. p. 506.
(22) Theodor W. Adorno, Critique de la culture et de la société (Payot, 1955).
(23) In Le Miroir d'un peuple, p. 344.
(24) Dans la langue de personne. Poésie yiddish de l'anéantissement (Ed. du Seuil 1993).
(25) Ibid.
(26) Ibid.
(27) Le récit de ce témoignage a été publié dans la revue Europe, août-septembre 1995, Les Ecrivains et la guerre.
(28) In Où gîtent les étoiles, œuvres en vers et en prose, traduites par Charles Dobzynski, Rachel Ertel et un colectif de l'Université Paris-VII, Collection "Domaine Yiddish" (Le Seuil, 1988).
(29) In. Le Miroir d'un peuple, p. 477.
(30) Ibid. p. 478.
(31) Ibid. p. 485 / 486.
(32) In Où gîtent les étoiles.
(33) Publié en plusieurs volumes aux éditions Di Goldene Keyt, le dernier en date, l'Héritage de la pluie, est de 1992.
(34) In. Le Miroir d'un peuple, p. 458.

QUAND TOUT COMMENCE PAR DES CHANSONS

> *Viens ici, je vais te montrer une nouvelle voie de la création : non par le discours mais par le chant ! Chantons et le ciel nous comprendra.*
>
> Rabbi Nahman de Bratzlav.

> *Une mélodie, cela vit, mais cela meurt aussi. Et lorsqu'on l'oublie, c'est comme si l'on avait oublié un être disparu. Cet être autrefois a été jeune, plein de vigueur et de vie : avec le temps, il s'est affaibli, ses forces l'ont abandonné peu à peu... puis son dernier souffle l'a quitté et il est allé s'éteindre quelque part. Il n'est plus. Mais toute mélodie peut ressusciter. Il arrive que l'on se rappelle subitement un air d'antan, revenu d'on ne sait où, palpitant dans la bouche... A son insu, on lui insuffle un nouveau sentiment, une nouvelle âme, et le voici rajeuni, presque une mélodie neuve. Pour sûr, il s'agit là de la métamorphose d'une mélodie.*
>
> I. L. Peretz
> (in "Métamorphose d'une mélodie", Albin Michel)

1.

Rien de plus pervers qu'une chanson. Elle n'est pas un miroir, mais reproduit une image. Elle n'est pas un masque, mais sert à simuler. Elle n'est pas un ciment de l'identité mais en favorise l'extension par un jeu ambigu de faux-semblants. On ne sait d'où elle vient, ni par quel mécanisme secret elle vous possède, talisman qui réduit à merci l'ensorceleur. La chanson yiddish fait partie des racines, mais à la manière de la mandragore qui dispose de vertus propitiatoires et de vertus maléfiques. A-t-elle pour fonction de prévenir les maux ou de les guérir, d'apaiser ou d'attiser la révolte ?

Instillée par l'intuition populaire, elle rend au peuple, en retour, la faculté de l'intelligence du monde et le moyen de s'y confronter par l'ironie et la lucidité.

De la chanson yiddish, il est difficile d'établir l'inventaire (1) dans le champ ashkénaze où elle a proliféré, et cela en raison même de cette prolifération et de sa capillarité. L'une de ses sources est la tradition synagogale : au cours de l'office, la mélodie accompagnait la poésie liturgique ou certains événements dramatiques (les conversions forcées en Espagne au VII° siècle, à l'occasion desquelles fut composé le Kol Nidré). La lecture du texte biblique, d'autre part, était elle-même cantilée et scandée par des générations d'enfants dans les yeshivoth. Le chantre, le "hazan" a joué un rôle primordial dans l'évolution d'une facture musicale qui n'a pas été sans influence sur la musique profane dont le folklore s'est nourri, comme il s'est nourri de la tradition hassidique et de ses mélodies rythmées, chantées soit en groupe soit en solo, alternant les couplets et les séquences rapides et survoltées d'une forme de "scat", ces mélodies ont emprunté maints éléments à la musique non-juive, populaire et savante.

Il existe en effet, dans la sphère de la musique une élasticité et une interactivité des matériaux et des apports qui ont permis la permanence et la variété des échanges entre le séculier et le sacré, le rituel et le circonstanciel, le sophistiqué et le vulgaire, entre ce qui appartient en propre à la coutume du shtetl et aux ressources puisées dans l'environnement non-juif. En Pologne comme en Russie, l'osmose s'est effectuée de longue date. Au XIX° siècle, le compositeur Moussorgski, sillonnant la Russie, avait pris l'habitude de consigner certains airs entendus à l'occasion des mariages, ou lorsqu'il rencontrait, en cours de route, des musiciens ambulants, des klezmorim. Il trouvait dans la musique juive, un élément qu'il recherchait : l'authenticité. Il y décelait les bases fondamentales et instinctives de la musique. Deux thèmes, saisis dans une synagogue, devaient rester gravés dans sa mémoire, l'un chanté par le hazan l'autre par un chœur de jeunes garçons. Plus tard, c'est Chostakovitch qui rendit hommage à la musique populaire juive : "Elle a produit sur moi la plus puissante impression. Je ne me lasse pas de la goûter. Elle a de multiples aspects et tout en semblant exprimer le bonheur, elle est en même temps tragique. On y trouve toujours des rires entre les larmes". Reconnaissance qu'allait illustrer entre autres, sa 13° symphonie "Babi Yar".

Les rires entre les larmes, cette double virtualité remarquée par le musicien russe, caractérise assez bien la chanson yiddish, à quoi il faudrait sans doute ajouter : le fil du mysticisme à travers la trame profane. Quoi qu'il en soit, la chanson yiddish est un hybride, mais un hybride heureux dont la spécificité, ce qu'on appelle son cachet, ce "yiddishe tam" qui est une saveur particulière et identifiable, se définit par la subtilité des mélanges. Cocktail musical, certes, mais qui a pour shaker la mémoire et la sensibilité du peuple ashkénaze.

2.

J'ai mentionné le "hazan" ; le rôle du "badkhan" amuseur public, bouffon ou baladin, fut non moins important. L'un d'eux, Eliakhum Zunser (1839-1913) naquit en Lituanie et devint l'un des premiers propagateurs de la chanson yiddish, d'abord en Russie et en Pologne, puis en Amérique. Doué d'humour et de charisme, il improvisait en hébreu et en yiddish, animant les festivités avec une verve et un dynamisme qui lui valurent la popularité. En Pologne, il défendit un sionisme rural, idéalisé dans les couplets de "Hibbat Zion" où il célébrait le labeur des pionniers en terre sainte. Plus encore qu'à son style prophétique - quelque peu ampoulé - il dut sa renommée au style direct de chansons qui conquirent le prolétariat urbain aux Etats-Unis où il poursuivit sa carrière, dans les rangs des initiateurs du populisme culturel incarné par Morris Rosenfeld.

A l'époque des Lumières, la chanson populaire connut une rapide floraison, grâce à des poètes-paroliers acquis à la Haskala, tels Mikhl Gordon (1823-1890) et Velvl Zbarzher. L'un des plus fameux auteurs-compositeurs fut en Pologne Mark Warshavsky (1840-1907). On lui doit des centaines de chansons aimées et adoptées par la foule : elles enthousiasmèrent aussi Sholem Aleikhem qui aida la publication de deux recueils en 1901 et 1914. L'une des plus répandues de ces pièces est sans conteste "Oyfn Pripetschik brennt a feyerl" (Sur le fourneau brûle une flammèche" - voir plus loin). Métamorphose d'une mélodie dont les paroles furent à plusieurs reprises modifiées ou adaptées en fonction des circonstances. Elle devint une chanson de ghetto : "Sur le mur du ghetto le feu brûle", ou encore thème musical utilisé dans une biographie filmée de George Gershwin. Aucun des aspects de la vie juive n'était négligé par Warshavsky, particulièrement sensible à la condition des humbles et qui s'en inspira constamment comme en témoigne, entre autres "Der fodem" (Le fil) où comme le fera également Péretz (les "Trois couturières") il donne la parole et la voix à une couturière : "Chaque piqûre de l'aiguille / me troue le cœur..."

D'autre part, malgré ses balbutiements, parfois son amateurisme et son goût du divertissement "frivole" (aux yeux des orthodoxes), le théâtre yiddish, dès la fin du XIX° siècle, s'avéra un terrain privilégié et un tremplin pour la production chantée, indispensable à ses inserts et intermèdes. Les comédies d'Abraham Goldfaden (1840-1908) dont la première fut jouée à Iassi en Roumanie en 1876, comportaient obligatoirement des couplets, et certains comme "Rozhinkes mit mandlen" (raisins secs et amandes) prirent place dans le patrimoine folklorique. Celui-ci dépendait d'un climat, d'un contexte, d'une profonde adhésion affective du public que l'on ne peut artificiellement ressusciter. Les chansons sont des voiliers qui nous traversent et s'avanouissent dans la brume. Comment leur insuffler une seconde vie, sinon par itération et ressassement ? Le caboteur des sons finit par sombrer dans les abysses et pour le renflouer il faut recourir à la mémoire électronique, à l'enregistrement. Toutefois, le préserver n'est pas rendre vie au trésor englouti, c'est le constituer en archives. Le disque, microsillon puis laser, est le conservatoire des voix qui se sont tues. Les retrouver, c'est en quelque sorte se retrouver soi-même, récupérer l'acquis liquidé, ou du moins, ne pas se diluer dans le magma auditif qui nous guette. La mouture médiatique est souvent médiocre ou insipide malgré la persistance de certaines modes, mythes ou rythmes, avalisés par le commerce et la rentabilité. Les genres finissent par s'effilocher ou par interférer. La chanson populaire, qui exige un temps d'écoute attentive, toujours inassouvie, n'est pas exempte de cette érosion, mais elle garde le fil de la continuité car elle échappe, en règle générale, au réseau de la marchandisation et du star-systèm.

Les chansons populaires, tout particulièrement celles du folklore, occupent la marge. Si on les aime, ce n'est pas parce qu'elles "cassent la baraque" au palmarès du hit-parade, mais parce qu'elles maintiennent debout une maison de famille un peu lézardée, constamment menacée d'abandon ou d'effondrement. Maison d'un passé fragile et obstiné. Maison d'une histoire qui deviendrait indéchiffrable sans le tissage et le métissage des musiques qui ont formé son contrepoint.

Ces musiques qui nous enchantèrent se sont peu à peu assourdies et lorsque nous les écoutons de nouveau, elles semblent émaner non de l'air du temps mais d'une ambiance recréée, d'un lointain pays, quasiment étranger, bien que son aspect nous soit familier. C'est que les chansons s'accrochent malaisément à la surface de nos pensées. Leurs messages se brouillent ou s'agglutinent, quand bien même les mélodies, les rengaines, les tonalités, les inflexions particulières de telle ou telle voix se seraient incrustées dans les strates de l'inconscient.

Une chanson, ce n'est pas seulement, surtout en yiddish, un objet artisanal, plus ou moins finement ciselé à partir de l'observation ou des réminicences, c'est surtout un microcosme narratif, un microcosme anecdotique, où l'histoire apparaît agrandie sous lentille ou au contraire vue par le petit bout de la lorgnette. De quoi sa substance est-elle faite ? D'un malaxage d'histoire, de la morale et des affects. L'histoire est toujours à l'intersection de l'individuel et du collectif. La morale est presque exclusivement la morale des pauvres, la morale des opprimés. Quant aux affects leur intensité découle des contrastes souvent abrupts, des inégalités et des ruptures dans l'expérience personnelle et dans la vie communautaire.

La chanson je l'ai dit a un rapport étroit avec l'histoire. Mais aussi, elle a pour ambition de "raconter une histoire", qui a fonction parfois de passerelle entre la grande et la petite.

Ainsi une très ancienne pièce folklorique nous dit :

> Il était une fois une histoire
> mais c'est une histoire sans joie,
> c'est une histoire qui commence
> avec un Juif couronné Roi.

Il est difficile de départager ici le fait réel de la légende, transmise par les générations, de l'arrivée en Pologne, il y a un millénaire, d'un flot de Juifs, chassés de l'Occident et accueillis à bras ouverts dans un pays qui savait comment employer leur force de travail. Parmi ces réfugiés un certain Prochownik (autrement dit : porteur de poussière) fut proclamé Roi d'un jour par la population au cours d'une fête, afin de démontrer le grand cas que l'on faisait de ces nouveaux venus... Et le lendemain, le malheureux fut jeté aux chiens ! La chanson a fixé cette mésaventure, digne d'être rappelée pour servir d'avertissement.

3.

Les chansons, de toute éternité, sont en relation avec un mode de vie, un comportement, un métier, une vue de la société, une alchimie du sentiment et du psychisme, une manière de s'insérer (ou de s'écarter) dans la réalité quotidienne et d'y faire circuler du rêve. Les chansons sont à leur façon nos attestations d'état civil, nos actes de naissance et de survivance, les témoignages les plus légers, les plus précaires, de notre condition humaine. Dès lors, elles ont tendance à se délivrer de nos pesanteurs et de nos hésitations. Elles sont pareilles à une respiration de l'esprit qui inhalerait cet air inventé qu'on appelle musique. Par ce mouvement régulier la chanson nous ramène en deçà de nous-mêmes, sur le continent immergé de l'enfance ou dans l'aire implosive des faits vécus tombés en déshérence et en poussière.

La chanson yiddish possède le pouvoir paradoxal de remémoration et de pétrification. Elle continue à nous solliciter, à exercer sur nous son aérienne filature, son emprise en douceur, parce que rien n'est plus confortable que l'écoute de ce que l'on connaît déjà ou que l'on devine dans ce labyrinthe qui a la mélodie pour fil d'Ariane. La lecture de l'oreille est sensuelle, insistante, répétitive. Elle offre l'euphorie d'un flottement dans l'intemporel, ou plutôt le temps inemployé : c'est une navigation pilotée à travers les brisants de l'histoire.

La chanson yiddish s'est épanouie dans de multiples registres, sachant par exemple entretisser dans ses harmonies le grave et le léger, le mélancolique à outrance et le quasi-grotesque, sans parler du sentimentalisme le plus abusif, utilisé comme pansement de l'âme, mais un pansement qui loin de l'adoucir, exaspère la douleur ! Elle a su jouer ingénuement et ingénieusement des contrastes et des dualités : pathos du texte et mélodie entraînante et allègre. Ce qui lui a permis d'intégrer et de transformer les influences reçues, c'est précisément cette faculté combinatoire qui est aussi le propre de la langue yiddish.

Ce qui étonne dans son itinéraire, ses pérégrinations géographiques (de l'Europe de l'Est à l'Amérique du Nord et à Israël), c'est qu'elle ait pu assumer son devoir de transmission et préserver tant bien que mal une spécificité continuellement menacée de désagrégation. La chanson serait-elle un des signes de reconnaissance d'une identité pourtant aléatoire, contestée, souvent ambivalente ? Le fait qu'elle se situe à l'intérieur d'un mythe fondateur qui a moins à voir avec les mentalités qu'avec les modalités de l'espace sonore qui est en nous la doublure de l'espace pensé. La chanson yiddish est une empreinte, plus organique que digitale, peut-être un tatouage indélébile de nos fantasmes. On la distingue entre toutes moins à l'originalité de ses paroles qu'à cet accent de vérité que la justesse de la mélodie leur apporte. Du coup, une singulière spirale semble l'enrouler et l'emporter au-delà d'elle-même dans cette zone de liberté interdite aux insultes, aux persécutions et à leurs séquelles. C'est dans cette zone que s'exerce mieux qu'ailleurs pour chacun la sécurité d'être soi-même et de ne rien devoir à personne, une manière d'auto-protection et d'auto-défense qui est tout le contraire de l'auto-justification ou de l'auto-satisfaction. La chanson est aussi le condensé de cette perpétuelle inquiétude - qui tourne parfois à la haine de soi - qui marque la sensibilité juive : inquiétude du lendemain et de l'aujourd'hui, inquiétude du non-légitime et du non-licite, dans une société prodigue en lignes de démarcation et d'exclusion.

Mais en même temps, malgré l'incertitude, la musique peut se déployer comme un défi aux contingences. C'est ainsi, dans cet envol qui lui sert d'indispensable diaprure, qu'elle s'allège jusqu'à la ténuité ou bien, à l'inverse, fait tournoyer dans l'invisible une valse de fantômes, une farandole effrénée qu'anime l'ivresse hassidique.

4.

Née du shtetl, la chanson yiddish n'y est pas restée confinée. Mais au départ, elle s'attachait surtout à décrire la vie des misérables, des gagne-petit, colporteurs, palefreniers, porteurs d'eau, tanneurs, dont le statut inspirait des complaintes populistes. Ecrite par A. Reisen, celle du cordonnier, "Hemerl, hemerl, klap" (tape, tape petit marteau) est restée mémorable par sa litanie qui soulignait non seulement la rudesse, mais la monotonie fatale et aliénante d'un travail bien mal rémunéré :

> Oh tape, tape, petit marteau
> clou après clou frappe plus fort,
> A la maison il n'y a plus de pain
> mais misère et peine sans fin.

Vint l'ère des migrations massives, de l'urbanisation d'un prolétariat happé dans la broyeuse de l'industrie :

> Je m'en vais à l'usine,
> déjà sonnent huit heures,
> Je m'en vais à l'usine
> et j'y reste songeur...

C'est alors que la chanson populaire, décalque mental et sentimental d'une saga du quotidien, s'est faufilée dans la grande ville puis l'a annexée en bourdonnant et fredonnant dans les sweat-shops et la multitude d'ateliers et petites entreprises, en Europe et aux Etats-Unis, qui étaient le royaume de la confection et de l'habillement, royaume dont les Juifs étaient les serfs, royaume prédestiné des "shmatès" pour un peuple prétendument prédestiné. Dans tous ces lieux où il fallait produire vite et bien, sans ménager ses efforts pour répondre à la commande et aux impératifs de la saison, avant qu'elle ne fût "morte", la chanson accompagnait rituellement la scansion des gestes, des postures, la noria de la monotonie et de la servitude. Le poète classique, I.L. Péretz fut l'un des premiers avec Mark Warshavsky à décrire le sort des couturières :

> Les yeux rouges, les lèvres bleues,
> les joues vidées de leur sang,
> la sueur à leur front blême,
> brûlante et courte l'haleine,
> trois filles sont là cousant et cousant !

Une chanson anonyme surenchérit :

> Vers Dieu je vais crier
> avec un grand sanglot
> fallait-il que je naisse
> pour être couturière ?

On ne dira jamais assez le rôle des couturiers et des couturières, heureuses ou crucifiées à leur machine Singer, dans la propagation et la continuation de la chanson yiddish. Ah ! j'ai bien connu cette horlogerie opiniâtre et ininterrompue : ce fut pour moi le métronome d'une enfance piquée et repiquée par ce pianotement. Une couturière détient le pouvoir, dévidant son fil, de dévider aussi le fil des mélodies, d'en surjeter et d'en ourler tout le tissu du quotidien. Ma mère avait ce don, inépuisable réservoir de chansons multilingues (polonais, russe, yiddish) entendues Dieu sait où et si prestement retenues, puisées dans tous les genres, chansons-poèmes, chansons-satiriques, nigunim, complaintes à vous écorcher l'âme et refrains révolutionnaires. Des chansons d'atelier, les paroles furent souvent écrites par des poètes, les populistes américains en premier lieu, Rosenfeld, Reisen, Edelstat et Vintchevski. Leurs textes entretenaient les braises des vieilles nostalgies récurrentes, mais attisaient aussi celles de la révolte et de la contestation sociale.

Dans la forge, près de la fournaise,
travaille dur le forgeron,
il bat le fer d'où jaillit l'étincelle
tandis qu'il chante sa chanson.

Il chante fort, plein de courage,
la liberté viendra bientôt,
Il ne sent plus sur son visage
La sueur qui coule à flots.

Et encore, plus véhémente dans sa revendication, cette chanson de Jitlovski et Streifer, familière dans tant de foyers, était une traduction d'un poème allemand de Georges Herweg, écrit en 1864, qui lui-même s'inspirait du "Chant aux Anglais" de Shelley :

Et tu laboures, et tu sèmes,
et tu fais paître, et tu couds.
Et tu files, et tu martèles
Frère, dis-moi, qu'y gagnes-tu ?

Kling, klang, kling, klang,
Le marteau frappe sa rengaine,
Kling, klang, kling, klang
De l'oppression brise les chaînes !

C'est ainsi que par la chanson, de maison en maison, d'un continent à l'autre, s'échangeaient les humeurs, les colères, les remous de la conscience, les aspirations et les frustrations. La chanson était le moyen idéal d'une circum-navigation de la mémoire du shtetl, de rêves engendrés par l'exil, de la haine de la servitude, de cette sensibilité à vif face à l'injustice - celle de Dieu comme celle des hommes - qui habite les Juifs, ceux du moins qui ont su faire du Livre de Job leur référence éthique.

5.

Il est arrivé que ces chansons franchissent les frontières de leur langue originelle et fassent irruption dans l'empyrée du show-business, le temps d'y placer sur orbite la fugace fusée qu'on appelle un "tube". Phénomène restreint il est vrai, et de toute façon ce n'est pas du fonds folklorique que l'on extrait ces perles rares. Mais à la fin des fins, les langues se frottent les unes aux autres et parfois prennent feu ensemble. On a sans peine naturalisé en yiddish la doïna de Roumanie et absorbé en quantité les ingrédients musicaux prélevés chez les tziganes ou dans les campagnes russes, ukrainiennes et polonaises, à l'époque où les "cantors" et les klezmorim fréquentaient aussi la paysannerie, les fermes et les bergeries (celles-ci furent des berceaux d'airs et de chansons au son du pipeau et de la balalaïka). La Hora, danse nationale, s'accompagne parfois de chansons, tout en gardant sa forme initiale de farandole née dans le bassin du Danube. Le Kol-nidré est passé, de la liturgie, au style de la chanson populaire. Chansons yiddish et chansons russes ont quelquefois partagé leurs vêtements, au point d'en paraître interchangeables. On devine la part russe dans "Tum-bala, tum-bala, tum-balalaïka", dans "Bublitchki" ou même dans "Grininke felder" chanson-titre du film "Verte prairie" réalisé en 1937 par l'Américain Edgar G. Ulmer. Chansons inspirées de Russie ou glanées par la Russie ? Mais le parcours sinueux de la chanson "In kamf" (Dans le combat) est assez instructif : David Edelstat, poète yiddish de New York, en écrivit les couplets en l'honneur des martyrs du 1er Mai, en 1889. En voici le début :

> Nous sommes haïs, pourchassés,
> proscrits, accablés de tourments.
> Tout cela parce que nous aimons
> le malheureux peuple souffrant.

La chanson fit le tour du monde, modifiée ici et là, et s'inscrivit dans le répertoire russe et soviétique comme une marche funèbre, sous le titre "Le chant des survivants", d'où fut tirée une version française bien connue dont voici les premières strophes :

> Usé et tombé à la tâche,
> vaincu, tu terrasses la mort.

> Lié et tué par des lâches
> Victoire, c'est toi le plus fort.
>
> Sans gestes, sans gerbes, sans cloches,
> en homme, ni pleurs ni soupirs,
> tes vieux camarades, tes proches,
> te mirent en terre, martyr.

Cette même marche, dans l'arrangement de jazz du groupe "Orient express moving schnorrers" (sur lequel je reviendrai) a perdu sa consonance funèbre et, sans paroles, sur un rythme jubilatoire, est devenue une manière de ragtime qui laisse transparaître la mélodie originelle, laquelle n'a d'ailleurs subi, d'une version à l'autre, que des variations de tempo.

Dans le sens inverse, "Le front uni des travailleurs" dont les paroles sont de Bertolt Brecht et la musique de Hanns Eisler a circulé dans toute l'Europe, s'est muée en chanson populaire yiddish dont j'ignorais, enfant, la provenance :

> Tu es un ouvrier, oui,
> alors viens avec nous, n'aie pas peur,
> nous formerons la grande Union
> avec tous les vrais travailleurs...

Et cet hymne syndicaliste était encore interprété en 1943 dans le ghetto de Vilno à la veille de son anéantissement.

De telles œuvres sont devenues indéniablement des composantes de la mémoire sociale de ce siècle.

Dans un tout autre registre - ou s'inscrit génialement à la clarinette, en réinventant la mélodie juive par l'arabesque et le swing, Giora Feidman le "roi des klezmer" - le succès mondial de "Bey mir bist tu sheyn" de J. Jacobs et Shalom Secunda a été tel que huit versions dont une française en ont été tirées :

> Pour moi tu es belle,
> pour moi tu as du charme,
> pour moi tu es la plus belle du monde...

Toutefois, ces transferts sont des exceptions, tant les paroles sont réfractaires à ces transpositions, enracinées qu'elles sont dans un paysage, une ambiance, une expérience humaine et sociale.

C'est la mélodie, pratiquement, qui sert de fil conducteur et elle joue admirablement le jeu, mais les paroles qui y sont rattachées comme de fausses perles y perdent leur éclat. Comment s'aviserait-on de transposer, sinon de traduire, les onomatopées en rafale, les "tchiribi, tchiribi, tchiribom" les "dari, dari, dari, oï oï oï" qui forment le scat des mélodies hassidiques ? Ce sont des structures vocales nées d'improvisations qui s'articulent exactement - le rythme mis à part, cela va de soi - comme les séquences de scat dans le jazz chanté, tel qu'en a donné l'exemple "the hi-de-do-man" c'est-à-dire Cab Calloway dont le scat endiablé "bee-de-doo-de-dee-dedow / Teedle-do-de-dee-rah-de-dah-de-dah" était repris à pleine voix par un auditoire enthousiaste. Les chansons hassidiques sont également reprises en chœur, mais au-delà de cette problématique parenté judéo-négro-américaine, on peut pressentir dans leur style onomatopique un curieux cousinage russe avec le "zaoum", la langue transmentale des futuristes Krouchtchonykh et Khlebnikov... Filiations invérifiables, purement fortuites sans doute, mais plaisantes et qui mettent en relief l'universalité d'un certain mode rythmico-verbal où la chanson yiddish, pourtant traditionnelle, semble avoir devancé le modernisme...

6.

Pour riche et diversifié qu'il soit, le répertoire traditionnel n'a pas toujours cette liberté et cette vivacité d'allure grâce auxquelles l'histoire du "Rebbe Eli Melekh" ou celle d'un petit tailleur à sa besogne "Ot azoï neyt a shneyderl", se trouvent entrecoupées d'incises onomatopiques qui prendraient presque aujourd'hui un faux-air d'avant-garde n'était la relative lenteur de leur tempo.

Le tailleur, ou le cordonnier ("Fun wus lebt a yid" interroge" : de quoi vit un Juif ?) ne sont pas les sujets exclusifs des chansons de métier : à leur blason figurent tous les corps de métier, du moins ceux qui étaient accessibles au petit peuple des villes et villages le plus souvent cantonnés dans un modeste artisanat ou salariat à domicile : porteur d'eau et charretier, forgerons, tanneurs, plâtriers, vitriers, meuniers, et jusqu'au graisseur de roues de locomotive, héros d'une chanson de Ben Zimet qui brode tout un roman familial sur ce thème, ou bien encore destin de la tireuse de cartes qui ignore le sien, occupation à vrai dire moins usuelle dans le milieu yiddish que dans celui des tziganes, mais qui donne l'occasion au poète Mordekhai Gebirtig (1877-1942) d'exercer son talent de parolier avec un brio parodique.

Dans la catégorie du poème mis en musique ou du poème-chanson, M. Gebirtig a d'ailleurs été un véritable champion, une mine d'or pour la chanson populaire. On lui doit non seulement le cri d'alarme" Unzer shtetl brennt" (Notre ville flambe) qui devint dans le ghetto de Cracovie en 1942 (année où fut déporté le poète) une chanson-fétiche de la jeunesse, mais aussi des pièces mémorables dans plusieurs autres registres, y compris la berceuse : "Hingerik deyn ketsele" (ton chat a faim) évoque la famine qui décimait les enfants des quartiers pauvres. "Kum, kum, kum" (Viens, viens, viens) est une belle et dramatique histoire d'amour, "Trois filles" s'inspire probablement de "Tévié le laitier" de Sholem Aleikhem pour raconter les tribulations d'un père et de ses trois filles à marier. "L'invalide de guerre", dont le personnage est un ancien soldat réduit à la mendicité est une intervention sur la scène sociale qui prend des accents plus revendicatifs encore dans "La marche des chômeurs".

M. Gebirtig a composé les mélodies pour certains de ses textes. Si sa production a été des plus abondantes - comme celle d'Edelstat - d'autres poètes sans être nécessairement paroliers ou musiciens ont enrichi la chanson populaire de quelques-uns de ses joyaux, à commencer par Itzik Manguer dont Ben Zimet a merveilleusement adapté "Moi le troubadour". Mais ce sont les strophes de "Sur la route un arbre" qui ont constitué la plus fameuse des chansons, inscrite au répertoire de nombreux interprètes, et parmi les plus récents, Talila, timbre de cristal, voix magique qui confère un charme pénétrant à l'ironique parabole d'Itzik Manguer touchant la trop possessive "mère juive". Des poèmes de Reisen, Katzenelson, Aron Lutski, H. Leivick, Leib Kvitko, M. Kulbak, S. Halkin ou

Pèretz Markish (hommage spécial sur microsillon aux victimes d'août 1952) ont été mis en musique, avec des bonheurs variables comme toujours lorsqu'il s'agit de transposer un texte poétique en mélodie. Le poète parolier Shmerke Katcherginski a beaucoup écrit pour la chanson, notamment pour la chanson de combat où il fait preuve de force, de ferveur et d'une réelle efficacité, par exemple lorsqu'il trace avec "Itzik Vitemberg" un portrait d'insurgé du ghetto de Vilno. Leib Rozenthal dresse un réquisitoire à l'encontre du système raciste des nazis dans "Et un, deux, trois", dont le texte fut mis en musique par le compositeur allemand Hanns Eisler, élève de Schönberg et ami de Bertolt Brecht. A un autre poète, Hirsh Glik, mort à 22 ans en 1944 dans les maquis d'Estonie, la résistance juive des ghettos de Vilno et de Varsovie doit l'hymne inoubliable "Mir zeynen do" (Nous sommes là), dont j'ai adapté les strophes. Voici la première :

> Ne dis jamais que tu vas de ton dernier pas
> Quand les jours bleus sont écrasés sous un ciel bas,
> L'heure viendra que nous avons tant espérée,
> Frappant le sol nos pas diront : nous sommes là !

La chanson de protestation, la chanson révolutionnaire, font partie d'une grande tradition, jumelée à la poésie, où l'on trouve le sens de la polémique et la passion libertaire. "Wu bist tu gewen" (Où étais-tu?) dénonce avec véhémence le système de l'enrôlement forcé de longue durée au temps du tsarisme. Les paroles demandent "où étais-tu" ? à un homme qui rentre chez lui, méconnaissable et quasiment oublié après vingt-cinq ans passés dans l'armée... ! La "Chanson du Bug" évoque une autre tragédie : le passage des convois de déportés à qui l'on fait franchir le fleuve. Des chansons yiddish, composées pour la circonstance ou adaptées, comme le fut un poème de M. Shulshtein, mis en musique et diffusé sur les ondes républicaines, ont accompagné pendant la guerre civile d'Espagne les volontaires juifs des Brigades internationales qui formaient le bataillon Botvine, et ceux qui participèrent à la bataille de Barcelone. La grande ville catalane entra ainsi dans la légende avec une chanson juive qui parlait de ses fumées, de ses maisons incendiées, et de l'indomptable courage de ses jeunes filles...

L'enfer vécu des ghettos, puis leur insurrection, ont suscité un type de chansons de combat, pas forcément désespérées, qui n'existait pas avant ces terribles événements. Ce sont des chansons de l'extrême, presque de l'impossible, les chansons de l'ultime recours. Elles ont pour thème tantôt l'avertissement, tantôt l'appel aux armes. Une chanson qui connut un immense retentissement fut écrite par le poète A. Zeitlin et mise en musique par Shalom Secunda (l'un des maîtres-compositeurs de la chanson populaire). Cette œuvre répond précisément à la formule de Chostakovtich "les rires entre les larmes" par le contraste accentué entre l'entrain de la mélodie et du refrain "Hey dona, dona, daï" et la gravité d'un sujet pourtant traité avec humour. "Dos kelbl", c'est le veau, symbole qui permet de répondre à la question cruciale : faut-il se résigner à l'oppression et se rendre comme le veau à l'abattoir ? "La réponse est astucieuse mais sans équivoque : pour survivre, le veau doit se transformer en oiseau :

> de misérables veaux que l'on entrave,
> à l'abattoir on peut les entraîner,
> mais qui a des ailes sait plus haut planer
> et ne sera de personne l'esclave.

Pour les insurgés, le problème moral est révolu : il s'agit de se battre et de vendre chèrement sa peau :

> Les enfants, les pères, les mères,
> construisent des barricades
> et les milices ouvrières
> patrouillent à travers les rues.

7.

Dans le feu de l'événement des valeurs fondamentales, une éthique collective, une vision du monde, utopique certainement, mais profondément sous-tendue par l'humanisme et un idéal de fraternité, ont alors été prises en charge par les paroles et les mélodies de chansons que malheureusement on ne recueille pas toujours sur les enregistrements, mais qui demeurent l'apanage et l'honneur d'une histoire dont il serait tout à fait injuste d'effacer cette composante.

Ce n'est là certes qu'un aspect du multiple cheminement de la chanson, mais un aspect que l'on n'a pas le droit d'ignorer. J'y vois, dans la chanson yiddish, le paramètre de la conscience et du refus de se soumettre. Dans la topologie de la chanson, si l'on peut admettre un découpage arbitraire, les autres parts reviennent à la prière, aux larmes et aux rires, c'est-à-dire aux éléments constitutifs de la manière d'être juif.

En ce qui concerne la prière, il faut lui reconnaître un certain don d'ubiquité : elle se trouve toujours quelque part, soit en filigrane, soit accordée à l'élan messianique qui commande la voix. Elle peut apparaître en surplus ou en suspens, comme une grâce différée. Dans la chanson, elle symbolise le nœud d'alliance entre l'homme et l'Eternel. Elle prend pour paradigme David, joueur de luth et de harpe, qui module au moyen de la musique la louange invoquée par les Psaumes 149 et 150 :

> Ils louangent son nom à la ronde
> ils le chantent au tambour, à la lyre.
>
> .....
>
> Louangez-le à l'éclat du shofar, louangez-le à la harpe, à la lyre !
>
> Louangez-le au tambour, à la danse,
> Louangez-le aux cithares, au pipeau !
> Louangez-le aux sistres sonores,
> Louangez-le à l'ovation des sistres !
> Toute haleine louange Yah ! Hallelou-Ya !

De sorte que, à suivre l'esprit biblique, l'exercice de la musique et de ses instruments comporte en son essence un élément divin. La musique est le point d'intersection de l'humain et du divin. Ce que précise le verset : "Et tandis que le musicien jouait de son instrument le souffle divin s'empara de lui". Bien évidemment, la chanson populaire ne se situe pas à cette altitude de spiritualité, mais elle n'en exclut pas, il s'en faut, le principe. Elle s'inspire de certains thèmes liturgiques, tels que le Kol-nidré, le kaddish, ou d'une histoire hassidique en forme de devinette, celle des deux voleurs qui passent par la même cheminée et dont on demande lequel des deux ira se laver le premier. Ben Zimet a eu l'heureuse idée d'aller prélever cette fable dans le Talmud. Il interprète d'autre part dans une pure lignée hassidique le "Kaddish de Reb Levi Ythzak de Berditchev" un des plus illustres "Gaons" avec Israël Ben Eliezer, le fondateur du hassidisme, le Baal Chem, Maître du nom que chante par ailleurs Ernest Bloch.

Si la tradition et l'expérience rabbinique ont fourni à la chanson populaire de très abondants matériaux, alliages d'humour et de sagesse, c'est que l'éducation dispensée par les rabbis a joué un rôle très important dans la vie juive ancestrale. "Oyfn pripetshik", chanson de Mark Warshavsky en a témoigné qui célèbre le culte de la Lettre et de l'éducation. Elle compte parmi les chansons fondatrices dont la gloire a été durable, et elle a fait l'objet de diverses transpositions. On peut approximativement en traduire le début par :

> Sur le fourneau brûle une flammèche
> et dans la chambre il fait bien chaud
> aux petits enfants le rabbi enseigne
> les lettres de l'alphabet...

en quelques lignes se trouve recréé le climat familier, convivial, de cette étude au coin du feu (parfois plus confortable que le foyer familial) dont les enfants garderont le souvenir. Le rabbi a été constamment un personnage privilégié de la chanson : celle-ci est une parcelle de la culture et elle n'hésitait pas à prendre position dans les débats intellectuels de l'époque, l'affrontement entre les Hassidim, défenseurs d'un piétisme ardent et allègre avec les Misnagdim (les Opposants) tentés par la négation et le rationalisme. Pareil débat n'était pas réservé à des cercles étroits de partisans et d'érudits, il rayonnait dans chaque foyer, avec par exemple, une chanson qui distingue ironiquement le savoir du philosophe et l'enseignement du rabbi :

> Philosophe que comprends-tu
> avec ton cervelet de chat

viens à la table du rabbi
il t'apprendra, lui, la sagesse !

Toi dans ton rêve tu t'occupes
de faire voguer un steamer,
le rabbi, lui, tend un morceau d'étoffe
et passe par-dessus les mers !

La religiosité éparse mais vivace apparaît moins comme une affirmation et une profession de foi - sauf dans une pièce telle que "Ami Ma'amin" qui reprend les termes hébreux d'un credo - que comme exigence d'une ouverture, d'un éclaircissement intérieur, d'un retour sur soi et d'une élévation, exprimée par Aaron Zeitlin dans "Reb Moteniou" interprétée par Leiele Fisher ou par S. Katcherginski dans "Zol shoyn kumen di Gehule" ! (Que vienne enfin notre salut) interprétée par Talila dans une tessiture d'émotion et de simplicité qui sauvegarde, en l'exultation messianique, une vertu d'intelligence avec le quotidien.

La chanson a d'ailleurs sa façon originale de s'approprier le mysticisme, plus exactement de l'inclure autant dans l'énergie de l'individu que dans le mouvement de la vie, comme s'il fallait à tout prix que le sacré fût émergence dans l'ordinaire des choses et le plus humble de chaque être. Le poète israélien Papiernikow accepte quant à lui la part et le pari du rêve.

Il se peut que je construise des châteaux dans les nuages
Il se peut que mon Dieu n'est présent nulle part,
Mais dans le rêve il fait plus clair, j'y suis à l'aise,
Dans mon rêve le ciel est plus bleu que l'azur !

Car la chanson est sollicitation, à la recherche d'une sagesse immanente, immémoriale, qu'elle traque dans ses interrogations sur "l'énigme éternelle". Mais si elle met en scène si souvent, sur le mode cocasse ou attendri des rabbis endormis ou à peine éveillés, appelés à chanter et à danser, c'est précisément afin de souligner en leur apparition non point l'argument d'autorité des miracles, des "nissim", mais une banalité pour ainsi dire sublimée par la conjonction de la révérence, de la tendresse et de la malice. Avant d'être des saints ou des faiseurs de miracles, les rabbis sont des maîtres : on attend d'eux qu'ils dispensent l'enseignement de la sagesse plutôt qu'une vérité révélée. C'est pourquoi ce qui commande en général leur relation avec l'entourage, c'est la bonhomie et la convivialité. Nous sommes dans la chanson, qui stylise et résume, tandis que le roman analyse et nous montre parfois les rabbis sous un jour moins optimiste et plus critique. Ici, ils participent tout naturellement de la fête, celle de *Sim'hat Toïré*, mise en chanson, ou n'importe quelle autre, maîtres à penser convertis pour la cérémonie en maîtres à danser qui entraînent leur auditoire ou les invités de la noce dans le tourbillon d'une hora ou le rythme syncopé du scat. La déférence n'interdit en rien la moquerie, une moquerie affectueuse, comme dans cet air très populaire "Sha shtil makht nit keyn gerider" (Chut, chut, silence...) recueilli et publié en 1914 par Léo Kopf* :

> Chut, chut, silence, pas de tapage
> car le rabbi de nouveau va danser
> Chut, chut, silence, ne faites aucun bruit
> car à l'instant va danser le rabbi :
>
> Et lorsque danse le rabbi
> les murs dansent avec lui
> tous ensemble battons des mains !
>
> Et lorsque danse le rabbi
> même la table danse avec lui
> tous ensemble battons des pieds !

---

* Il est à remarquer qu'une version "noire" de cette chanson, adaptée aux circonstances, fut répandue à l'époque de l'extermination : "Chut, chut silence, pas de tapage / au camp vient un nouveau contrôle / Chut, chut, silence ne faites aucun bruit / le nouveau contrôle arrive ici ! / Et lorsque vient le contrôleur / tout n'est que souffrance et malheur / Il faut surtout ne pas être un enfant" !

8.

Si le rabbi appartient peu ou prou à la famille, c'est que la famille est la grande affaire qui, dans la chanson populaire, englobe et résume tout, l'amour, le mode de vie, le négoce, le mariage, l'éducation des enfants et surtout le destin, orchestrateur de toutes les énigmes, du bonheur et du malheur. On s'y retrouve et on s'y retrempe ensemble dans cet autre bain rituel qui est celui des larmes. Larmes généreusement répandues, sur soi-même et sur l'injustice du monde. Les âmes charitables sont des puits intarissables de déploration, des murs mélodieux de lamentations sur tous les fléaux de la planète et plus spécialement sur ceux qui frappent les Juifs, à commencer par la pauvreté, leitmotiv obsédant, et l'enfance condamnée à en affronter les avanies, le froid, la faim, sans parler de la triste condition de l'orphelin si souvent donnée en exemple, orphelin dont la solitude et la déchéance (le "Kid" de Charlot n'est pas loin) ont pour effet de produire un débit lacrymal maximum... Il existe à cela pourtant des correctifs : une chanson prévoit de mettre un frein à ces épanchements excessifs, elle réclame : "Her shoyn oyf zu weynen, her shoyn oyf zu klugn". Cesse donc de pleurer, cesse donc de te plaindre !

Les nigunim, complaintes et berceuses, sont les dépositaires attitrées, les banques du sens de ce pathos. Elles jouent le permanent mélodrame miniaturisé du petit marchand de cigarettes du ghetto, de la lettre qu'il faut absolument écrire à la "mater dolorosa" ("A brivelé der mamen") lorsqu'on a pris le chemin de l'exil, de la mère juive fétichisée, dans son abnégation sans borne. "A yiddishe mame" que Sophie Tucker a personnalisée en "Ma mère juive". Ladite mère s'est avérée la génitrice extraordinairement féconde des chansons qui lui sont sans relâche dédiées. Un tel culte n'étant pas loin d'égaler le culte marial orthodoxe ou catholique.

Les années d'enfance, quintessence d'une nostalgie endémique, sont également ritualisées, serties par l'imagerie dans ses icônes métaphoriques ou parfois dans des vignettes musicales comme "Kinder yorn", la mélopée douce et désenchantée de M. Gebirtig. Mais cette terre du souvenir "materné" n'est pas que le rendez-vous de l'adversité et des mauvais traitements - les proches veillent au grain ! - elle peut susciter des mélodies pleines d'entrain ("Yashke fort awek") ou de joyeuses paraboles ("Hulyet, hulyet kinderlakh"). Il reste que les complaintes traduisent le plus souvent l'idéologie de l'implacable fatalité et de la perte de ce paradis perdu que ne furent jamais ni l'enfance ni le shtetl. Celui-ci, nimbé de nostalgie, devient l'indispensable point de fixation d'une géographie fantasmée où "Meyn shtetele Belz" (Belz, mon village) se fait le pendant et le répondant de "Sluck, Sluck, meyn shtetele" (Sluck, Sluck, ma petite ville), au confluent invisible de tous les regrets et de tous les désirs refoulés. Sur le tapis volant de la mélancolie, on s'évade hors du ghetto vers un pays de cocagne, un pays doré de raisins et d'amandes ("Rozhinkes mit mandlen), ressuscité si besoin est au gré de quelques couplets pour endormir l'enfant à qui l'on chuchote que le sommeil est une panacée, la seule à pouvoir apaiser les tiraillements de son ventre vide...

Cette philosophie de la famille formant un bloc sans faille cimenté par la tendresse, l'amour filial et maternel, pour fruste qu'elle paraisse et masquant les contradictions et les déchirements, s'est avérée cependant efficace. Nourrie des chansons qui l'idéalisent, la famille juive semble moins friable, moins sujette à la dispersion ou à l'implosion, comme si cette sorte de lierre que l'image attache à l'âme, contribuait à la préserver des trop rudes réalités. Philosophie qui ne prétend pas définir pour autant des liens immuables, mais laisse libre cours à la métaphorisation et au méta-discours des sentiments auxquels leur excès même assure la durée, l'emprise, peut-être une manière de survivance préhistorique. La tendresse qui s'exhibe sans remords et parfois sans pudeur, jusqu'à l'apitoiement, est une attitude - un travers - que l'on apprécie peu en Occident. Or, justement, sa source est orientale et que l'on soit réfractaire ou hostile à cette expression ostentatoire et démonstrative du sentiment ne l'empêche pas d'être un lien vécu de sociabilité, un facteur d'équilibre et de vraie complicité entre les individus. Trop aisément attisée et flattée pour émouvoir la "Margot" juive (qu'on nommera plutôt Reizelé ou Libelé), cette exaspération névrotique de la sensiblerie est peut-être une manière d'exorcisme et de fuite en avant, face aux traquenards et aux aléas d'un monde sans merci.

Dans cette optique, l'amour lui-même ne dispose pas de ce droit de cité, de ce droit souverain que la chanson lui attribue en d'autres langues, en français notamment. La plupart du temps, il apparaît étroitement tributaire des coutumes et des règles familiales où s'impose l'ombre portée du matriarcat, même lorsque l'autorité patriarcale est la dominante. Qu'une jeune fille tombe amoureuse, c'est d'abord à sa mère qu'elle en fera confidence ("Oï mamé, bin ikh farlibt" !) et si le père est conduit à jouer son rôle lui aussi, dans les "Trois filles" de Gebirtig déjà mentionnées, c'est qu'il incarne le devoir et l'inquiétude : le devoir d'établir convenablement ses filles, et l'inquiétude de réussir un mariage, véritable casse-tête !

Le mariage, redoutable institution, est l'autel qui requiert maints sacrifices. Pour les jeunes, c'est le passage obligé à l'âge adulte et le moyen de se ménager une place au soleil. Bien entendu, le mariage offre à la chanson l'un de ses thèmes favoris. On célèbre l'événement dans la joie et le tintamarre ("Itsikl hot khassene gehat" Itzik vient de se marier) ou, après la noce, suivant la tradition, on raccompagne chez eux en musique les beaux-parents ("Firen di makhateneste ahaym") comme le décrit avec cocasserie Ben Zimet.

Que survienne la mésentente, on prêche en chœur la réconciliation ("Lomir zikh iberbetn" ! Réconcilions-nous !) qui n'est pas réservée aux seuls couples désunis. Oui, mais le couple précisément, celui du "Cantique des cantiques", que devient-il s'il n'obéit plus au protocole ? Et que devient l'amour qui ne dépend d'aucun arrangement circonstanciel, d'aucune obligation familiale, d'aucune cérémonie religieuse? Il n'est certes pas interdit de chanson, mais s'il y prend sa juste dimension, c'est par le truchement de la poésie, grâce à la voix limpide de Talila, par exemple, lorsqu'elle interprète "J'ai tant d'amour pour toi", ou les paroles de Leivick "Leyg dayn kop oyf meyne kni" (Pose ta tête sur mes genoux) où une pointe d'érotisme s'ajoute à la tendresse. C'est alors que l'amour sans attache échappe aux contingences, aux modalités sociales, pour n'être plus que le face à face et l'enchevêtrement du couple, un grain de liberté si fragile parfois, si fugace, dans la balance de l'éternité.

9.

Quelqu'un supplie : "Shpilt mir a lidele in yiddish" (Jouez-moi une chanson en yiddish). Et cela se joue sur tous les tons, au violon et à la contrebasse :

> Yidl mitn fidl
> Berl mitn bass
> shpilt mir nokh a lidl
> fun yiddishe gass

(Yidl au violon, Berl à la contrebasse, jouez-moi encore un air, de la rue juive). Et le ton de l'humour compte parmi les mieux venus. La chanson populaire ressemble aux poupées russes : on en dévisse une à une les catégories et la plus petite, qu'on trouve au fond, n'est pas la moins séduisante, c'est la fantaisie et la facétie. La chanson yiddish ne serait pas ce qu'elle est sans l'appoint et le baume du rire que tous les bons médecins se doivent de prescrire sans ordonnance, d'autant qu'il n'obère en rien la sécurité sociale... "Rire donne la santé" disait Sholem Aleikhem, mais le rire ne serait rien qu'un effet de déflagration et de compensation de l'inconscient, s'il ne comportait pas la dose nécessaire du vaccin de l'auto-ironie et du sérum de l'auto-dérision.

La "vis comica" juive est d'humeur folâtre. Elle sillonne des territoires et des thèmes qui ne lui sont pas habituellement promis. C'est que, par nature, elle dérange et à force de déplacements, elle paraît déplacée là où elle fait irruption. La gourmandise, par exemple, aux yeux de qui se bat pour son pain quotidien, ressortit à la fois du plaisir et du pouvoir. Le pouvoir est en l'occurrence celui du tzar qu'une ancienne chanson folklorique prend pour cible : ridiculiser par le grotesque consiste à montrer dans une chanson satirique "Comment vit l'empereur", gavé comme une oie à la façon d'un géant swiftien qui ne tire sa force que du tir d'un canon, lequel lui enfourne non pas des boulets mais des boulettes droit dans la bouche.

Il faut toutefois distinguer gourmandise et nourriture. S'il est question de celle-ci, la raillerie n'est plus de mise, car ce n'est évidemment pas de bonne chère qu'il s'agit, mais parfois du minimum vital (la soupe de patates et de champignons) ou tout au moins de manger selon les préceptes de la cuisine familiale dont la chanson ira jusqu'à détailler les recettes, celle du "gefilte fish", le poisson farci, mets de prédilection pour le shabbat. On dégustera aussi en couplets les "Varnitchkes" ces sortes de crêpes fourrées qui exigent la planche à pétrir et si celle-ci vient à faire défaut, c'est la catastrophe ! Plus modestement, Ben Zimet rend délectables par sa chanson les "naye bulbes" ces très humbles pommes de terre nouvelles qui sembleront un sujet bien banal à ceux qui n'ont jamais connu la faim et la disette en un temps où de simples patates représentaient une parcelle du trésor d'Ali Baba...

Jadis en Pologne le style de cabaret yiddish fit florès. Il s'inspirait de la boîte à chansonniers polonaise qui existe encore aujourd'hui. Des chanteurs et des paroliers y déployaient leur verve sur des motifs d'actualité ou aiguisaient la scie de textes parodiques dont presque rien n'a subsisté, faute d'enregistrements. Je n'en ai retenu pour ma part que des bribes, par ouï-dire en mon enfance. Certaines de ces chansons épigrammatiques avaient trait à la Révolution russe, ou plus précisément à la manière dont les Juifs s'y étaient ralliés, ou la vouaient aux gémonies... Dans l'une d'elles, une mère admonestait son fils Yossl : "pauvre crétin, pourquoi t'es-tu enrôlé chez les Rouges, ils ont bien assez de munitions et de soldats sans toi" ! Une autre, plus féroce, réalisait une sorte de performance, à la fois contre-révolutionnaire et antisémite, dans un argot qui amalgamait au yiddish le russe et le polonais, elle procédait à sa pirouette anti-juive en substituant à l'Internationale une "Interweltnatsionale", jeu de mots dont on ne peut donner qu'une approximation avec "plèbe-nationale", laquelle triomphait grâce à des judéo-bolchéviks promettant qu'avec eux "crèverait le dernier goy". Il est juste de préciser que ce type de libelle provocateur fut assez rare, le cœur des chansonniers yiddish penchait plutôt vers la gauche. L'intérêt pour la politique se manifestait sous une forme moins agressive et beaucoup plus hilarante : la chanson

"Oï, Madagascar !" illustra avec autant de virtuosité prosodique que de drôlerie le projet lancé dans les années trente en Pologne d'un Etat juif à établir non plus en terre sainte mais dans la grande île de l'océan indien ! Il en résultait d'inénarrables quiproquos, anachronismes et absurdités : sous une neige chaude, dans ce pays de vents et d'herbe folle, on s'en allait en promenade romantique bras dessus bras dessous avec des singes, le chameau servait d'autobus et les enfants naissaient métissés à carreaux noirs et rayures blanches...

Mais à côté d'un tel pastiche qui souligne l'impasse du rêve sioniste fourvoyé, on trouve dès 1923 le témoignage de fidélité à la terre sainte en particulier dans les chansons dont les textes furent écrits par le poète israélien Papiernikow ou dans "la liberté juive" composée par T.A. Raskin, la revendication d'une dignité à retrouver :

> Cela suffit d'avoir bâti des pyramides
> pour tant de potentats et dans tant de pays
> homme et Juif, il est temps qu'enfin l'on se délivre
> De l'éternelle honte, de l'éternel exil !

Il importait, contre vents et marées, de faire un rempart de son optimisme et c'est pourquoi, en 1936, à l'heure où l'ombre du nazisme pesait déjà lourdement sur l'Allemagne avant de s'étendre sur l'Europe, le grand succès de la chanson yiddish s'intitula "Zeyer gout" ! c'est-à-dire" Tout va bien" comme pour donner la réplique, en France, à l'ironique "Tout va très bien Madame la marquise" !

10.

La fantastique bourrasque qui secoua l'histoire des Juifs et faillit faire table rase du peuple ashkénaze et d'une grande partie de sa culture, n'a pu totalement déraciner l'arbre de la chanson populaire, mais lui a arraché tant de feuilles que l'on a pu se demander s'il bourgeonnerait à nouveau...

Le miracle s'est produit, cependant, et d'abord aux Etats-Unis où la communauté n'avait pas été mutilée comme en Europe. Ce miracle ne tient pas seulement à la conservation heureusement poursuivie par les moyens électroniques, bientôt C.D. Rom et Internet, d'un patrimoine chanté d'une incomparable richesse mais qui comporte, je l'ai indiqué, quelques lacunes et brèches irrémédiables. C'est le miracle d'une métamorphose rendue inéluctable pour la chanson, sous peine de mort. Une métamorphose qui ponctue l'évolution des genres et offre à une nouvelle génération de s'exprimer suivant sa perception et ses propres modèles.

Jadis, à l'époque héroïque du shtetl, les klezmorim, la plupart du temps autodidactes, gagnaient leur pain en tant que tailleurs, cordonniers ou cochers : la musique était leur violon d'Ingres, leur lobby, et ils finissaient par jouer avec un brio et une virtuosité de professionnels, accompagnant les cérémonies de la vie religieuse et familiale, mariages, bar-mitzvah, célébrations des fêtes, divertissements de pourim, etc... Leur don d'improvisation et la technique instinctive de leur art se sont transmis de génération en génération. Petit à petit, leur musique a assimilé de multiples apports ethniques et folkloriques. S'est effectué un brassage permanent de matériaux mélodiques et de motifs localisés, villageois ou régionaux, qui ont forgé le style de la chanson yiddish dans toute sa gamme de mélancolie et de gaieté.

Les échanges ont été particulièrement nombreux et féconds avec la musique tzigane : les affinités sont évidentes et on en suit aisément la trace dans l'écriture modulée du violon. La Hongrie fut le principal berceau de ces transmissions et transformations, les orchestres klezmer accordant autrefois la primauté au violon et au cymbalum, avant de leur préférer les instruments à vent, clarinette, contrebasse et tuba, ou xylophone, piano et même banjo à l'occasion. Des interprètes tziganes jouaient fréquemment dans les orchestres klezmer de ce pays, et l'on vit même, en sens inverse, l'héritier d'une ancienne lignée de klezmer, Mordkhele Rosentahl s'illustrer sous le pseudonyme de Mark Rozsavölgyi comme auteur d'airs populaires hongrois, sans pour autant renoncer au legs musical de ses aïeux...

La musique klezmer, comme une traînée de poudre, s'est répandue d'Europe en Amérique, après la Seconde Guerre mondiale, puis, des Etats-Unis, en bifurquant par Israël, elle a fait retour sur le vieux continent, où tout un vivier de klezmer est apparu et s'est mis à vibrionner, de la Belgique ("Di Muzikantn") à la Hongrie ("Budapest klezmer band") ...

La noria musicale du klezmer a enclenché une véritable révolution. Il était naturel que prédominât, aux Etats-Unis, l'influence du jazz. On y a vu se déployer le "Charleston yiddish", le "Medley Fox-trot" de Ted Lewis ou le "Shirt tail stomp" (stomp du tailleur de chemise) par la formation de Benny Goodman qui s'était lui-même largement inspiré du style d'Abe Schwartz, vétéran du genre, et de son "yiddisher orchester". Clarinettiste célèbre et directeur d'une formation de jazz dont Billie Hollyday fut un moment la chanteuse-vedette, Artie Shaw employa de nombreux klezmer qui contribuèrent à développer par le swing l'héritage mélodique et rythmique yiddish, lequel en contrepartie, a fourni au jazz une manne de thèmes et de tonalités inouïes. La musique klezmer prit essor à partir des années soixante - essor favorisé par le microsillon - grâce à une myriade de groupes. Citons les "Klezmorim" venus de New York qui remportèrent un triomphe il y a quelques années, à Paris et à Amsterdam. La klezmer américaine compte bien d'autres formations, Kapelye, Brave Old World, les Klezmatics, New Orleans klezmer all stars, Klezmer conservatory band, Yddisher american Klezmer, Maxwell Street Klezmer band etc, etc...

Les puristes prétendront que la mélodie yiddish n'a pu résister à cette thérapie de choc et que son métissage a parachevé sa dégradation ou sa perte. Malgré le risque non négligeable d'une certaine déchéance dans le disparate des pots pourris ou des arrangements douteux destinés à la consommation courante, j'ai le sentiment que la mélodie juive n'a pas le moins du monde perdu ou vendu son âme au diable, mais au contraire l'a retrouvée revigorée et rajeunie.

Il y a dans le jazz une jubilation, un dynamisme, une faculté de rebondissement, qui loin d'écraser ceux qui y greffent leur propre personnalité, leur permet de s'y épanouir. Le jazz n'a-t-il pas acquis une dimension universelle en marquant par lui-même et par ses filiations tout le XX° siècle ? S'il appartient désormais à tous, il n'y a aucune raison, a fortiori, qu'il n'appartienne pas de plein droit aux musiciens juifs qui ont su l'aimer, le cultiver, l'interpreter, de Mezz Mezrow à

Benny Goodman - entre autres - dans leur style propre et suivant l'inflexion de leur sensibilité.

11.

La musique peut générer des clones acoustiques, des séries immuables ou interchangeables. Elle peut s'en tenir au double principe d'itération et de variation. Mais ce qui parfois se produit avec bonheur, c'est le passage subtil d'une ère à l'autre, d'une oreille à l'autre, d'un ordre auditif établi à un désordre qui en dissout et transcende les harmonies. L'instrumentation académique, déconcertée, plie langage, bat en retraite et une autre écriture musicale se dégage des limbes et accélère son évolution vers une modernité qu'elle vise à conquérir.

C'est ce qui s'est produit lorsque la musique klezmer est passée du stade de la routine imitative au risque assumé de la réinvention d'un style qui ne devait point couper le cordon ombilical avec ses origines, mais affranchir le style populaire de quelques-unes de ses contraintes et conventions, au moyen d'un "timbre" nouveau qui lui offrait non pas un masque mais un vrai visage, un visa pour passer les murailles des genres, les frontières de l'écoute, l'érosion du temps, et plutôt que de laisser au vestiaire le vieux manteau troué de son identité, lui en fabriquer une seconde, vêtement flambant et fringant. Une identité fondée, en musique, sur le rythme "soul", celui de l'âme, qui ne meurt pas au gré de ses métempsycoses.

L'identité juive, en musique, est malléable et tranfusable d'un corps à l'autre. Elle n'est soluble dans le son que si celui-ci, par mégarde ou souci de commercialisation, devient le bouillon d'inculture de la facilité et de la médiocrité.

Maurice Ravel, auteur de célèbres "Mélodies hébraïques" s'est admirablement approprié cette musique dont "l'étrange et envoûtante beauté" l'attirait au point qu'il s'est dit "ensorcelé par la couleur mystérieuse et le charme exotique de ses mélodies", lesquelles, pendant des semaines, accaparèrent sa pensée et "affamèrent son imagination".

Plus que tout autre, un musicien incarne avec éclat

aujourd'hui la couleur klezmer, mystérieuse elle aussi, mais dont le charme émane moins d'un exotisme ou d'une magie de pacotille que de la puissance mémorielle qui l'habite et qu'elle nous donne en partage. Ce musicien exceptionnel, c'est Giora Feidman, né en Argentine, à Buenos-Aires, d'une famille émigrée de Bessarabie qui a compté quatre générations de klezmer. Il a débuté encore enfant, assistant son père à la clarinette, lors de ses tournées des fêtes de famille dans cette capitale où la communauté juive ashkézane était importante. Il poursuivait ce pèlerinage en musique de la même façon que son propre grand-père dans les ghettos d'Europe centrale. Cependant, après avoir étudié la musique au conservatoire municipal, Giora Feidman devint à dix-huit ans membre d'un orchestre symphonique, puis deux ans après de la Philarmonique d'Israël où commença une carrière internationale qui allait le conduire à des prestations prestigieuses, au Carnegie Hall de New York, au Royal Albert Théâtre de Londres ou au Bunka-Kaïkan de Tokyo. C'est en Israël qu'il fit cette surprenante découverte : la musique yiddish y était pratiquement absente ou marginalisée. Lui, le professeur de clarinette à l'Université de Tel-Aviv, artiste déjà renommé et sollicité, il entreprit une reconquête patiente et parfois ardue : retrouver les traces de l'ancienne mélodie juive, allant de synagogue en synagogue et de foyer en foyer, afin de recueillir de la bouche même de ceux qui en gardaient vivant le souvenir, les sons et les accents d'une tradition liturgique et vocale, de danse et de chant, vouée à une lente extinction.

Maître incontesté de la clarinette et de la clarinette-basse, il s'ingénia à composer des transcriptions pour son instrument, lesquelles ne tardèrent pas, en raison d'un succès immédiat, à être transposées pour la guitare classique et la contrebasse.

Mais c'est l'art de la clarinette, tel qu'il a été ciselé à la perfection par Giora Feidman, qui a porté la musique klezmer à son apogée. Plus qu'un instrument à vent, la clarinette de Feidman est un instrument à voix, à voix vivante. Isaac Bashevis Singer a pu en dire : "Sa clarinette me parle et possède toute la variété d'émotions d'une âme exilée". Oui, cette voix parle, et en même temps elle mémorise. Elle apporte à la musique klezmer ce que Louis Armstrong et Sidney Bechet ont représenté pour le jazz et Ravi Shankar pour le raga indien : une originalité hors pair et un timbre instrumental qui se reconnaît entre tous et se grave instantanément dans l'esprit.

Cette clarinette est un miracle sonore. Mieux : un phénomène physique. La mélodie yiddish, hassidique ou folklorique, s'y trouve propulsée et son pouvoir décuplé par la vélocité des volutes sonores, l'élégance du phrasé, l'usage savant du son "filé" et de la dissonance, les alternances du rythme et la ponctuation de l'humour et de l'émotion.

Grâce à Giora Feidman, la clarinette se voit pourvue de ressources inhabituelles et d'un arsenal expressif d'une qualité peu commune. Tour à tour, ce qui émane du bois évoque l'appel du muezzin ou le gazouillement du rossignol. La clarinette se fait être de chair, animal malin ou chimère. Elle siffle, stridule, râle et ulule, cancane avec esprit ou gronde tout à coup comme un arbre secoué par un vent d'orage. Pourtant, il ne s'agit en rien d'une sorte de mimétisme appliqué, soit anthropomorphique, soit zoologique. C'est le don de métamorphose inhérent à la musique, qui prend ici son entière mesure et son entière liberté.

C'est ce qui permet à Feidman, par exemple, de convertir "Rhapsody in blue" de Gershwin en un alliage étonnant de blues et de musique juive, sans que l'un et l'autre, pour autant, y subissent un quelconque abâtardissement. C'est en cela que réside à mon sens la grande réussite de Feidman : son art raffiné se tient constamment sur la crête et interdit toute dérive et tout replâtrage. C'est alors que la "couleur klezmer" peut prétendre gagner son label pour l'avenir.

12.

Ainsi, il n'est pas présomptueux d'affirmer que la chanson et la mélodie yiddish ne sont pas mortes. A Paris même, on a pu entendre en 1996 jaser et bourdonner le "nigendl" séculaire, mais sur une cadence enfiévrée. Certes, la mélodie yiddish a encore du chemin à parcourir, du pain sur la planche et des espérances dans sa besace, car un art n'en a jamais fini avec lui-même, dans l'exigence de se réinventer, surtout lorsqu'il se trouve orphelin de sa propre culture.

Cette réinvention nécessaire que poursuit la musique klezmer, j'ai pu en constater un nouvel exemple, peut-être une nouvelle étape, en écoutant *l'Orient express moving shnorrers*. Sous ce nom burlesque qui a l'air de désigner une troupe de baladins et de mendiants nomades en perpétuel déplacement dans un train sans autre but que l'ailleurs, s'est constitué un septuor d'instrumentistes jeunes et fougueux. Ils font trépider le sol comme s'ils allaient le transpercer et dilatent l'espace comme s'ils devaient s'en échapper en état d'apesanteur. Ce sont des musiciens qui ont l'élan et l'allure de chevaux pur-sang aimant à franchir d'un bond le fleuve de l'histoire afin de redécouvrir à leur galop des terres et des paysages oubliés. La musique klezmer les investit. Ils ont assimilé la leçon des meilleurs, notamment celle de Feidman. Mais ils ont le souci de se forger un style autonome et jouent suivant une technique qui n'appartient qu'à eux, mariant nonchalance et furia, accélérations en cascade et retenue jusqu'à la presque introversion. Ils remodèlent la musique en fonction d'un naturel qui est celui de leur tempérament, manipulant le motif traditionnel avec autant de désinvolture que d'enjouement, passant la nostalgie au crible de l'ironie. Ils ont élagué les branches ou écarté les reliquats un peu envahissants d'un américanisme trop sensible aux sirènes de Hollywood. La méthode qu'ils ont élaborée, tant pour les solistes que pour les chorus, est un jazz un peu fanfare et buissonnant, qui se souvient de la Nouvelle-Orléans, qui fait vrombir les vents et vibrer les cordes, tout en préservant la délicatesse du phrasé et le fil d'argent mélodique de la tradition qui n'est jamais éliminé, même lorsqu'il n'en subsiste qu'un puzzle de citations, des échos, une poussière scintillante de souvenirs sonores. Il arrive à la clarinette - comme chez Feidman - de cancaner ou de ricaner, de glousser ou de pouffer. Mais son rire est un ruisseau d'eau fraîche. Le réseau mélodique, redistribué, demeure un canevas inducteur de mémoire. A ce septuor, nombre ô combien symbolique, rendons ses noms et ses visages : Philippe Brieg (clarinette et violon), Jean-Michel Clerc (tuba), Denis Cuniot (pianiste qui n'est pas un klezmer néophyte : il a déjà pratiqué en duo en compagnie de Peylet), Philippe Dallais (batterie), Yann Martin (trompette et buggle), Marc Slyper (trombone) et Pierre Wekstein (saxes, flûtes, arrangements). Dénominateur commun : le talent, l'absence de complexes (tous ne sont pas juifs, mais on a droit aux adoptifs, rien à voir avec les "shabbat goyim" de jadis...) leur patriotisme est exclusivement musical : libérés des conventions et des stéréotypes, ils ont fait de cette musique revenante leur mode de vie, et elle respire par leurs poumons. Mais attention : il ne s'agit pas d'exhumer une momie pour la faire danser sur scène. Comment jouer une musique disparue sans qu'elle retombe en cendre ? Tout le secret tient au travail minutieux de l'alchimiste qui opère pour son philtre la transmutation des secrets du son et du rythme.

Volatilisés les larmoiements des antiques mélos, adieu au couplet qui est comme une plaie jamais cicatrisée, à la rengaine des regrets, aux trémolos qui râclent les gosiers comme des fonds de tiroir ! On n'a pas vraiment tordu le cou à cette vieille rosse, la nostalgie, mais elle n'est plus ce qu'elle était, on lui laisse la chance d'une apparition discrète, sans tomber dans le goulot d'étranglement des sanglots. Les Moving shnorrers, excellents thérapeutes de la mélodie, prouvent que les nigunim, les complaintes, n'ont nul besoin d'une injection de tristesse un peu forcée pour nous retourner les sangs, et nous chavirer l'âme en retournant les sons. La complainte bondit sous le fouet et se dit même "happy". Un bonheur qui pourrait sembler quelque peu factice, mais qui s'imbrique dans le rythme, baigne la berceuse, s'insinue dans la doïna. La fantaisie n'escamote pas le fond tragique de la complainte : rester en creux sauvegarde son intensité et son intimité. Les klezmer dotent la musique d'un second souffle, l'intègrent au présent, sans que soient dilapidées ses origines. De son répertoire on reconnaît aisément les figures sous le masque carnavalesque, expressionniste ou contorsionné. Les Moving Shnorrers y ont ajouté des variantes élégiaques, tonitruantes ou délibérément anachroniques avec leur "java juive" qui fait pétiller l'humour du shtetl en l'incorporant au rythme du bal musette, de la même façon que le tango fut naturalisé et ployé aux cambrures de la mélodie yiddish.

Les Moving Shnorrers nous ont promis un "voyage musical". Ç'en est un en effet, mais d'un bord à l'autre du temps. Comme si, par les vitres de leur Orient express on voyait d'un côté défiler dans la brume le paysage kaléidoscopique du passé, et de l'autre un précipité trouble de l'avenir.

Mais qui dira, après cela, qu'il n'y a plus rien à espérer de la chanson populaire et de la mélodie yiddish ?

13.

Espérer n'est pas simplement formuler un vœu pieux. Il arrive à l'espoir de se manifester par des signes concrets, par une voix venue de très loin et de très près, une voix qui accueille la chanson perdue et lui restitue un sens, un son, un frisson nouveau.

La voix de Jacques Grober, par exemple.

"Et voici la chanson bien douce / Qui ne pleure que pour vous plaire" écrivit Paul Verlaine. Or il est des chansons bien douces à fredonner qui, pour nous plaire, peuvent se passer de la complaisance des pleurs. Elles préfèrent utiliser tout le registre de nos émotions ou de nos rêveries. Des chansons qui savent rire quand il le faut, délirer et se débrider.

Jacques Grober a rendu à la chanson populaire yiddish non pas une couleur tombée du ciel, une hasardeuse "couleur locale", mais la couleur changeante du prisme de nos jours. Ce qu'il réveille n'est pas la culture "in vitro" des réminiscences mélodiques, mais leur réinvention qui complète sans hiatus l'invention personnelle de paroles et de tonalités inédites. Il réinsère la chanson yiddish, sous toutes ses facettes, dans l'espace contemporain, empruntant au besoin à l'histoire et à l'actualité les motifs lumineux ou ténébreux de ses rebondissements, lorsqu'il fait allusion à "la douleur de Carpentras" ou survole d'une voix ironique et désenchantée la fausse terre promise du Birobidjan ou le miracle manqué de la pérestroïka en Russie soviétique, miroirs aux alouettes d'une "nouvelle vie donnée aux Juifs". L'audace de Grober ne consiste pas à faire renaître de ses cendres la chanson populaire ou polémique, mais à s'inspirer de la tradition pour créer une "chanson politique", incorrecte politiquement, car elle a pour dessein de corriger par l'humour l'illusion politique.

Mêlant parfois des mots français à des couplets yiddish, la voix de Jacques Grober, sur un balancement de tango, sur une pulsation de scat hassidique ou de klezmer, traverse et transcrit dans sa propre version originale les symboles de la mythologie ancienne ou moderne, de Don Juan à Al Capone et au Paon d'or de la légende. Elle se risque aussi, non sans force, à invoquer la paix que devraient décider les "frères ennemis" Isaac et Ismaël.

On sait depuis Baudelaire que les couleurs et les sons se répondent. Depuis Rimbaud que les voyelles obéissent à de subtiles polychromies. Depuis la Kabbale que les lettres de l'alphabet hébreu recèlent les pouvoirs occultes dévolus aux nombres et aux noms. J'ai tendance à croire que les voix sont également des nombres, des ombres et des signes, venus des profondeurs du temps et de l'être. Les signes d'un langage en perpétuelle mutation et peut-être en état de transmigration de corps en corps, comme l'âme égarée devenue un dibbouk. Mais ce n'est pas un esprit de mauvais aloi en mal de purification qui, en l'occurrence, se réincarne dans une enveloppe charnelle, c'est la mémoire errante et chantante des hommes. Elle passe par les mailles de l'absence et franchit les frontières invisibles de l'exil, afin de retrouver sa substance, sa résonance, sa justesse, sa faculté d'illuminer pour nous un monde où le chaos est en expansion.

La voix de Jacques Grober, auteur-compositeur de chansons yiddish, un des rares aujourd'hui à assurer un prolongement à cet art et à en poursuivre la mission, est à la fois un signe, un nombre, une couleur qu'il n'est pas nécessaire de déchiffrer puisqu'ils appartiennent, dans l'âpreté, l'amertume ou la tendresse, au code intime de notre vie.

NOTES

(1) Je ne puis procéder ici à l'inventaire d'une indispensable discographie : microsillons, cassettes, disques laser - soit en ma possession soit empruntée notamment à l' A.E.D.C.Y. - Association pour l'étude et la diffusion de la culture yiddish - que je tiens à remercier pour son obligeance. Une partie de la documentation utilisée pour ce texte provient de l'ANTHOLOGIE OF YIDDISH FOLKSONG de Aharon Vinkovetzky, Abba Kovner et Sinaï Lechter, publication trilingue - hébreu, yiddish, anglais - en quatre volumes de l'Université hébraïque de Jérusalem, ouvrage qui comporte paroles et musique de 350 chansons, et d'autre part de ES BRENNT, BRUDER, ES BRENNT, anthologie bilingue - allemand et yiddish - de Lin Jaldati et Eberhard Rebling (Dütten & Loening Verlag, Berlin 1969).

L'ART DE CONTER OU LES MOTS QUI FONT VIVRE

La mémoire juive, si on l'entend bourdonner à travers les siècles, c'est qu'elle est une ruche. Une ruche d'histoires. A partir d'une approche incessante du divin, ou simultanément de l'expérience humaine, s'élabore ce miel que l'on appelle tour à tour vision ou sagesse. La parole sacrée à la fois délivre un message et engendre la multitude d'histoires qui ont tissé les Livres, Torah, Talmud ou Kabbale. La parole, dès qu'elle émerge, est histoire et fabulation. Le mot de Haggadah signifie étymologiquement histoire et sous cette dénomination sont retracées les péripéties de l'exode d'Egypte. Rabbi Nahman de Bratzlav disait : "On peut donner vie à la parole par la parole". N'est-ce pas accorder à la parole la vertu suprême qui revient au démiurge ? Et plus encore que le don d'auto-génération si l'on ajoute : "La parole peut faire taire le fusil" lui attribuant alors le primat civilisateur par excellence. Si la Loi s'est imposé parmi les Juifs, c'est sans doute comme codification d'une morale monothéiste, mais c'est aussi parce que son histoire a été racontée, et c'est de ce récit qu'elle tient sa dimension et sa pérennité.

Le récit est constitutif de la mémoire, quel que soit le sentier qu'il emprunte, oral ou écrit, ou la forme qu'il revêt, apologue, légende, inventaire généalogique ou discours prophétique. D'ailleurs tout souvenir est un embryon de récit. Un récit miniaturisé, manipulé par la mémoire, un élément de ce puzzle à partir duquel toute personnalité se construit, au long de l'apprentissage de la vie.

Raconter ou conter, c'est transmettre et semer de la mémoire, l'inciter à circuler comme circule en notre corps la spirale moléculaire de l'A.D.N. Il importe toutefois de distinguer du conte oral et du conte profane, le récit biblique aux foisonnantes ramifications. Le récit du Midrash s'imbrique constamment au commentaire et cette imbrication n'a pas été sans influencer la structure du conte. Le Zohar pourtant met en garde contre toute méprise ou confusion entre forme et contenu, la forme n'étant que le réceptacle fragile du sacré : "Les récits que rapporte la Torah - nous prévient-il - ne sont que des vêtements extérieurs". Il n'empêche que ces vêtements furent indispensables à un peuple dénudé, à une mémoire écorchée, à une parole qui cherchait encore sa langue. Les récits peuvent être des déguisements, des masques protecteurs de l'anonymat, mais ils possèdent aussi la qualité des lentilles grossissantes qui nous révèlent des aspects cachés du monde visible.

Le yiddish a été le terreau des contes, parce qu'il fut d'abord le principal moyen de communication pour les femmes, écartées des études et donc de la langue savante. Les femmes sont des puits de paroles nourricières. Elles se racontent même l'irracontable, les faits et gestes quotidiens et leurs dessous, les anecdotes, les commérages tournant à la légende, les médisances tournant à la prédication. Dans leur bouche, les objets de fabulation sont innombrables, formateurs d'un corail qui subsistera longtemps dans la mémoire.

Pendant une longue période, le conte en yiddish resta essentiellement oral. C'est au cours du XVIII° siècle qu'il a connu son plein épanouissement à la faveur du hassidisme et de l'enseignement prodigué par des lignées de Rabbis miraculeusement loquaces, sages et inventifs que l'on appelait tsaddikim, les Justes. Ils appartenaient, par hypothèse et conjecture aux trente-six de leur espèce - dénombrés en Lamed-Vovnik - sur lesquels l'existence du monde est censée reposer. La Pologne n'était plus ce qu'elle était au temps de l'unité et de la tolérance royale, elle avait été déchirée pendant vingt ans par les guerres (Suédois, Russes et Cosaques), le soulèvement de Bogdan Chmielnicki en 1648 ; épidémies, famine, exactions de toute sorte et pogromes avaient décimé et précarisé le judaïsme polonais.

Pourtant le mysticisme s'était développé dans les études et le messianisme dans les esprits où la doctrine kabbalistique de Louria (1) et l'aura des messies hérétiques et imposteurs,

L'art de conter ou les mots qui font vivre

Shabbataï Zevi et Jacob Frank (2) avaient laissé des traces d'embrasement. Le Sabbatianisme régressait, mais non le Kabbalisme qui fut l'aliment d'un regain de ferveur entretenu par le hassidisme.

Celui-ci exigeait une écoute attentive et personnelle de Dieu, par le truchement de la prière et de l'extase. Il libérait une part d'irrationnel qui contrastait avec la raisonneuse sécheresse talmudique. L'initiateur légendaire du mouvement hassidique fut Rabbi Israël Ben Eliezer, dit le Baal-Shem Tov, ou par contraction le Besht, Maître du Bon Nom, qui vécut entre 1700 et 1760. Ce Rabbi exerçait à Tluzt la profession alors répandue de guérisseur, mélange de médecin et d'exorciste. Il prescrivait des remèdes et médicaments naturels et confectionnait pour ses "patients", malades physiques ou mentaux, des amulettes ornées de formules magiques inspirées de la Kabbale. Le Besht combinait cette fonction de thaumaturge avec celle de Voyant et de Maître de la parole. On lui doit - ou plutôt on lui attribue - une quantité de récits qui ne sont en général que de brefs apologues et se réduisent même parfois à des aphorismes plus ou moins étoffés, énigmatiques et impressionnants où la vocation fabulatrice s'exerce avec éclat en même temps que la médiation d'une sagesse non dépourvue de sagacité et d'alacrité. C'est une sagesse empreinte de religiosité, axée sur l'interprétation de l'Ecriture sainte, mais elle marie admirablement à la subtilité d'une éthique, le sens du merveilleux et du surnaturel. Ce mélange de la pensée théologique, de l'exégèse "vulgarisée", du bon sens et de l'humour populaire, génère une dialectique. Le didactisme, porté à ce haut degré d'éclaircissement des choses, accouche d'une fantasmagorie. La parole de la prière peut se muer en parole du conte.

Martin Buber, qui a recueilli et analysé les *Récits hassidiques* (3) définissait ainsi ceux du Besht : "Par la façon dont sont faits ces récits, par les mots simples de ces histoires qui pourtant se rapportent au plus intime et au plus profond de l'être, nous voyons se manifester cette union de la nature et de l'esprit, union qui transforme les images en de puissants symboles qui révèlent, précisément, comment l'esprit se manifeste naturellement au sein de la nature". On voit donc pointer dans chacun de ces apologues, une philosophie qui entend donner sens à toute forme du comportement et de la pensée. Ainsi, pour le Maggid de Mezritsh, autre tsaddik réputé, "nulle chose au monde ne peut quitter une réalité pour entrer dans une autre réalité..." Un petit apologue résume l'acuité, non dépourvue d'humour, de cet esprit :

> A chaque serrure, la clef qui lui correspond et qui l'ouvre. Seulement il y a des voleurs qui ont assez de force et se passent de clef pour ouvrir : ils font sauter la serrure. De même aussi chaque mystère en ce monde a sa méditation correspondante, propre à le pénétrer et à l'ouvrir. Mais Dieu n'en aime pas moins le voleur, celui qui fait sauter la serrure ; autrement dit l'homme qui sait se briser le cœur pour l'amour de Dieu.

Jalons d'une théosophie, les apologues hassidiques sont aussi les prémisses d'une littérature narrative en yiddish. I.L. Péretz l'a fort bien perçu :

> Les contes hassidiques, voilà le début de la littérature yiddish, les chiv'hé Baal-Shem-Tov (les éloges du Baal-Shem-Tov) et d'autres "histoires merveilleuses" constituent la saga yiddish. Rabbi Nahman de Bratzlav avec ses "Sept mendiants" est notre premier poète populaire.

C'est en effet chez ce tsaddik, né en Ukraine en 1772 et mort en 1810, que le génie du conte est porté à son apogée, tant son imagination s'y avère d'une inépuisable fertilité. Pour mystique qu'elle soit, sa vision du monde n'exclut pas une part de réalisme ou de décapante lucidité. Il dira : "L'enfer existe et il est de ce monde, seulement personne n'ose le reconnaître". Si la réalité quotidienne ressemble trop souvent à un cauchemar, la parole hassidique, telle qu'elle surgit des récits et des paraboles, ne tend pas à travestir cette réalité en rêve mais à la sublimer. Elle vise à infuser en chacun une énergie spirituelle, une détermination éthique, une réceptivité à ce qu'il y a de meilleur en autrui, une joie qui est un savoir vivre et un savoir partager qui galvanisent la résistance au mal et fondent la dignité de l'individu alors même que celui-ci semble voué à la négation, à la déchéance et au néant.

Rabbi Nahman de Bratzlav élabore une structure moderne du conte, une structure en spirale, en cercles concentriques qui aura une postérité. Chaque récit à tiroir, composé de plusieurs autres, sans se soucier de la logique, de l'unité du temps, du lieu ou de l'action, déploie une morale du miracle au quotidien, miracle qui n'est pas nommé mais dont le pouvoir est susceptible d'investir toute chose de la création, fut-ce la plus déshéritée. Chacun dispose d'une parcelle de cette énergie latente, inemployée, dont la prière, en particulier, permet de recouvrer l'usage. Sa conception du conte suppose l'échange, la conscience et le mouvement, à l'opposé de toute fixation dogmatique du moi. Il adjurera au besoin ses proches : "De mes contes, faire des prières. Des prières, pas des reliques". Très conscient des pouvoirs du verbe, il avait coutume de dire : "A en croire les gens, les histoires sont faites pour endormir ; moi j'en raconte pour les réveiller". Il affirme que "le temps n'existe pas", afin de mieux s'envoler sur les ailes de l'intuition. Il revalorise le désir, en prenant pour référence la Kabbale et cette particularité de l'hébreu, l'absence de voyelles : "Car sans voyelles, il est impossible de prononcer une lettre /.../ Pour attirer des voyelles dans les consonnes, il faut de l'attente et du désir /.../ les voyelles sont fruit du désir et de l'attente. Car il est impossible de faire quoi que ce soit sans désir. Par exemple pour parler, il faut au départ désirer parler..." Cette conception de la parole, associée au désir, comme compensation d'un manque ou d'une frustration dans l'écriture, semble ainsi préfigurer les recherches de la psychanalyse...

Les récits de Rabbi Nahman de Bratzlav ont eu une influence durable dans la littérature yiddish, chez Pérets et Der Nister en premier lieu. Mais il n'est pas interdit d'en voir des retombées, directes ou indirectes, dans l'œuvre de Franz Kafka. De son côté, plus près de nous, Edmond Jabès s'est visiblement inspiré de certains aspects du style des contes hassidiques et de la succession dynastique de leurs auteurs. Le romancier polonais Jan Potocki (1761-1815), contemporain de Rabbi Nahman, a exploité lui aussi dans *Le Manuscrit trouvé à Saragosse*, toutes les virtualités du récit-gigogne telles que Rabbi Nahman les suggéra dans un saisissant raccourci où il conjugue les notions de macrocosme et de microcosme :

"Il était une fois un pays qui renfermait tous les pays du monde ; et dans ce pays il y avait une ville qui incorporait toutes les villes du pays ; et dans cette ville il y avait une rue qui réunissait en elle toutes les rues de la ville et dans cette rue il y avait une maison qui abritait toutes les maisons de la rue ; et dans cette maison il y avait une chambre et dans cette chambre il y avait un homme et cet homme personnifiait tous les hommes de tous les pays, et cet homme riait, riait, et nul n'avait jamais ri comme lui".

Elie Wiesel a parfaitement défini, chez Rabbi Nahman, ce système d'intrications successives des thèmes, des personnages, des situations : "Ce qui compte pour Rabi Nahman, c'est la fable sous l'histoire, la légende issue de la fable, le rêve enfoui dans le rêve..." (4).

La littérature yiddish a une dette incontestable à l'endroit de ce type de récit, même si la Haskala, le mouvement des Lumières, la conduisit à s'affranchir de certains préceptes et d'un mysticisme trop contraignant. Au XIX° siècle, la sécuralisation de la vie juive s'accélère et la littérature trace la voie de l'émancipation intellectuelle.

Les pères de cette littérature, Mendele Moïkher Sforim, I.L. Péretz et Sholem Aleikhem, vivant en Pologne et en Russie, sont multilingues. Ils pratiquent bien entendu l'hébreu, en général première langue du lettré, mais aussi la langue de l'environnement et des cercles cultivés, le russe ou le polonais. Dans ce contexte, la littérature romantique européenne, de Gœthe à Pouchkine, Dickens, Dumas, Balzac et Hugo, va avoir sur eux une influence certaine. De la langue littéraire encore fruste, marquée par l'oralité, ils tirent et cisèlent en orfèvres les matériaux d'une écriture moderne. Ils opèrent, dans le creuset de leur prose, la fusion du langage de la rue, dont ils entendent préserver la saveur et l'inventivité, et d'un style qu'il faut dégager de sa gangue.

I.L. Péretz, poète et dramaturge, apporte une contribution décisive à cette mutation. Sous la double influence, forcément contradictoire mais assumée, de la tradition hassidique et du rationalisme de la Haskala, il écrit ses *Contes populaires* et ses *Contes hassidiques* que l'on a rassemblés en partie dans

Métamorphose d'une mélodie (5). Ses "Récits du Rabbi Na'hman'ké" ressuscitent le merveilleux de la saga jadis entreprise par le Baal-Shem-Tov et Rabbi Nahman de Bratzlav. En même temps qu'il évoque la dislocation de la communauté et les malheurs qui la frappent "les Juifs, accablés qu'ils sont par les graves maladies provoquées par la famine, sont sur le point de défaillir", il fait intervenir un "bouc miséricordieux qui ne voulait pas laisser la communauté à l'abandon". L'animal un peu sorcier occupe le rôle d'intercesseur et de sauveur. Dans un des contes d'*Une maisonnette au bord de la Vistule* (6), le chtraïml, ce bonnet de fourrure porté par les hassidim pendant les fêtes, est présenté comme l'emblème - quelque peu dérisoire - de l'autorité rabbinique et de la respectabilité des notables. Ce couvre-chef fétichisé en paroles par un modeste fourreur dévoile, par un contraste ironique, le pouvoir de l'apparence et du paraître, opposés à la réalité.

Chez Péretz, se combinent constamment romantisme et symbolisme. Il rêve d'un monde où seraient abolies les iniquités, où serait respectée l'exigence d'élévation de l'âme. Il se montre proche du mouvement ouvrier, mais lorsqu'on le sollicite en faveur de la révolution qui se profile en Russie, il admet non sans prescience l'espérance qu'elle suscite, tout en soulignant le danger qu'elle comporte :

> L'homme doit pouvoir manger à sa faim. Il doit être libéré de toutes les contraintes et disposer de sa personne et de son labeur... Cependant, j'ai peur des vaincus qui se muent en vainqueurs. Victorieux, vous deviendrez des bureaucrates. Vous dicterez à chacun sa manière de mener son ouvrage. Vous exterminerez les créateurs de nouvelles valeurs et boucherez la source d'où jaillit le bonheur : la libre initiative de l'homme, cette formidable force qui peut dresser un seul homme contre mille, un individu contre tout un peuple ou une génération.

Péretz, dans ses "Contes du tronc d'arbre" se souvient assurément de Rabbi Simeon Ben Yokhaï, maître kabbaliste qui réunissait ses disciples sous la frondaison d'un arbre afin de leur exposer ses idées. En l'occurrence, c'est l'arbre lui-même qui fait office de disciple et de témoin. Tour à tour arraché à la forêt, rêvant d'être un mât de navire, il se réveille en fin de compte mué en poutre, puis se retrouve jeté à la rue, offert à tout un chacun. Miroir de la plus humble réalité, l'arbre est aussi le prétexte à une parabole sur l'immortalité, ou plus exactement sur la pérennité. De quelle immortalité ou de quelle métempsycose peut-il être question dans cette métaphore si ce n'est de celle d'un peuple ? L'individu est éphémère. Le Juif s'évanouit en fumée ou en cendre. Mais le peuple, lui, survit. Il survit à tous les avatars, à toutes les avanies, comme le tronc dépeint par Péretz. Cet arbre n'est plus qu'une souche, mais il retrouve ses branches, ses racines, ses feuilles, en écoutant les conversations et en recueillant les faits et gestes de chacun de ceux qui l'approchent. Le tronc de bois mort devient à son tour sémaphore et porte-mémoire.

* * *

Sholem Aleikhem est le plus illustre et le plus populaire des conteurs en langue yiddish. *Tévié-le-laitier*, traduit dans le monde entier, a été maintes fois porté à la scène et même à l'écran sous l'habit d'arlequin d'une comédie musicale hollywoodienne, *Le violon sur le toit*. On assiste avec Sholem Aleikhem à une autre mutation : le récit participe du dialogue ou du monologue. Le monologue, tel le fameux "Si j'étais Rothschild" devient un conte. Le récit épistolaire, dans *Menachem Mendl, le rêveur*, par exemple, fait une de ses premières apparitions dans la littérature yiddish. Il fut précédé uniquement par Yossef Perls (1773-1839) dont le roman par lettres *Megale Tmirim* (Le révélateur des choses occultes), fut imprimé à Vilno en 1937.

Les *Contes ferroviaires* (8) ont pour principal personnage un tacot à vapeur qui répond au sobriquet de "Traîne-savates" par quoi l'on peut juger de sa vélocité, et ses passagers mythiques se débattent dans la toile d'araignée d'une administration labyrinthique et absurde qui n'a rien à envier à celle du *Revizor* de Nicolas Gogol. La voie de chemin de fer encadre et engendre le temps du récit, rythmé par ses cahots poussifs et ses arrêts, comme plus tard seront rythmés par l'automobile les "road-stories" de la Beat-Generation.

L'art de conter ou les mots qui font vivre

La mutation ne réside pas exclusivement dans la forme des contes : autonomes, ils s'insèrent dans une chaîne, dans un ensemble thématiquement cohérent : *Gens de Kasrilevke* (9) ayant pour axe le shtetl ainsi nommé, plus ou moins imaginaire. De même que, dans les *Contes ferroviaires*, suivant l'itinéraire du train, elle se manifeste dans la vision même du shtetl. Péretz, sous les dehors étincelants du merveilleux appelé en renfort, voyait pointer la décadence et la fin d'un monde. Le processus s'accélère chez Sholem Aleikhem : le shtetl navigue sur le radeau de la Méduse de ses illusions et de ses chimères, mais sa désagrégation est bel et bien en cours, comme en témoigne l'émigration massive de la population et ce que l'auteur nous décrit, avec son humour coutumier, de sa difficile transplantation dans la mégapole américaine.

Autre différence : tandis que Péretz crée le canon classique d'un style narratif, Sholem Aleikhem s'attache à transposer toute la verdeur de la langue parlée, avec ses incongruités, ses impropriétés, ses clichés comme ses tournures les plus inattendues. Kasrilevké est un nom forgé, à partir du nom propre Kasriel et d'un suffixe ukrainien "evka" ; il se réfère aussi au bourg ukrainien Krassilevka : ce calembour à tiroirs juxtapose les désignations cocasses, passant de Couronne-de-Dieu-Ville à Ville-des-Joyeux-pauvres. Les jeux de mots dialectaux ou multilingues, générateurs d'hilarants quiproquos, foisonnent d'ailleurs dans *Gens de Kasrilevke*. Dans "Berl-Aîzik" qui se situe à New York un émigrant de fraîche date se plaint de la confusion langagière de ses interlocuteurs : selon l'accent ukrainien ou lituanien avec lequel se prononcent le mot hun (coq) et le mot hin (poule) ahin (là-bas) et vouhin (ou cela) ? les coqs deviennent des poules et vice-versa, dans un carambolage à la Raymond Devos...

Ce que nous restitue le conteur, en vérité, c'est la dimension proprement mythique de la petite ville, dans son climat confiné et son esprit provincial : conflits et concurrence sauvage - et comique - y font s'affronter les deux gazettes locales, ou les deux théâtres que différencie radicalement leur vocation, l'un parlant hébreu et l'autre yiddish, mais qui ont pour dénominateur commun l'absence de véritables acteurs...

Le conteur ne se contente évidemment pas de la dérision : il décrit une évolution, dans l'agitation et le désordre, vers la ruine d'une économie en vase clos et de ses illusions. Avec l'irruption, chez le "nabab" d'une bande de prolétaires affamés, décidés à s'octroyer le festin préparé pour Pâque, c'est même le spectre de la Révolution qui fait son entrée dans la vie de Kasrilevkè, une vie paisible, certes, mais dans la mesure où chacun accepte de rester à sa place...

On retrouve chez Sholem Aleikhem tous les ingrédients qui font d'un conte le mets d'une gastronomie de l'esprit. En supplément, on y goûte les herbes rares et les épices d'un inaltérable humour. Sholem Aleikhem nous propose dans "Mon premier roman d'amour une définition du "mentir-vrai" que n'aurait pas reniée Aragon. La voici :

"Il y a toutes sortes de menteurs : ceux que personne n'oblige ni même n'incite à le faire, mais qui mentent tout simplement parce qu'ils ont une bouche et qu'ils parlent. Cette sorte de menteurs se divise en trois catégories : le menteur d'hier, le menteur d'aujourd'hui et le menteur de demain. Le menteur d'hier vous dira des contes à dormir debout, en vous jurant qu'il y a assisté lui-même... Le menteur d'aujourd'hui n'est pas à proprement parler un menteur, c'est plutôt un vantard. Il vous raconte qu'il a... qu'il sait... qu'il peut, et essayez donc de vous mesurer à lui ! Le menteur de demain est tout simplement un homme bon qui vous promet monts et merveilles : il ira... il parlera... il agira pour vous, et vous devez le croire sur paroles... Tous ces menteurs, de quelque catégorie qu'ils soient, savent qu'ils mentent mais ils pensent qu'on les croit. Il existe par ailleurs une catégorie de menteurs qui, dans le feu de l'action, croient qu'ils disent la vérité, persuadés que celui qui les écoute pense de même, et ainsi ils sont heureux. Débordants d'imagination, ils vivent dans un monde d'illusions. Ce sont des espèces d'écrivains qui inventent chaque fois une nouvelle histoire et oublient ce qu'ils ont dit la veille. Leur imagination créé des idées nouvelles, des pensées neuves".

Cette théorie a contrario du "mentir-vrai" qui part du menteur ordinaire pour aboutir à l'écrivain, trouve une application à la fois cocasse et romanesque dans le même conte.

Son héros n'est pas sans rappeler Cyrano de Bergerac. Celui-ci, dans la pièce de Rostand, se fait le scribe masqué de Christian pour les beaux yeux de Roxane que ses écrits envoûtent et bouleversent. Chez Sholem Aleikhem, l'intrigue amoureuse se poursuit également par le truchement d'une correspondance et par procuration. Les lettres de plus en plus ardentes des fiancés sont rédigées par le précepteur de l'un et le scribe de l'autre, à l'insu de chacun. Sholem fut lui-même précepteur chez un gérant de domaines dont il finit par épouser la fille, son élève, malgré tous les obstacles. La présence d'un arrière-texte autobiographique dans ce conte ne fait donc aucun doute, même si le comique de situation - la rencontre burlesque, le jour du mariage des deux prête-plume, arroseurs arrosés - l'emporte largement sur le mélodrame.

* * *

Il est certain que l'art yiddish du conte possède sa propre filiation et ses propres filons. Il n'en a pas moins subi de multiples influences et ne s'est pas privé de prendre son bien dans d'autres gisements, quitte à le transformer. C'est ainsi que David Ignatov, mort à New York en 1954, a emprunté une des composantes de ses "Histoires merveilleuses de la vieille Prague" (10) aux *Mille et une Nuits* et plus particulièrement à "Ali Baba et les quarante voleurs". Dans cette fable qui se réfère à Nahman de Bratzlav, le marchand ambulant Berl tombe sur une bande de brigands, découvre leur caverne au trésor et la formule pour y pénétrer qui substitue au "Sésame-ouvre-toi" un prosaïque "Pierre-ouvre-toi". Il ne s'agit pas pour autant d'un décalque ou d'un pastiche, car la fable, suivant des critères moraux strictement judaïques produit bien d'autres effets narratifs.

On connaît le phénomène de symbiose et d'interaction entre l'imagination populaire et la littérature de fiction. Les mythes migrateurs par la parole ensemencent les fictions que l'écrit va fixer. En contrepartie, il arrive que des créatures de fiction, de Don Quichotte à Tévié, redeviennent des archétypes gravés dans le subconscient ou la mythologie intime des gens de la rue.

C'est ainsi que le dibbouk, figure emblématique d'une démonologie inscrite dans la Kabbale, s'est incarné dans la tragédie sociale et mystique de S. Anski, *Entre deux mondes*, qui fut jouée sous le titre de *Dibbouk*. Anski, ami de Péretz, fut surnommé "le collectionneur" parce qu'il avait entrepris à partir de 1911 de recueillir les légendes, superstitions et croyances populaires jusque dans les tréfonds des campagnes et des shtetel. Il poursuivit cette investigation d'ethnologue minutieux comme Afanassiev en Russie ou en Hongrie Bela Bartok et Zoltan Kodaly, prospecteurs du folklore musical de leur pays.

L'allégorie du dibbouk, comme celle du Golem de Prague, dont la légende a été retranscrite notamment par Chajim Block (11) et romancée par Gustav Meyrink, témoigne de ce transfert du mythe vers la fiction ou le conte populaire.

* * *

Le romancier Der Nister (1884-1950) est un des initiateurs du modernisme yiddish en Ukraine : il participa, dès 1912, au "groupe de Kiev" avec D. Bergelson et David Hofshtein, puis fonda en 1920 à Berlin, toujours avec Bergelson, la revue mondialiste *Milgroïm* (la grenade). Dans ses contes réunis en français sous le titre de *Sortilèges* (12) il procède lui aussi à ce type de transfert, en réutilisant certaines figures et certains thèmes de la théurgie kabbaliste. S'il s'inscrit délibérément dans la lignée de Nahman de Bratzlav, Der Nister instaure dans ses contes un mode de narration très personnel, fondé sur les ellipses de l'allégorie et l'éclat du fantastique. Un fantastique que l'on pourrait étiqueter comme "judaïc-fantasy" par analogie avec l'héroïc-fantasy où la chimère fait florès. S'il se sert de l'archaïsme, il ne faut pas se fier à ce vêtement d'emprunt, c'est en fonction d'une visée moderne de déconstruction et d'une poétique de l'absurde.

Der Nister était pour l'état-civil Pinkhas Kaganovitch. Son pseudonyme n'est pas innocent : il vient de l'hébreu "nistar" qui désigne un sens caché de l'écriture par opposition au sens apparent dit "nigle", et ce choix s'accorde à l'inclination ésotérique de l'auteur. Mais s'il s'avère l'héritier de la tradition

L'art de conter ou les mots qui font vivre

hassidique, il la détourne subtilement. Ce qui commande est l'ambition esthétique d'un récit à plusieurs niveaux, délié des pesanteurs, et une morale critique qui, récusant le fatalisme, met en parallèle le déréglement social et le déréglement des âmes. Le symbolisme mis en œuvre traduit non seulement la désintégration du shtetl mais celle de l'individu lui-même. L'un de ses cycles de nouvelles - publié en deux volumes en 1922 / 1923 - s'intitule *Gedakht*, et c'est tout un programme puisque ce terme polyvalent signifie au choix utopie, imagination ou vision. Or, Der Nister est précisément un prodigieux visionnaire qui s'emploie à démanteler tous les repères et toutes les garanties du réel. Ses fabulations, grosso modo, s'en tiennent à l'articulation-type du conte populaire, pérégrinations du héros affrontant les forces du mal, succession des épreuves qu'il doit subir et réalisation finale de son dessein. Mais il ne reprend cette structure classique qu'en se jouant comme Nahman de Bratzlav de la logique du temps et de l'espace, en recourant aussi à une sorte d'animisme qui prête une âme et une voix non seulement aux animaux et aux objets mais aux créatures imaginaires. Ses personnages sont souvent des paradigmes du dédoublement ou du triplement, sous l'effet d'une schizophrénie de l'imagination. L'un d'eux engage un dialogue philosophique avec un clou (comment ne pas penser à Lautréamont !) avant de se fractionner en trois êtres distincts, l'Homme, l'Ivrogne et le Double, dotés de surcroît de la faculté de s'envoler qui les apparente aux figures d'un paysage chagallien : "Et ainsi le double vole en tête et les deux autres à sa suite, et ils ont déjà dépassé la lune et voici qu'ils volent au-dessus d'elle, et ils s'immobilisent un moment, le Double en tête, et les deux autres derrière lui". La proximité de Chagall est d'ailleurs patente dans la dynamique et la composition très picturale du récit. La réitération stylistique de la conjonction ET lui confère en outre une scansion particulière, à la fois incantatoire et épique.

La scission des personnages, signe d'incertitude et de trouble, ou prémonition d'une ère de chaos et de démembrement, on la trouve en d'autres contes, tel "Démons" où le Lutin, l'Homme et le Démon - on ne sait trop quelle part chacun d'eux représente de raison ou de folie - mènent de concert une sarabande ou les échanges et les relations oscillent entre le burlesque et le satanique. Chez Der Nister, comme chez Nahman de Bratzlav, tout s'agite, s'exprime et se prodigue en paroles et en actions surprenantes, l'animal et l'humain, le clou et la cigogne, le mendiant aveugle et le monstre minuscule sorti d'un trou de terre. Le Double peut se transformer en chien, le chien en homme. Dans cet univers instable et décidément non-aristotélicien, tout vacille et se brouille dans un miroir qui ne peut reproduire la réalité que comme une épreuve en négatif, en la plongeant dans le bain révélateur du mythe.

* * *

Avec l'évolution accélérée et l'universalisation de la prose narrative, la littérature yiddish s'est diversifiée et l'art de conter a été contraint de s'adapter à de nouvelles techniques. Les innovations formelles de la modernité, frappant d'obsolescence le populisme si longtemps dominant, ont ouvert la voie à diverses variétés de symbolisme et de réalisme. Des auteurs tels que Moïshe Kulbak, David Bergelson, Oser Warszawski, débutèrent dans des groupes et des revues avant-gardistes, la plus audacieuse étant sans doute *Khaliastra* où s'effectua le mélange chimique du futurisme russe, de l'expressionnisme allemand et de l'imagisme américain.

En même temps, la littérature juive s'exorbitait, échappant de plus en plus à la zone circonscrite de la langue yiddish (comme d'autre part l'hébreu ou le judéo-espagnol). Elle essaimait dans des langues majoritaires, au rythme rapide d'assimilation (deux générations ont suffi à ce renversement) d'une émigration qui ne pouvait éternellement rester repliée sur elle-même et ronger son frein de nostalgie.

Dès la fin de l'ère victorienne, un Israël Zangwill fut le parangon de cette mutation : fils d'émigrés, il vécut son enfance dans le quartier juif de Whitechapel, atteignit sa célébrité de "Dickens juif" par des œuvres en langue anglaise qui ne cessèrent de relater son expérience du monde yiddish dans ses *Comédies* ou *Tragédies du ghetto*, son *Roi des Schnorrers*, *Les enfants du ghetto* et autres sagas qui ont conservé leur relief et leur truculence (13).

Franz Kafka, Juif de Prague qui écrit en allemand, est divisé lorsqu'il est conduit dans son "Discours sur la langue yiddish" (14) à porter une appréciation sur une langue dont il constate les limites, l'absence de grammaire, le caractère trop strictement "parlé". Pourtant, cette langue "confuse" dont il se demande "qui pourrait en avoir envie", il ne peut s'empêcher de l'aimer, y compris dans sa relation d'infériorité et d'équivoque avec l'allemand, comme une parente pauvre ou une sorte de paradis perdu : "Car le yiddish est tout, le mot, la mélodie hassidique et la réalité profonde de cet acteur juif". Bien entendu, l'allemand offre à son génie le plus vaste champ de virtualités dans l'accomplissement d'une œuvre qui n'effacera jamais ce clivage originel, mais qui porte le conte symbolique et l'apologue fantasmatique, avec *La Métamorphose* et *La colonie pénitentiaire* à une densité de pensée sans égale et à une dimension universelle, sans pour autant faire table rase de ces lointains antécédents que sont les contes hassidiques.

Un autre écrivain juif, Isaac Babel, introduira en russe cette fois, avec ses *Contes d'Odessa* et sa célèbre *Cavalerie rouge*, un souffle épique, une sensibilité écorchée, une acuité du regard et une fougue du style qui incarnent toute la force substantielle d'un art de conter fertilisant la langue russe tant par la novation du récit que par une écriture truffée de mots et d'expressions idiomatiques venues du yiddish.

Le phénomène n'a cessé de s'amplifier depuis, surtout aux Etats-Unis où le roman juif américain a germé, fructifié et occupe désormais une place considérable avec Saül Bellow, Norman Mailer, Henry Roth, Philip Roth, Bernard Malamud, Chaïm Potock, Jérome Charyn, Paul Auster et quelques autres... Au gré d'un système complexe de vases communicants, la sensibilité juive emmagasinée puis distillée par plusieurs générations issues de l'immigration, a répandu dans la prose de fiction américaine un extraordinaire flux d'énergie.

La prose yiddish n'en poursuivit pas moins son chemin quelque peu marginal avec ceux qui en avaient fait le choix par nécessité ou par idéal. On comptait parmi eux le poète

A. Reisen et un autre poète, Aaron Zeitlin qui fut lié à *Khaliastra* : son étrange roman d'aventure et d'amour, *Terre brûlante* (15) dans le contexte de la Palestine des pionniers du sionisme, sa mise en valeur d'un réseau d'espionnage juif, pris au jeu conflictuel des Turcs et des Britanniques, créait un roman historique moderne, pratiquement délivré des séquelles fantasmatiques de la vie juive révolue. Celle-ci pourtant prenait encore racine chez D.H. Nomberg, Zalman Schnéour - dont *Noé Pandré* et le *Chant du Dniepr* furent traduits dans de nombreuses langues, et en français - Joseph Opatoshu, auteur des *Forêts polonaises* (16) dont le roman *Le voleur de chevaux* fit l'objet d'une adaptation cinématographique; Shalom Asch dont l'œuvre mondialement réputée comporte une cinquantaine de titres parmi lesquels la fameuse trilogie *Pétersbourg, Moscou, Varsovie* (17) et enfin, last but not least, Isaac Bashevis Singer, prix Nobel, étoile - peut-être ultime nova - d'une littérature vouée à un public de plus en plus confidentiel, et qui, grâce à cet écrivain hors pair, a pu atteindre à une audience internationale.

Et comment oublier d'autre part que la Russie soviétique, malgré le stalinisme qui décima ses créateurs, connut aussi la déferlante romanesque des Kulbak, Bergelson et Der Nister (18). Mais si la plénitude et la grandeur de la prose romanesque yiddish justifieraient une étude séparée, je dois ici simplement m'en tenir à l'art de conter et à son évolution.

Dans cette perspective, la nouvelle s'est très tôt affirmée comme la redoutable rivale du conte tel qu'il était régulièrement publié dans la presse, et elle n'a pas eu de peine à conquérir la primauté. Le poète Itzik Manguer qui sillonna le monde depuis sa Bukovine natale, pour aller mourir à Jérusalem en 1969, fut également un conteur-né : lui qui s'était ingénié à recréer la micro-mythologie du Pentateuque dans ses fabliaux en vers, les *Humech Lider*, s'est attaché dans sa prose au maintien d'une tradition que bouscule pourtant son irrésistible fantaisie. Dans son "Histoire des moustaches du baron" (19), il relate le châtiment téléguidé infligé à un hobereau méprisant et injuste. La malédiction que lui jette la femme de sa victime a pour effet de l'encombrer d'une moustache tellement disproportionnée qu'il ne parvient plus à s'en dépêtrer... On pense évidemment à Pinocchio, mais aussi aux contes de Perrault. Une fois de plus, on est conduit à constater cette alchimie : le conteur yiddish transforme toutes les réminiscences, tous les apports historiques, directs ou indirects, en œuvre originale. Le yiddish, langue de fusion et d'amalgame, se prête sans faillir à ces hybridations et métamorphoses, sans jamais y perdre vraiment son identité.

* * *

L'art du conteur ne saurait être relégué au musée : il reste bien vivant, même s'il a bifurqué vers la nouvelle, y trouvant une élasticité de format et un dispositif mieux adaptés à son enjeu, surtout s'il se propose le réalisme pour objectif. A l'occasion, la formule assouplie débouche sur de longues nouvelles qui sont déjà de brefs romans. On peut déplorer cette équivoque. Mais un exemple probant nous est donné par Oser Warszawski avec "l'Uniforme", publié in-extenso dans *Khaliastra* et ce récit a déjà la facture du roman. Le premier de Warszawski, les *Contrebandiers*, avait fait sensation en 1919 par la virulence sulfureuse de son propos et l'originalité de sa technique [20]. On saluait l'apparition d'un écrivain très prometteur, dont on retrouve la frappe et les qualités d'écriture dans "l'Uniforme". Au moyen d'un style acéré que l'on peut comparer à celui du romancier autrichien Joseph Roth (*La Marche de Radetzky*), c'est une peinture au vitriol de la société prussienne à l'heure de l'écroulement du Reich de Guillaume II. Satire des mœurs confites dans le faux puritanisme et l'hypocrisie, du militarisme et du chauvinisme d'une petite-bourgeoisie qui s'accroche désespérément, malgré son naufrage, à des illusions de puissance et d'ascension sociale, "l'Uniforme" ne se limite pas à une description semi documentaire ; l'ironie cinglante, le sens du grotesque et de la dérision y nourrissent une vision implacable de la déchéance, vision qui se hausse au plus haut de l'échelle dans la littérature de son temps.

D'Oser Warszawski (1898 / 1944), auteur aux dons exceptionnels, fauché par la déportation à Auschwitz dans la force de son âge et de son talent, on n'a pas fini d'évaluer toute l'œuvre : celle-ci nous parvient petit à petit au gré des traductions. Elles le révèlent d'ores et déjà comme un témoin unique, d'une lucidité tranchante et d'un humour roboratif, des heures noires de l'exode et de l'occupation en France, tant avec "Juin 40", nouvelle écrite en 1943 (21), que dans son court roman, *On ne peut pas se plaindre* (22), intitulé en yiddish *Résidences*, évocation concise, vigoureuse, d'une amère drôlerie, des tribulations d'un écrivain yiddish sous Vichy, du microcosme de la résidence forcée dans un village de Provence, à la presque clandestinité et au trouble grouillement de Grenoble, ville juive ou du moins ville des Juifs en sursis. Ce témoignage sans équivalent nous est parvenu longtemps après son écriture, en 1943, peu avant la déportation de l'auteur. Dans un tout autre domaine, Warszawski s'est montré un témoin non moins attentif et précieux : il nous introduit dans l'*Arrière-Montparnasse* (23) chez les artistes de la Rive gauche, connus ou méconnus, non point à l'avant-scène de la célébrité comme ses amis Chagall et Kikoïne, mais de l'autre côté du miroir, où la bohème est moins pittoresque, et où la difficulté de vivre et le risque de créer commandent l'aventure ou la dérive de personnages constamment attachants, drôles ou pathétiques.

* * *

L'art du conte, tel qu'il fut forgé au cours des siècles puis transfiguré par la modernité de la fiction sous forme de nouvelle, a pris une ampleur et une résonance particulière dans l'œuvre de Lamed Shapiro, né en 1878 dans la région de Kiev, mort à New York en 1948 après neuf années d'un calvaire de déprime et d'alcoolisme. Une fin qui semble recouper dans le tragique la vision même de cet écrivain qui n'est comparable à aucun autre, habité par les souvenirs d'avant l'immigration, qu'il fait revivre doux-amers dans "Les repas et les jours" (24), un monde mental qui semble voguer à vau-l'eau. Mais en même temps, Shapiro se fait le ciseleur des facettes claires et obscures d'une âpre modernité, d'un style au réalisme minutieux et pointilliste, d'un mode de narration d'une totale liberté, échevelé et parfois anarchique, tout en ruptures, en discontinuité, en fulgurances, manifestant une crudité et une cruauté qui ne sont pas sans rappeler Isaac Babel. Shapiro connut la célébrité dès ses débuts en 1919 avec deux nouvelles, "La Croix" et "la Halla blanche", reprises dans son œuvre capitale *Le Royaume juif* (25), fresque hallucinante, cauchemardesque, inspirée par les progromes dont l'Ukraine fut le théâtre à la fin d'une guerre où s'entredéchiraient révolutionnaires et armées blanches, dans une atmosphère de terreur, de panique, d'aguets, d'alertes, d'agressions et de massacres perpétrés dans la haine et le sadisme. L'action de ces nouvelles entrelace les épisodes sanglants d'une apocalypse, une escale dans l'horreur, enchevêtrements de destins broyés et d'une vie collective réduite à néant, si bien que la population juive va choisir massivement l'exil et l'émigration vers un Occident plus clément et même providentiel.

A cette vision paroxystique d'un univers en décomposition, succèdera en 1931, le cycle des *New-yorkaises*, tentative de restituer des aspects caractéristiques, parfois étonnants, de l'implantation et de l'existence quotidienne de ces nouveaux immigrés. La vision y semble apaisée, nuancée par l'ironie et ouatée par la nostalgie, mais cependant pas tout à fait sereine : elle dévoile une société contradictoire, insatisfaite, écartelée entre ses passions, où le passé pèse encore à leur insu sur les individus, chacun cherche à se bâtir un destin, une illusion de destin, dans la précarité et le recours aux expédients. Le modeste tailleur qui débarqua jadis à Ellis Island plus pauvre que Job, a fait fortune dans la confection et devient le plus féroce des exploiteurs, ce qui n'empêche pas sa déchéance. C'est à chaque page le portrait sans concession d'une société où la personnalité juive se libère de ses complexes, sinon de ses entraves, et se recompose selon les sacro-saints principes de la réussite sociale, de la libre entreprise et du struggle for life à l'américaine. Dans le texte le plus riche et le plus éclairant de l'ensemble, "Doc", Benny Milgroym, médecin sans le sou et sans expérience va devenir praticien de quartier, au prix de mille astuces pour se créer une clientèle. Mais le cours sinueux de sa carrière importe moins ici que son désarroi devant l'énigme de la mort, la perte de la femme aimée, qui l'amène, pris d'un vertige métaphysique, à recourir au spiritisme rudimentaire de la table tournante... On suit le personnage dans ses déambulations à travers East Broadway : "La population de cette ville est mouvante comme les sables du désert. Les quartiers meurent sans parvenir à vieillir, comme des bananes cueillies trop vertes et qui pourrissent avant d'être mûres". Cette errance désenchantée lui permet au passage de découvrir les cafés littéraires où les poètes du groupe Younghe se rencontrent et palabrent (prétexte pour l'auteur d'une charge savoureuse mais dépourvue de méchanceté) ou de rêver aux abords des hauts-lieux de la presse yiddish qui prospérait alors, le *Forverts*, le *Tog*, le *Morgnjournal*, la *Frayhayt*, toute la couleur locale d'une agglomération urbaine découpée en villages, tout le fourmillement d'une communauté disparate, tiraillée entre socialisme, nationalisme et détachement, déjà divisée dans son aspiration à grimper au plus haut du mât de cocagne capitaliste... C'est la substance drue, pleine de sève et de savoir de cette réalité composite, que nous donne à palper et à ressentir Lamed Shapiro. Son écriture est aussi juste et décapante dans la leçon d'anatomie du quotidien que dans les scènes dantesques et sublimes du *Royaume juif.*

* * *

Avec Lamed Shapiro, le filon fructueux du conte a trouvé un prospecteur de premier ordre. Cette veine s'est-elle tarie après la Shoah ? On serait porté à le croire, si l'on ne voyait pas ici et là émerger et fleurir ses surgeons. Depuis la France où la romancière Menuha Ram, qui fut la compagne du poète Moïshe Waldman (1911-1996) nous parle d'*Exils* (26), c'est-à-dire d'une aventure humaine et historique vécue par elle et revécue dans une prose limpide, sans fioriture, d'une extrême justesse, cernant le destin de ces Juifs chassés de Pologne par l'invasion nazie puis relégués aux fins fonds de la Sibérie, qu'ils soient paysans du cru ou déportés, c'est le roman des opprimés et des dépossédés. En Israël aussi, naturellement, la vie littéraire juive continue, soit en yiddish, comme on l'a vu avec les récits d'Avrom Sutzkever réunis dans *Où gîtent les étoiles* (27) soit dans les œuvres d'une nouvelle génération d'écrivains israéliens. La littérature yiddish, littérature d'immigrés, semble avoir désormais émigré elle-même dans d'autres sites et d'autres langues, principalement l'anglais et le français, le russe ayant perdu le rôle de catalyseur qui fut le sien.

On ne saurait prétendre cela étant qu'il n'y a plus rien à espérer d'une littérature qui a su, durant des siècles, à travers tous ses avatars et tous les cercles de l'enfer préserver et nous transmettre ce que l'on nomme en hébreu "zikorun", la mémoire. C'est dans cette mémoire de l'écriture que la pensée, l'identité juive, ont toujours trouvé leur point de jonction et leur lieu de résurrection. Le yiddish appartient à la famille indéfinissable des miracles, mais des miracles proprement humains. On sait que certaines étoiles ne s'éteignent jamais : elles gagnent en densité ce qu'elles perdent en énergie. Les mots d'une langue sont les particules d'une mémoire : ils s'agrègent afin de reconstituer ailleurs, en d'autres foyers de l'espace d'où ils rayonneront, les étoiles qui nous manquent. C'est un conte à rêver debout, et qui n'a pas de fin.

NOTES

(1) Isaac Louria (1534 / 1572) célèbre kabbaliste, né à Jérusalem, élevé au Caire, établi à Safed. Ses interprétations du Zohar, transmises par son disciple Hayim Vital, ont fortement influencé l'enseignement de la Kabbale en introduisant d'importantes modifications dans la doctrine de la création et de l'ordre du monde. Sa théorie de l'âme est également singulière, qui avance la notion de Guilgoul, ou transmigration de l'âme. Le Livre des prières d'Isaac Louria fut adopté par les Hassidim.

(2) Shabbataï Zevi (1625 / 1676), le mouvement qu'il déclencha en se proclament messie, inspiré de la doctrine messianique de Louria, désagrégea l'orthodoxie et bouleversa toute la vie juive. Malgré sa conversion à l'islamisme, son influence perdura sous le nom de Sabbatianisme.

Jacob Frank (1720 / 1791), mystique qui se considéra comme messie, réincarnation de Shabbataï Zevi, finit comme ce dernier par se convertir d'abord à l'islamisme puis au catholicisme.

(3) Martin Buber : *les Récits hassidiques* (Ed. du Rocher).
(4) Elie Wiesel : *Célébration hassidique* (Le Seuil).
(5) "Présences du judaïsme", Albin Michel.
(6) Rachel Ertel : *Une maisonnette au bord de la Vistule* et autres nouvelles du monde yiddish, "Présence du judaïsme", Albin Michel, 1988.
(7) Albin Michel, 1975.
(8) Ed. Liana Lévi / Scribe, 1991.
(9) Traduit du yiddish par Jacques Mandelbaum, Julliard 1992.
(10) In. Une maisonnette au bord de la Vistule.
(11) *Le Golem*, légendes du ghetto de Prague, trad. par François Ritter, J.H. Heitz, Strasbourg, 1928.
(12) Traduction de Delphine Bechtel, Julliard 1992.
(13) *Comédies du ghetto*, postface de Marie-Brunette Spire, Ed. Autrement 1997, *Le Roi des Schnorrers*, 10/18. *Tragédies du ghetto*, Ed. Autrement.
(14) In "Préparation de noce à la campagne". Folio.
(15) Trad. d'Ariel Sion, Ed. Liana Lévi 1996.
(16) Préface de Manès Sperber, Albin Michel 1972.
(17) *Pétersbourg*, préface de Stefan Zweig, trad. de l'allemand par Alexandre Vialatte (Belfond, 1985) *Varsovie*, trad. par Aby Wiewiorka et Henry Raczymov (Belfond, 1987) *Moscou*, trad. par Rachel Ertel (Belfond, 1989).
(18) Moïshe Kulbak : *Lundi*, trad. par Bernard Vaisbrot, préface de Rachel Ertel (l'Age d'Homme, 1982), *les Zelminiens*, trad. et préfacé par Régine Robin (Le Seuil "Domaine yiddish", 1988), David Bergelson : *Autour de la gare*, suivi de David Shur. Trad. et présentation de Régine Robin (l'Age d'Homme, 1982), Der Nister : *la Famille Machber*, 2 volumes (J.C. Lattès, 1974 / 1975).
(19) In. Une petite maison au bord de la Vistule.
(20) Trad. de Aby Wiewiorka et Henri Raczymow, préface de Henri Raczymow,
Le Seuil

(21) In. *Une maisonnette au bord de la Vistule.*
(22) Trad. par Marie Warszawski, postface de Lydie Lachenal, Liana Lévy, 1997.
(23) Illustré par l'auteur, Ed. Lachenal & Ritter, 1992.
(24) In . *Newyorkaises,* nouvelles traduites par Delphine Bechtel, Carole Ksiazenicer et Jacques Mandelbaum, préface de Carole Ksiazenicer, Julliard, 1993.
(25) Nouvelles traduites par Delphine Bechtel, Carole Ksiazenicer et Jacques Mandelbaum, Coll. "Domaine yiddish" Le Seuil 1987.
(26) Trad. par Nadia Déhan-Rotschild, Julliard 1993.
(27) Trad. par Charles Dobzynski, Rachel Ertel et collectif de Paris-VII, Le Seuil 1988.

UN CLASSIQUE DU ROMAN YIDDISH
Tévié le laitier
de Sholem Aleikhem

Voilà un écrivain qui commence sa carrière littéraire de la façon la plus saugrenue du monde. Il troque son patronyme, Sholem Rabinovitch, pour le nom de plume de Sholem Aleikhem. Un tel changement n'aurait rien d'extraordinaire en soi si, au lieu de distinguer celui qui l'opère, il n'avait eu pour objectif de le banaliser à l'extrême, de l'identifier avec tout un chacun, de ne lui donner présence, en somme, qu'au moyen de l'anonymat.

Il ne viendrait à personne l'idée de signer ses œuvres littéraires "Bien le bonjour", "Je vous salue", "Comment ça va"? ou "Grand bien vous fasse". Le poète portugais Fernando Pessoa s'appelait "personne" ce qui lui servit de prétexte à être plusieurs simultanément. Sholem Aleikhem choisit donc d'être "La paix-soit-avec-vous", cette formule immémoriale de politesse par laquelle les Juifs se saluent, en hébreu comme en yiddish. Une coutume de civilité qui a son équivalent exact en langue arabe avec "Salam Aleikoum".

Par cet auto-baptême, qui inclut un message de paix, en même temps que l'usage des mots y désigne l'étincelle de l'humour par quoi s'effectue leur mise à feu, Sholem Aleikhem ne s'affuble pas d'un masque. Il ne cherche pas à tout prix la popularité. Il se confond avec le peuple. Il s'approprie son langage si fertile en inventions spontanées. Il s'approprie sa manière d'être conviviale. Il ne s'affiche pas comme Monsieur Personne, mais veut être Monsieur Tout-le-Monde. Je suis celui qui est avec vous, dit-il. Porteur de paix. Du langage de la rue, Sholem Aleikhem se charge d'être à la fois le trésorier, l'archiviste et le transformateur. C'est ainsi qu'il prendra rang dans le trio des classiques de la littérature yiddish : Mendele Moikher Sforim (Mendele le colporteur-de-livres, alias Sholem-Jacob Abramovitch, auteur des *Voyages de Benjamin III*) et Itzhak-Leibousch Péretz, écrivain, dramaturge et poète majeur de l'époque.

La langue yiddish, au mitan du XIX° siècle, était encore considérée par beaucoup comme un jargon, amalgame d'allemand, d'hébreu, de termes slaves plus ou moins dégradés. Quant à la littérature, malgré l'ancienneté de l'héritage - au XVI° siècle, le poète juif vénitien Elie Lévita composa un roman de chevalerie en vers, le *Bovo Boukh* - elle n'avait pas encore trouvé un maître capable de la recréer, de l'investir du rôle d'interprète de tout un peuple et de la hisser au niveau européen.

* * *

Sholem Aleikhem naquit à Pereyeslav, en Ukraine, le 2 mars 1859, dans une famille relativement aisée. Ses premières années d'enfance furent heureuses, dans la bourgade de Voronovko, sise dans le district de Poltava. Il fréquenta le Heder, l'école traditionnelle, mais il n'avait que treize ans lorsqu'il perdit sa mère, emportée par le choléra. Son père s'étant remarié, le jeune Sholem fit l'expérience de ce qu'est une marâtre, créature de sexe féminin plus ou moins mâtinée de sorcière. Habité qu'il était déjà par le goût des mots, Sholem profitera de cette épreuve pour recueillir injures et truculentes imprécations, si abondantes en yiddish, qu'il réunira plus tard en un "glossaire" hilarant...

C'est à peu près l'âge où Sholem commença à écrire. Il a révélé que ce qui l'y poussait était une allergie : il ne pouvait pas voir en peinture une page blanche. Et cette phobie l'incitait, dès qu'une de ces feuilles outrageusement vierges lui tombait sous la main, à la revêtir rageusement de signes et à la peupler de réflexions. L'écriture est la locomotive de l'écriture. Un mot entraîne l'autre et le convoi se forme. Ecrire en yiddish en ce temps-là, était une gageure, une performance. D'ailleurs, avant de se risquer sur ce terrain peu balisé, Sholem s'esseya à la langue noble, le "loshn kudish", c'est-à-dire l'hébreu. Mais son souci de communiquer avec le plus grand nombre et de mettre à profit toutes les potentialités de la langue maternelle, le "mame loshn", le conduisit à adopter définitivement le yiddish comme moyen d'expression.

Il faut se représenter ce qu'était alors l'empire des Tsars. On l'a surnommé à juste titre "la prison des peuples", où régnait assez généralement l'oppression, la misère, le mépris et la persécution des minorités. On venait à peine d'abolir le servage - deux ans après la naissance de Sholem. Si les Russes, les Biélorusses ou les Ukrainiens étaient les détenus ordinaires de cette Bastille gigantesque, le sort des Juifs était pire : eux, ils étaient des détenus de seconde zone, exclus des grandes villes, cantonnés strictement dans la "zone de résidence" fixée par les autorités tsaristes. De cette zone, Sholem Aleikhem a donné une définition teintée d'amère ironie : "Zone bienheureuse où l'on a entassé des Juifs les uns sur les autres comme harengs en caque, en leur ordonnant de croître et de prospérer".

Les Juifs, bien entendu, ne demandaient pas mieux que de "prospérer", mais les multiples interdits, professionnels, sociaux, etc., les maintenaient dans une totale dépendance et dans la plus extrême pauvreté. Pauvreté matérielle, cela va sans dire, mais qui avait pour contrepartie, paradoxalement, la plus authentique des richesses : celle de l'esprit. Car en dépit de toutes les restrictions se manifestait une floraison intellectuelle et spirituelle sans précédent, un Age d'or de la création et de la connaissance dans tous les domaines.

Cependant les Juifs étaient fort mal vus - c'est un euphémisme ! - de leurs co-détenus non-Juifs, lesquels n'hésitaient pas à "leur faire la fête", suivant une méthode depuis longtemps éprouvée qui s'appelait pogrome. Le pogrome, plus ou moins manipulé par des provocateurs, téléguidé par la police locale, était à proprement parler une cérémonie expiatoire prenant prétexte de la mythologie chrétienne du "Juif déicide". En fait, ce rituel sacrificiel et fétichiste ressortissait à un paganisme très primitif et barbare, consistant à égorger le "bouc émissaire", le Juif servant d'exutoire à toutes les frustrations, toutes les haines, toutes les violences refoulées. Et lorsqu'on ne l'égorgeait pas, on l'éventrait, on l'enduisait de goudron ensuite recouvert de plumes (technique utilisée ailleurs à l'encontre des Noirs par le Ku Klux Klan). Bref, le Juif était la victime désignée de l'arbitraire, vouée aux sévices les plus cruels, qu'il habitât dans le shtetl ou dans la grande ville. Kichinew, dans l'actuelle Moldavie, est restée tristement célèbre pour le pogrome dont elle fut le théâtre en 1903 et dont le poète hébreu Chaïm-Nachman Bialik fit le sujet d'une œuvre prophétique et dantesque "La cité du massacre" (1).

L'antisémitisme tel qu'il existait sous forme endémique et se manifestait dans l'empire des Tsars, n'était pas seulement comme on l'a dit un "socialisme des imbéciles" mais une stratégie soigneusement élaborée par le gouvernement : la politique de la diversion et la bureaucratisation de la terreur auront la postérité que l'on sait.

L'un des épisodes les plus saisissants de *Tévié le laitier* nous montre qu'il est illusoire de chercher des accommodements avec le diable, même lorsque celui-ci fait patte de velours. Tévié est trop estimé de ses concitoyens pour que l'on veuille réellement lui faire du mal. C'est pourquoi le staroste et les notables qui viennent l'avertir de l'imminence d'un pogrome, lui témoignent beaucoup de bienveillance et de sollicitude en lui proposant de décider lui-même "à quelle sauce il sera mangé". C'est ici que Sholem Aleichem atteint le plus haut degré de son art, en faisant exploser, au cœur même de l'absurde, le noyau du tragique. En transformant ce qui semblerait un tableau de mœurs villageoises, un gag d'écriture, en démaquillage sans merci de ce qui est pour chaque foyer juif l'horreur latente, l'invisible épée de Damoclès suspendue au-dessus de chaque tête. On voit alors que sous le masque souriant de la bouffonnerie, ce sont les problèmes les plus sérieux, les plus angoissants, que l'écrivain traite au moyen de la litote ou de la métonymie, sans que rien ne pèse ou ne pose dans son style.

* * *

Tout de même, Nicolas 1er, parangon du despotisme, avait fini par disparaître, et la même année, 1855, s'achevait la guerre de Crimée. Une légère brise de réforme souffla sur l'empire-étouffoir. Après l'abolition du servage, en 1861, on autorisa quelques privilégiés parmi les Juifs, appartenant au commerce ou aux professions libérales, à envoyer leur fils au lycée d'Etat et à l'Université, jusqu'alors complètement verrouillés, moyennant le maintien du "numerus clausus".

Sholem Aleikhem bénéficia de cette faveur. Il décrocha une bourse d'études et put entrer dans l'enseignement secondaire, tout en donnant des leçons particulières pour améliorer l'ordinaire. Il se mit à dévorer la littérature russe, la littérature mondiale. Il s'était déjà initié à l'esprit libéral et rationaliste de la Haskala, ce mouvement qui avait répandu parmi les communautés juives l'idéologie, le goût des connaissances du Siècle des lumières. Le père de Sholem en avait lui-même reçu l'influence. Et malgré les polémiques qu'elle continuait de susciter (on lui reprochait de conduire à l'assimilation, à la perte d'identité juive), la Haskala jouait toujours son rôle émancipateur.

La maigre fortune de la famille Rabinovitch avait fondu comme neige au soleil. A une demi-aisance avait succédé une pauvreté à part entière et Sholem Aleikhem, à l'instar de Gorki (qu'il rencontrera beaucoup plus tard), dut s'atteler à gagner son pain, à quérir un emploi. Il vécut d'expédients avant d'obtenir un poste de précepteur à Sofievka, chez un certain Loïev, un Juif des plus cossus, administrateur de domaines. Il y demeura près de trois ans. C'est ici que commença pour Sholem une aventure sentimentale riche en péripéties qui lui montra qu'être fougueux dans l'amour d'une jolie fille ne suffit pas, quand on est gueux, à l'emporter, et que si l'argent n'est pas tout dans le mariage, il peut en être la clé d'or...

Sholem avait succombé au charme de son élève, Hodl - autrement dit Olga - qui fut loin d'être insensible à cette passion. Or, le puissant Loïev ne l'entendait pas de cette oreille. Comment un godelureau sans-le-sou, vaguement scribouilleur, presque un "schnorrer" (le mendiant ou le "tapeur" de la légende) pouvait-il prétendre à devenir son gendre ? Un beau matin, le précepteur amoureux fut éconduit au moyen d'une enveloppe qui contenait un peu d'argent et l'ordre de décamper.

Sholem, déconfit mais fier, fila donc en traîneau. Le bonheur n'était que partie remise : il épouserait sa bien-aimée Olga quelques années plus tard, en 1883.

En attendant, sans ressources et à ses risques et périls (rafles et arrestations étaient le lot de vagabonds de son espèce), il se mit à errer dans Kiew, métropole interdite aux Juifs, et par conséquent attirante. Il y connut quelques déboires, tomba, comme secrétaire, dans les filets d'un avocat marron, dans une bourgade proche de Kiew. Sa quête finit par aboutir au poste de rabbin administratif qui échut à Sholem dans la bourgade de Louben, toujours dans la région de Poltava. Cette fonction était rien moins qu'une sinécure : elle consistait à tenir à jour le registre d'état-civil de la population juive et à représenter celle-ci dans les cérémonies officielles. Travail ingrat de gratte-papier, certes, mais en même temps, source d'inépuisables découvertes, d'expériences humaines dont l'écrivain en herbe allait prendre de la graine, comme le médecin Anton Tchekhov au cours de ses périples.

Sholem baignait dans le quotidien des Juifs les plus humbles, les plus démunis, comme dans un bouillon d'authentique culture, saturé par la singularité et la diversité des comportements, l'inimitable saveur d'un langage parlé que Sholem se gardera de reproduire purement et simplement à la façon d'un décalque, mais dont il saura saisir et synthétiser l'essence même, ce mélange composite de sagesse et de naïveté, cette mixture de locutions, si colorée et prolixe en métaphores, empruntée à l'hébreu, au russe, à l'ukrainien, refondue au creuset de l'usage commun et qui deviendra la matière même et le levain de l'expression orale chez Tévié le laitier par exemple.

Cette intime relation avec le microcosme populaire va jouer un rôle dynamique dans la formation de l'écrivain. Dès 1879, il avait donné des "correspondances" au journal hébreu *Hazfira*. En 1881, c'est son premier article, publié dans un autre journal hébreu *Hamelitz*. Mais après son mariage avec Olga, à Kiew, il bifurque vers le yiddish et publie sa première nouvelle en cette langue, qu'il n'abandonnera plus jamais, dans le journal *Folksblat* auquel il ne cesse d'ailleurs - ayant renoncé au rabbinat - de donner des contes, des feuilletons, des poèmes, des chroniques. Il publie également en russe dans *Evreiskoe Obozrenie* (La revue juive). Il convient de préciser ici que le grand classique yiddish sera également considéré comme un classique russe et que sa popularité, dans les deux langues, sera immense et durable.

Le vieux Loïev, beau-père à contre-cœur - mais résigné - de Sholem Aleikhem, lui laissa en mourant (en 1885) un substantiel héritage. Ce qui incita l'écrivain, d'une part - la meilleure - à fonder la célèbre "Bibliothèque populaire juive" où il édita ses propres œuvres, notamment le roman *Stempeniou*, mais aussi beaucoup d'autres auteurs contribuant à l'essor de la littérature yiddish. D'autre part - avec moins de succès - il entreprit de se lancer dans le négoce. Il était naturellement moins doué pour le commerce du blé, du sucre, ou pour la spéculation boursière, que pour le commerce des Lettres, si bien qu'ayant jeté sa monnaie par-dessus les moulins, il ne tarda pas à se retrouver ruiné gros-jean comme devant...

Il n'est pas dans mon intention de raconter par le menu cette suite de réussites et de déconvenues qu'est toute la vie de Sholem Aleikhem, ses nombreux voyages dans toute l'Europe et en Amérique du Nord, la popularité croissante que lui valurent ses romans et nouvelles, lesquelles, grâce à de multiples traductions, vont trouver une audience de plus en plus vaste, juive et non-juive. Jusqu'à son dernier souffle - il meurt le 13 mai 1916 à New York, très affecté par la guerre qui ravage le vieux continent ; ses obsèques rassembleront pour un dernier hommage une foule de centaines de milliers de personnes - l'écrivain accomplira la mission qu'il s'est fixée depuis sa prime jeunesse : être par l'écrit l'interprète de son peuple, son peintre le plus véridique, et, d'une certaine manière, son psychanalyste. On pourrait définir son rôle non point comme celui d'un porte-parole, mais d'un transforme-parole, car il ne s'est jamais contenté de la transmettre.

Même malade - il est atteint de tuberculose, des accès de fièvre le contraignent de séjourner à Nervi, en Italie, où en 1908, sera fêté le vingt-cinquième anniversaire de son activité littéraire - il travaille inlassablement, sillonne la Russie, l'Ukraine, la Pologne, la Lituanie, donne des conférences, noue des relations amicales avec Mendele Moikher Sforim et plus conflictuelles avec I.L. Péretz, les deux autres chefs de file du renouveau littéraire yiddish. Il correspond avec de grands écrivains russes : Tolstoï et Tchékhov, rencontre Maxime Gorki, Léonid Andréev, Alexandre Kouprine et publie, publie sans relâche, contes, monologues, pièces de théâtre : deux de ses comédies : *Le Vaurien ou Samuel Pasternak* - autrement intitulée *Yaknaz ou le grand boursier* - et *Stempeniou*, seront jouées en 1907 à New York. Et, bien sûr, des romans : *Tevié le laitier, Lettres de Ménahem Mendel à Chaïne-Chaïndel, Motel, fils du chantre, le Déluge, la Plaisanterie sanglante, Etoiles errantes, Contes ferroviaires* (2), l'autobiographie *Retour de la foire*, etc...

Certaines de ces pages - *Si j'étais Rothschild*, par exemple, monologue devenu proverbial - et quelques-uns de ses chefs-d'œuvre se graveront dans la mémoire collective. Sholem Aleikhem n'est pas seulement un écrivain réputé et, par beaucoup vénéré. C'est un phénomène. Les lecteurs français peuvent difficilement en prendre mesure car l'auteur n'a été pendant longtemps traduit qu'avec parcimonie. On ne connaissait de cette œuvre foisonnante que le sommet de l'iceberg. Il aura fallu attendre une pléiade de jeunes traducteurs, formés à l'Université - à cet égard, il faut saluer le rôle capital joué dans l'enseignement du yiddish par Rachel Ertel et Itzhak Niborski - pour que d'importants éditeurs s'intéressent aux inédits de Sholem Aleikhem. C'est ainsi que l'on a vu successivement paraître : *Contes ferroviaires,* traduction de Nadia Déhan, Louisette Kahane-Dajczer, Jacques Mandelbaum, Mathilde Mann et Viviane Siman (2), *La peste soit de l'Amérique (et de quelques autres lieux...)* traduit par Nadia Déhan (2) et *Gens de Kasrilevke,* traduit par Jacques Mandelbaum pour la collection de littérature yiddish que dirigea Rachel Ertel chez Julliard, après avoir animé aux Editions du Seuil, le "Domaine yiddish". D'autre part, en 1991, dans la collection "Les grands romans de la liberté", Messidor publia une nouvelle version française de *Tevie le laitier* traduite par Colette Stoïanov et Dora Sanadzé, traduction revue par mes soins et complétée du chapitre final qui manquait.

Un classique du roman yiddish : Tévié le laitier

* * *

A quoi tient pareille gloire, ou plutôt pareil rayonnement qui ne s'est jamais démenti ? Même en chinois, Sholem Aleikhem fait un tabac et *Tévié* y est presque aussi familier que *AH Q* !

C'est que non seulement les Juifs, dans leur ensemble - ceux de la diaspora - se sont d'emblée reconnus dans le miroir profond, mobile, et plus complexe qu'il n'y paraît, qu'a ciselée la vision mythique et fantasmatique de Sholem Aleikhem. Mais n'importe quel autre lecteur, à quelque bout du monde, à quelque groupe ethnique qu'il appartienne, ne peut manquer de découvrir dans l'œuvre une part de soi-même, un écho d'universalité. Si bien que ce langage à qui, pour être spécifiquement juif, rien d'humain n'est étranger, trouve dans l'humanité de partout son estuaire naturel.

Si l'on peut parler d'une "âme juive", Sholem Aleikhem dans le filet des mots l'a habilement capturée : il rend à chacun visibles les diaprures de cet hypothétique papillon. Diaprures des larmes. Diaprures du sang. Diaprures du rêve. Mais ce qu'il a surtout su peindre comme personne, c'est la "rue juive", la vie juive, celle des villages et des grandes villes à quoi il attribue des noms cocasses, judéo-ukrainiens : Yehoupetz, Boïberik, Kasrilevke, Anatevka, Kozodoevke ou Zlodoevke, relais pittoresques d'une toponymie imaginaire mais d'une géographie qui ne l'est pas tout à fait, bien qu'elle ne figure sur aucune carte, lieux dérisoires et attachants de cette comédie juive que l'écrivain compose et qui s'intègre à la plus générale "comédie humaine". Cette comédie juive, extrapolation de la condition juive, son œil malicieux en perçoit les aspects contrastés, surprenants, le dénuement et la fantaisie, l'irréductible messianisme et le sens pratique, la folie des grandeurs et la religiosité ingénue que parasitent une insondable crédulité et le vertige de l'illusoire.

L'écrivain les symbolise par des personnages d'une si criante et cruelle vérité qu'ils en deviennent inoubliables, par des situations qui ne peuvent se comparer, pour leur dimension comique et les ressorts conscients et inconscients qu'elles mettent en œuvre, qu'aux meilleures scènes de Gogol,

Dickens, Mark Twain et Charlie Chaplin.

Ces personnages, portraits-types (mais non portraits-robots !) traités avec une justesse de dessin et une finesse d'observation psychologique dignes de La Bruyère, Sholem Aleikhem les prélève dans la cohorte des humbles, voire des misérables qui hantent le shtetl : traîne-la-faim, va-nu-pieds, pique-assiettes et songes-creux, ces derniers n'étant pas les moins significatifs.

A cette catégorie appartiennent d'ailleurs deux des héros - ou plutôt des "anti-héros" - les plus caractéristiques de l'univers d'Aleichem : Menahem-Mendel, surnommé "le rêveur" et Tévié le laitier. Pour dissemblables, voire antinomiques qu'ils soient dans leur manière d'être et leur imaginaire, ce sont deux facettes complémentaires d'un même prisme, deux incarnations d'une judéité contradictoire. Chacun à sa façon représente ce que l'on pourrait appeler le "Juif de base", la brique fondamentale d'une communauté et tous les éléments qui s'y intègrent : espoirs, aspirations, souffrances et blessures secrètes, ambitions irrationnelles, rêves qui ont la bouche plus grande que le ventre, etc.

Menahem-Mendel, dont Sholem Aleikhem nous conte les mésaventures sur le mode burlesque, est ce qu'on appelle en yiddish un "luftmensch" un homme de l'air, ou plutôt un homme en l'air, léger comme duvet et qui agite du vent, dresse des plans sur la comète, Icare volant vers un soleil qui serait un sac d'or et qui voit ses ailes fondre en chemin. A la poursuite d'une unique chimère : la fortune, la réussite, il ne cesse de fuir la médiocre, l'indigente réalité du monde quotidien. Il le survole, magnifique d'audace et d'inconscience, tel un ange de Chagall, et il est clair qu'il va se casser la figure sur le premier obstacle...

S'il réussit à s'évader de la "zone de résidence" pour joindre Kiew, Odessa et même Londres ou New York, s'il confie ses émerveillements et ses déconvenues à Chaïné-Chaïndel, l'épouse restée au bercail, avec laquelle il échange une correspondance d'une irrésistible drôlerie, Menahem-Mendel ne parvient pourtant pas à infléchir le destin, dans son ignorance des plus élémentaires rouages de l'économie. Les mécanismes obscurs du négoce ou de la Bourse forment une toile d'araignée où il est pris comme une mouche. Sa fascination pour le mirage de la finance, de la spéculation, a pour effet de l'éblouir, de l'aveugler, mais dépourvu de toute compétence, il est condamné à l'échec.

Tévié, lui, borne son ambition, semble-t-il, à effectuer sans histoire sa tournée matinale avec sa guimbarde et son vieux cheval, livrant beurre, lait et fromages à une clientèle d'habitués. Mais pour sa part il n'ignore pas que le pouvoir de l'argent - c'est un mur auquel il s'est souvent heurté - est l'axe de la société. Il en parle ou y fait allusion avec une certaine insistance, le plus souvent par le biais de citations bibliques plus ou moins "perverties" dont il fait un usage systématique et - presque - immodéré...

C'est justement cette pratique de l'antiphrase, de la dérision, de l'humour (la politesse du désespoir a-t-on dit) qui lui permet de survivre dans un monde sans pitié pour le miséreux.

Tévié s'écrie : "Comme dit la prière, l'argent et l'or sont l'œuvre des hommes" et "c'est l'argent qui perd l'humanité". Ce "comme dit la prière", alternant avec "comme dit le Talmud" (Plus on a de biens plus on a de soucis énonce le commentaire) est le bouclier d'une conscience à qui l'éthique est indispensable et qui ne peut accepter la réalité telle qu'elle est, si ostensiblement gouvernée par l'injustice, qu'à la seule condition qu'elle résulte de la fatalité, ou qu'elle soit cautionnée par les Saintes Ecritures. "L'homme n'est pas le maître de sa vie", affirme Tévié. Mais qu'on ne s'y trompe pas : il ne s'agit nullement ici d'un pur et simple acquiescement au sort commun. Dans son perpétuel dialogue avec Dieu, Tévié lui trouve des excuses, lui fabrique des alibis en béton, pour tous les mauvais coups qu'il lui arrive d'encaisser. Mais, en même temps, ces alibis, il a l'ingéniosité de s'en servir pour son propre compte : "Le malheur partagé est plus facile à supporter" ou encore : "Si Dieu nous a donné la raison c'est pour que nous nous posions des questions..."

On voit poindre ici ce qui différencie Tévié de Menahem-Mendel : une autre conception de la morale quotidienne, et de fait, contradictoirement avec tous les dogmes et préceptes qui ligotent la vie juive, un admirable pragmatisme, sereinement assumé. Celui-ci, chez Tévié, est à l'origine de ses élans spontanés, révolte, non-conformisme, liberté de pensée qui lui fera, contre ses propres convictions, comprendre et adopter le point de vue de l'une ou l'autre de ses filles. Aucune réponse, en effet, n'est donnée d'avance, mais il importe de se "poser des questions".

En fin de compte, qui est Tévié ? D'abord, un brave type, un type représentatif - non point image d'Epinal - de père juif. De père ? Comment ça ? N'est-ce pas la mère juive qui est d'ordinaire le personnage privilégié ? La mère juive, une vraie légende qui n'a cessé d'occuper les scènes, les écrans, les livres, les citations, les proverbes... La mère juive, à elle seule une institution ! Mélange de mère-poule et de père Noël, vouée, dévouée, nouée tout entière à ses enfants comme le chèvrefeuille l'est à la façade d'une maison. Clouée à leur destin comme sur une croix et veillant sur eux comme à la prunelle de ses yeux. Elle est gardienne de l'enfance comme Cerbère est gardien de l'enfer... D'où sa réputation de mère possessive, à tendance abusive, à tel point possédée par la passion de ses enfants qu'elle tend à les posséder dans l'absolu, jusqu'au trognon...

Elle ne quittera pas sa progéniture d'une semelle, d'une paupière, morigénante, roucoulante et rugissante, tour à tour colombe et tigresse, douceur et fureur, bâtissant de toute sa vie un abri protecteur de tendresse et d'exigence pour ces fragiles oiselets qui voudraient bien pourtant voler de leurs propres ailes, mais que retient l'aimant du trop-d'amour, comme l'évoque un poème d'Itzik Manguer, "Sur la route un arbre" :

> Et tristement je regarde
> En ses yeux si beaux
> Son amour même m'empêche
> De devenir oiseau...

Admettons-le : la chose est jugée. Mais quid le père juif ? C'est lui que Sholem Aleikhem place au-devant de la scène, contrairement à la tradition, en laissant la mère dans une sorte de douce pénombre. Père juif, Tévié est un homme raisonnable. Il ne couve pas ses enfants, ne les recouvre pas de la chape d'une trop pesante ou sirupeuse sentimentalité. Mais il croit essentiellement de son devoir de leur assurer une existence meilleure que la sienne, une situation plus enviable, un rang dans la société du shtetl qui leur permette à la fois de préserver l'acquis et d'obtenir du destin un petit supplément de bien-être, un avantage que soi-même on n'a pu arracher, par malchance ou par maladresse, à la loterie du quotidien.

Tévié, tout comme Ménahem-Mendel, est un "schlemihl", un malchanceux, mais d'une espèce différente. D'abord parce qu'il a pleine conscience de sa malchance : "Avec Tévié un malheur ne vient jamais seul, il en cache toujours un autre". Mais aussi parce qu'il s'abstient, en règle générale, d'échafauder des projets faramineux. Lui, il a les pieds sur la terre. Son sens de la dignité lui interdit de sortir de son rang et lui impose de limiter ses prétentions. Ce sont ses filles qui mènent la danse et quelquefois le précipitent dans l'imprévisible, l'inconnu, le périlleux.

Cinq filles : cinq fois un avenir à assurer et une unique préoccupation pour Tévié. Cinq filles à marier. Paternel travail de Sisyphe ! Cinq filles à qui il faut coûte que coûte ménager, par un mariage satisfaisant, une position sociale dont leur père puisse légitimement s'enorgueillir.

Et Golda, l'épouse fidèle, si attentionnée, toujours disponible, toujours à l'écoute des doléances, réceptive, à toutes choses à demi-tues, à demi-sues, quel est son rôle dans ce mélodrame où l'on pourrait déceler, lointainement, parodiquement, des réminiscences du *Roi Lear* ? Elle y participe, certes, mais un peu comme le secondant d'un tournoi d'échecs. Toujours présente, mais un peu en retrait. C'est elle qui conseille, qui influe, qui nuance, qui apaise quand cela fait très mal. Et c'est elle le dernier recours.

Tévié et sa haridelle. Tévié et ses filles. Un chemin tortueux : telle est la vie. Les demoiselles sont les fleurons d'une nouvelle génération, peut-être une génération perdue, en tout cas contaminée par le virus de la contestation, de l'irrespect, de la révolte à l'égard des valeurs les plus sacrées. Elles s'obstinent à n'en faire qu'à leur tête, selon leur cœur. Un scandale dans la famille juive matriarcale ! Le cœur de Tévié est bon comme pain d'épices, mais il lui arrive de réagir mal à la contrariété. Il n'admet pas aisément que l'on s'écarte du droit chemin. Cinq filles, une volée d'hirondelles qui au lieu d'annoncer le printemps annonce le désagrément, quand ce n'est pas le malheur ! Allez savoir ce qui se passe en ces âmes brouillonnes ! Et voilà que l'une prend la clé des champs avec un jeune et sympathique révolutionnaire, tellement éprise qu'elle n'hésite pas à l'accompagner jusque dans l'exil, au fin fond de la Sibérie. Et une autre, ô malédiction, décide, sans même consulter Tévié, d'épouser un goy, s'excluant par là-même de la communauté, où l'on ne badine pas avec ce genre de mésalliance, et contraignant son père à devoir la renier.

Tévié, d'une certaine façon, c'est le Job des temps modernes. En butte à l'adversité. Mais il l'affronte avec courage. Il ne se résigne pas. Il ne courbe jamais l'échine. S'il lui arrive de chanceler sous les coups, en son for intérieur, la cruauté du sort ne tirera de lui ni une larme ni une plainte, ni un apitoiement sur soi. Bien qu'il soit loin d'être toujours lucide, dominateur et sûr de lui, il reste stoïque et répond à tous les maux par de bons mots ou de bonnes citations du Talmud. L'homme n'est certes pas inébranlable, mais sa philosophie du quotidien est fondée sur un optimisme qui resurgit toujours comme un diable de sa boîte, un optimisme non béat, plus proche de Spinoza que d'Epicure. Un optimisme qui ne se paie pas de grands mots, mais de mots justes, ajustés comme des flèches. Pour faire face aux événements, Tévié ne néglige aucune des ressources d'une dialectique, d'une subtilité, héritées du Pentateuque et du Talmud.

Pour Sholem Aleikhem, le jeu consiste à faire dialoguer le personnage et l'auteur comme s'ils poursuivaient, de chapitre en chapitre, une conversation familière. Ce n'est pas l'écrivain - cantonné au rôle de "faire-valoir" - qui démontre ici son inépuisable érudition, mais le personnage qui, littéralement, parle comme un livre. Tévié, en effet, émaille ses propos d'une étincelante variété d'adages, de dictons, de proverbes, qui semblent à première vue des "psukim", des versets du Pentateuque. Mais le plus souvent, ce sont des similis, des simulacres, une pratique, avant la lettre du "mentir-vrai" qui serait un prêcher-faux...

Ces pseudo-versets, remis en situation, adaptés à l'improviste à telle ou telle circonstance, c'est-à-dire sciemment défigurés, recomposés, mêlant allégrement l'hébreu, le yiddish, le russe, l'ukrainien ou même le polonais, forment un prodigieux patchwork verbal, collage de langue profane et de langue sacrée, de causticité et d'astuce, de calembours et de coqs-à-l'âne qui ont fait la joie des lecteurs yiddish à qui s'adressaient ces clins d'yeux et ces crocs-en-jambe au savoir académique et à la langue châtiée.

De ces performances et de ces incongruités très calculées, l'écriture de Sholem Aleikhem tire une grande part de sa vertu satirique et de son pouvoir de déflagration par l'humour.

Or, la plupart du temps, ces qualités originelles s'évanouissent à la traduction ou se trouvent laminées. La traduction de *Tévié*, en raison même de ces innovations langagières, s'avère un pari impossible. Il n'en va pas tout à fait de même en langue russe où l'histoire culturelle et le système de référence sont plus proches. La popularité de *Tévié le laitier* en Russie ne s'est jamais démentie, grâce à d'excellentes traductions qui ont rendu non point "transparent" mais intelligible, et délectable, sans recours à un pseudo "accent" qui le singularise. Le cas de l'ancienne traduction, d'ailleurs incomplète, d'Edmond Fleg, est particulier. Il opta pour une version en un dialecte judéo-français sur le modèle du judéo-alsacien qui était sa langue familiale. Expérience aléatoire et résultat consternant : créé de toute pièce, ce jargon "régional" modulé par un "accent" altérait irrémédiablement le texte dans le sens du pittoresque le plus douteux (3).

L'invention d'écriture de l'auteur est difficilement transmissible. Ce sont les situations qui "parlent d'elles-mêmes" et ce n'est pas si mal, car le rire, ce diamant, continue d'y scintiller. La puissance du comique s'y trouve préservée.

La lecture de *Tévié* procure le plaisir de l'esprit et l'émotion. On apprécie la solidité et la qualité d'une œuvre capable de franchir les barrages linguistiques. Sans doute, tel ou tel aspect, inéluctablement, sera daté, aura vieilli. C'est le lot des classiques. Mais on comprend pourquoi de récentes adaptations à la scène ont connu un retentissant succès public. La version originale de *Tévié le laitier*, celle du roman, reste valable parce qu'elle comporte ce ferment d'humanité, cette figure héroï-comique qui est de tous les temps, comme Charlot ou Don Quichotte. Et à l'intérieur des mots, cette réaction en chaîne du rire qui entretient l'énergie de l'étoile et lui permet de répandre jusqu'à nous sa lumière et sa généreuse chaleur.

NOTES

(1) Voir *Le Miroir d'un peuple*, Ed. du Seuil.
(2) Liana Lévi. Ed. du Scribe.
(3) *Un violon sur le toit.* Ed. Christian Bourgois 10 / 18.

H. Leivick,
UNE VOIX ESSENTIELLE DE LA CONTINUITÉ

Leivick Halpern, qui devint Leivick tout court, commença à écrire ses poèmes en hébreu. Il n'avait que quinze ans lorsque dans un geste de colère et de protestation - l'adolescent ayant perdu la foi venait de son propre chef d'abandonner la yeshiva où il étudiait - son père déchira les cahiers remplis des premiers essais poétiques du jeune talmudiste. Geste sacrificiel qui semble reconduire, à l'échelle du profane, celui d'Abraham. Leivick écolier, n'avait-il pas un jour, tremblant d'émotion, demandé au héder à son maître : "Et si l'ange qui retint la main d'Abraham était intervenu un instant trop tard ? Dans sa relation au père, si tourmentée (on en trouve la trace dans les portraits et le long monologue du récit autobiographique *Dans les bagnes du tzar*, document qui se situe dans la lignée des *Souvenirs de la maison des morts* de Dostoïevski, mais où l'on peut voir aussi la préfiguration de Soljénitsyne), il est certain que cet acte va peser, influer sur la notion de justice, le rapport du bien et du mal, qui hantent l'œuvre de Leivick.

Le poète, né en 1888 à Ihumen, une très pauvre bourgade de la région de Minsk fut un rebelle précoce : rebelle contre le "créateur" et par voie de conséquence contre le père, il rompt avec l'enseignement religieux, choisit d'écrire en yiddish, par opposition à la langue de la piété et du savoir. De rebelle, il devient révolté, puis révolutionnaire. Il paiera son militantisme à l'âge de dix-huit ans par la geôle où il fut d'abord jeté à Minsk, avant d'être condamné à la déportation à vie. Commence alors le long périple des forçats enchaînés les uns aux autres, comme c'était la règle, une terrible expérience où les hommes étaient harcelés par la faim, le froid, la détresse et le désespoir. Leivick n'oubliera jamais la traversée des steppes enneigées, les six années d'exil passées au bord de la Léna. Au milieu de l'enfer, paradoxalement, il découvre la beauté, celle d'une nature sauvage, celle de la nature humaine capable de résister aux pires conditions. Mais c'est pour lui le symbole d'une "beauté outragée". Il parviendra enfin à s'enfuir en traîneau à travers la taïga glacée et à rejoindre, après bien des tribulations, cette Amérique où l'on s'était cotisé dans les milieux ouvriers pour lui permettre d'acheter un cheval...

De la prison, il se souviendra amèrement dans "Sous les verrous" :

> Je n'ai pas fui, je n'ai pas fui les hommes
> Chacun peu devenir mon hôte.

Rien de plus vrai que ce credo : être toujours proche des hommes et pouvoir accueillir chacun d'eux, non point en visiteur étranger ou en Messie, mais en frère, peut-être porteur d'un message, d'un sens à déchiffrer et à partager. Cela s'appelle une philosophie. Cela s'appelle un humanisme. Une éthique qui fait la synthèse de l'élément divin et de l'élément humain, et dont le poète ne s'est jamais départi, jusqu'à son dernier souffle, sur un lit d'hôpital à Denver, où il gisait à demi paralysé, réduit au mutisme, mais capable encore d'exprimer cette exigence : "rendez à la figure humaine tout ce qu'elle a perdu".

Aucun poète plus que Leivick ne s'est à ce point identifié à la langue yiddish, en faisant vibrer toutes les touches et toutes les virtualités du clavier, les délicates, les secrètes, les impérieuses. Il se peut que sans lui la poésie yiddish n'aurait pas tout à fait la même présence au monde, la même puissance, et n'aurait pas atteint sa pleine dimension, celle en même temps de la judéité revendiquée et de l'universalité assumée. Victor Hugo voulait que le poète fût de son siècle un "écho sonore". Leivick a été pour son peuple cet écho, l'écho de ses rêves, de ses espérances, de ses souffrances, de ses cris étouffés. Il fut en cela l'héritier et le continuateur inspiré de I.L. Péretz.

Pour lui, en effet, seule la poésie est un acte de foi. C'est elle qui se charge du sacerdoce d'incarner et d'éveiller la conscience, elle joue le rôle qui fut celui de la prière, celle-ci n'étant plus que l'apanage du rituel. Le propre de Leivitck, dans sa vocation de guide spirituel, c'est de savoir s'identifier totalement aux autres, de ressentir, plus intensément que quiconque, les tourments et les contradictions de la vie, comme les séismes de l'histoire, l'enchevêtrement et l'interversion du bien et du mal, du rôle du bourreau et du rôle de la victime, dont il a montré dans *La comédie de la Rédemption* que c'était une caractéristique de notre époque où la victime d'hier prend la place du bourreau d'aujourd'hui, tandis que faux prophètes et faux messies tentent d'imposer un autre détournement des valeurs.

Ce que le poète éprouvait, il savait le traduire dans un langage qui joue tantôt de la concision et de l'ellipse, tantôt de l'ampleur du lyrisme et de l'allégorie, mais un lyrisme généralement exempt de pathos, un lyrisme de penseur et de moraliste. La prosodie de Leivick se situe aux antipodes de la sophistication et de l'esthétisme, mais elle est soigneusement élaborée et s'articule dans ses poèmes sur un vers lapidaire. Le laconisme, les syncopes, les élisions, rendent l'expression plus percutante et permettent au poète de cerner l'essentiel, de donner une voix, une matérialité, un sillage à cet au-delà de la parole qui se trouve à l'intersection de tous les silences et que l'on nomme l'indicible.

Leivick a donné une voix à la souffrance de l'individu et à la souffrance de son peuple persécuté, humilié. Il nous dit : "Tout ce qui est humilié devient digne, capital. Et chaque déchirement devient lui-même union".

Mais cette voix ne porte ni plainte ni supplication. Elle appartient à la nécessité d'être. La souffrance est ce langage de la nuit que seule peut transmettre, plus que de la compassion, la passion de la lumière. Leivick, qui a fait de la notion de salut et de rédemption l'un de ses thèmes fondamentaux, s'explique ainsi quant à la souffrance :

"Peut-être, au fond, ce qu'il y a de plus beau est-il dans la souffrance, même s'il nous semble que nous souffrons pour rien".

La souffrance est un chemin qui passe par les hommes, mais qui passe aussi par Dieu, ce Dieu avec lequel le poète ne cesse de dialoguer, et qu'il tutoie, afin de rendre proche ce lointain : "Toi le Dieu, moi le ver". La sanctification du Nom est au prix de cette humilité et de cette identification dans l'absolu : si Dieu est en nous, c'est que nous sommes en lui. Chemin obligé ou prédestiné de toute rédemption, la souffrance calcine l'esprit et décante l'âme. Elle est le point névralgique à partir duquel l'abstrait et le concret, la matière et l'esprit, le raisonnement et l'intuition cessent d'être antagonistes. C'est à cette convergence que l'être se reconnaît en ce qu'il a de vulnérable, d'éphémère, de mortel. Le miroir que lui tend sa précarité est en même temps ce qui lui permet de la sublimer, d'ériger un rempart contre ce qui amoindrit et corrode l'esprit.

Ce qui hante Leivick, en même temps que l'idée de souffrance, est l'idée de culpabilité qui commande la quête du salut et de la purification. Bien qu'il ait eu la prescience du cataclysme qui allait frapper le peuple juif - dans "La nuit hitlérienne" il voit que "le soleil sombre dans une croix gammée / L'Occident se noie dans le sang" - Leivick n'a été de l'extermination qu'un observateur éloigné, donc impuissant, et pour dire le remords ravageur qu'il en conçoit, il se définit comme un "candidat à Treblinka" :

> A Treblinka je ne suis pas allé,
> Je n'étais pas non plus à Maïdanek.
> Mais je suis debout sur le seuil
> Devant l'entrée.

Ainsi trouve sa justification le rôle de témoin des martyrs et de vigile de la mémoire qu'il s'assigne. Et sous le règne de la cendre, sa poésie devient braise, souffle ardent, rappelant l'interminable succession des massacres, des pogromes, des immolations par le feu :

> Ton père c'est moi - ton père de feu,
> Ta mère c'est moi - ta mère de feu.
> Ton père qui de toi fit un Juif par le feu,
> Ta mère qui t'a nourri d'un lait de feu.

Le langage se fait alors spirale de flamme, litanie au cœur de laquelle la poésie est resurgissement, phénix qui reprend vie de sa consumation. Cette résurrection n'a de sens que sous le signe du sacré. Or le sacré suppose lui aussi l'acquiescement au sacrifice : "afin de vivre dans le sacré, il faut quelque chose de plus que des paroles chantées... En regard des pleurs de votre peau, de vos membres, les pleurs de ma conscience sont ridicules".

Leivick, poète du sacré, s'avère également un des grands poètes yiddish de l'amour, dans l'un de ses chefs-d'œuvre, *Héloïse et Abélard*, drame composé de séquences dialoguées, lyriques, ou de strophes aux vers brefs, jouant des entrelacs phonétiques et des crépitements électriques du verbe comme certains poèmes de Marina Tsvetaeva. Longtemps soumise au rigorisme qui résultait des contraintes religieuses et familiales, la poésie yiddish s'est montrée réservée dans le lyrisme amoureux, la prudence d'expression contribuant à la sauvegarde des tabous touchant la sexualité. Le corps, pratiquement, était exclu du langage, pulsions muselées, réduit à la chorégraphie des habitudes, au frôlement idéalisé de l'érotisme. Si le physique, tenu en lisière, conduit au métaphysique, c'est par le truchement du concept. Le désir charnel écarté couve pourtant sous la cendre.

Leivick, s'inspirant de l'histoire d'Abélard, théologien du XII° siècle, séparé de sa bien-aimée suite à la mutilation subie, rend au désir toute sa présence et toute son intensité. Il n'exalte certes pas la passion avec la violence et les précisions naturalistes d'un Meylekh Ravitch dans son *Chant au corps humain*, ou comme Many-Leib dans son *Anneau de sonnets*, ciselé dans les touffeurs et les ambiguïtés baudelairiennes, mais il nous restitue tout le prisme de la passion : le désir, la fidélité, la douleur de la séparation, l'impossible renoncement, tous les frémissements de la chair et du corps. Dans les troublantes et cruelles "chansons d'Abélard et Héloïse" surgit en contrepoint du drame l'image sans réplique et sans issue de la passion absolue, dévorante, dévastatrice, qui ferait penser à l'amour fou des surréalistes n'était cette différence capitale : le paroxysme de la passion va de pair avec le paroxysme de la souffrance. Avec la mutilation, on retrouve la métaphore du sacrifice, de l'humiliation, et c'est par l'absolu de l'amour que se conquiert la dignité. Aucun masochisme dans cette fable si profondément humaine, mais sans doute un élan mystique. La souffrance élève l'âme aux plus hautes exigences, comme dans *La nuit obscure* de Jean de la Croix. La passion, au creuset de la souffrance, conduit les amants à la révélation. La transcendance acceptée les transfigure en personnages de légende, qui demeurent pourtant des êtres de chair et de sang. Le corps mutilé appelle à son secours la sainteté:

> Vol aristotélique
> D'une langue bénie
> Car si jeune est ta vie
> Héloïse.
>
> Ta vie s'est préparée
> A être sainte, aimée,
> Ou soudain séparée,
> Héloïse.

Un autre apport inestimable de Leivick est sa contribution au mouvement de la modernité. Il a été une figure marquante, un maître à penser et à rêver du groupe des Jeunes, tout en restant soucieux de son independance, collaborant aux diverses revues d'avant-garde, tant aux Etats-Unis qu'en Europe, il ne s'est jamais laissé enfermer dans une école, dans une doctrine esthétique. Pourtant, sous son influence, c'est la conception même du poétique qui se trouve remise en cause. Il est de ceux qui délivrent la poésie de l'instrumentalisme social et du populisme formel. Il restitue à la poésie sa dimension subjective, humaine et universelle. Mais s'il rompt avec les vieilles soumissions et les pseudo missions assignées au poète, il tient à rester pour sa part, nous l'avons vu, le garant d'une éthique qui accorde à l'individu sa vraie place et lui ouvre tous les champs du possible.

Leivick participe à *Khaliastra* dès son premier numéro. Il est à l'unisson de la révolte qu'incarnent les poètes de cette revue, Markish, Grinberg, Ravitch, Hofstein. Leivick voit alors dans le poète yiddish une sorte de hors-la-loi, un errant de l'imaginaire, sans patrie, sans feu ni lieu, vagabond de ce "pays de personne" qu'il chante avec les mots du déchirement et l'écharde au cœur d'une inguérissable nostalgie :

> Etranges et connus nous sommes
> Pareils à tous parmi les hommes
> et chaque geste chaque mot
> est différent au pays de personne.

Le "pays de personne" est celui des hommes sans amarre pour qui le verbe lui-même s'en va à la dérive, emporté par la débâcle des valeurs, des vérités, des visions de l'avenir que l'horreur de la guerre a anéanties.

Pourtant le sens du sacré habite Leivick et jamais cette lueur de spiritualité ne l'abandonne. Il a connu la barbarie, le dénuement, la solitude. Il a pris mesure de la mort physique et de la mort métaphysique comme une composante de ses méditations. Désormais, c'est au contact de son peuple, en quête de sa vérité la plus profonde, inaltérable, fut-ce après la destruction, qu'il ne cesse de développer sa vision tragique d'un monde où constamment le mal et le bien échangent leurs pouvoirs. Ce renversement, on le voit se produire plus qu'ailleurs dans le drame *le Golem*, joué dans le monde entier, notamment par le théâtre Habima. C'est en quelque sorte la parabole de l'apprenti sorcier, mais c'est en même temps un implacable réquisitoire contre l'engrenage de la violence, de la violence aveugle qui pervertit tout un système de valeurs fondé précisément sur la non-violence. On sait comment le légendaire Maharal de Prague confectionna un robot à partir d'un bloc de glaise auquel il insuffla la vie. Cette machine, créée pour le bien, devient une machine de destruction ; destinée aux travaux quotidiens et à aider les humbles, elle retourne contre eux la hache qui lui fut confiée pour abattre les arbres. Il existait sur ce thème un roman fameux de Gustav Meyrinck. Leivick lui donne forme dramatique et la résonance d'une tragédie en vers qui traite des affrontements du créateur et de sa créature, de la responsabilité de l'individu dans l'histoire, et les transfigure en un mythe éternel. Ce mythe est évidemment parent du *Faust* de Gœthe et du *Frankenstein* de Marie Shelley, mais ce qui détermine la réflexion de Leivick, ce n'est point le problème de la perversion de la science, c'est celui du détournement de la foi et de l'inspiration religieuse qui prescrivent d'accomplir le bien et d'assurer la paix sur la terre.

Leivick arrache aux ténèbres des lambeaux de cette lumière entrevue dans sa jeunesse, "quelque part au loin" :

> Quelque part au loin, quelque part au loin
> La terre interdite s'étend
> Un vaste trésor pétri dans la terre
> Enseveli au fond du temps.

Cette terre alors interdite ou lointaine, il la trouvera plus tard accueillante et pleine de promesses en Israël. Mais c'est à partir de l'expérience entière de sa vie que Leivick a pu bâtir un humanisme et un langage qui en soit est la plus limpide et la plus juste expression. Le poète a traversé le désert blanc du silence, de l'anéantissement. Il a foulé les sentiers qui se perdent dans l'inconnu et le désespoir. Nul n'aura mieux que lui compris que le langage plus encore que d'une fonction nécessaire est investi d'une exigence de vérité, d'une vertu de communion qui est la clé de toute rédemption. Leivick ne fut pas seulement un visionnaire d'envergure, un témoin parmi les plus lucides de cette époque de folie meurtrière, il est devenu aussi par la puissance suggestive et la pureté de son écriture, un poète auquel on se réfère comme à l'un des jalons irréfutables de la continuité juive.

Peretz Markish,
LE MARIAGE DU CIEL ET DE L'ENFER

Il y a de Péretz Markish une légende. Double ou triple, comme on voudra. La légende d'un poète d'avant-garde, démiurge brillant et provocateur. La légende du poète révolutionnaire qui finit, après maintes tribulations, par rejoindre la Russie, se fit le chantre du socialisme et devint un classique. Légende enfin du poète martyr, victime de Staline et de son système parano-policier. Poète assassiné en août 1952 avec d'autres figures prestigieuses de la culture yiddish. Tous, sauf Mikhoels, le président du Comité antifasciste juif fondé pendant la guerre (il lui fut réservé un pseudo accident de voiture) furent exécutés après un simulacre de procès, accusés de "cosmopolitisme" et de "nationalisme". Certains d'entre eux avaient aidé à la collecte des témoignages sur les atrocités nazies conduite par Vassili Grosmann et Ilya Ehrenbourg, dont ils formeront le *Livre noir* (1) qui devait être très vite frappé d'interdit par la censure. Péretz Markish était l'un de ces témoins, comme d'autre part, venu de Vilno, Avrom Sutzkever. Proscrire un ouvrage de mémoire n'était rien pour ceux qui engageaient le processus de liquidation pure et simple de la littérature yiddish.

* * *

La légende que je veux évoquer de Markish est celle d'un jeune et fougueux poète en 1920 / 1921, lorsqu'il écrit *le Monceau*, il n'est âgé que de vingt-cinq ans et déjà sa poésie suscite l'enthousiasme des uns et l'indignation des autres. Sa légende petit à petit s'était enflée comme une vague dans les rues juives de Varsovie. Dans la Varsovie du début des années vingt où vivaient 300 000 Juifs, un tiers de la population totale, dans cette capitale d'une Pologne redevenue un Etat après deux siècles de démembrement, où affluaient des centaines de milliers de réfugiés, fuyant la misère, mais aussi les ravages et les pogromes qui éclataient à la faveur de la guerre civile en Russie. Beaucoup allaient prendre le chemin de cette terre promise qu'était à leurs yeux l'Amérique du Nord. Venus de Russie ou d'Ukraine des écrivains yiddish séjournaient aussi à Varsovie, quand ils ne faisaient pas la navette entre Berlin, Moscou et Kiew. En Pologne, société multi-ethnique, la communauté juive concentrée dans les shtetleh et dans quelques grandes villes, jouait un rôle spécifique et la littérature était un élément de son émancipation.

Markish fut un accélérateur des mutations. Sa poésie bousculait les habitudes, les stéréotypes de l'écriture autant que les dogmes philosophiques et religieux. Cette légende de Markish est demeurée vivace. Elle a continué de rayonner dans la mémoire de tous ceux qui eurent l'occasion de l'approcher ou de l'entendre au cours de ses récitals : ce fut le cas de ma mère qui m'en parla souvent, me récitant des vers que je ne comprenais guère. Doué d'un charisme exceptionnel, Markish s'exerçait à des improvisations qui laissaient ses auditeurs subjugués ou révulsés par ses débordements. Ses poèmes charriaient la beauté ou l'imprécation, dans un flot d'images flamboyantes et de symboles hardis. Cette poésie interpellait l'ordre ancien et jusqu'à Dieu lui-même, ce qui dans une société juive encore fortement empreinte de religiosité passait pour un sacrilège.

Cependant à Varsovie, le courant progressiste séculier, le mouvement rationaliste issu de la Haskala ("les lumières", au XVIII° et au XIX° siècles), et le courant de la culture populaire promu par les partis de gauche, notamment le Bund social-démocrate, disposaient d'une réelle influence et contrebalançaient le rigorisme des tenants de l'orthodoxie, la frilosité bien-pensante ou les adeptes d'une littérature de propagande naïvement ouvriériste.

* * *

Peretz Markish : Le mariage du ciel et de l'enfer

Avant de rejoindre définitivement Moscou en 1926, Peretz Markish avait contribué à la fondation de la revue avant-gardiste *Eygns* à Kiew. De Kiew, il se rendit à Varsovie en 1921. Il devait y résider un certain temps et c'est là qu'il créa en 1922, avec Oser Warszawski, la revue *Khaliastra* (La Bande).

Dès son premier numéro, *Khaliastra* s'affirme comme un des vecteurs les plus dynamiques du modernisme yiddish. Markish y donna, en tant que "manifeste" son poème liminaire et "Au repas des pauvres". Précédant le lancement de ce brûlot de l'intranquilité et de la révolte, la renommée de Markish avait été assurée dès 1918 et en 1921 par plusieurs recueils : *Seuils, Ainsi, Cadrans collés* et enfin le *Monceau*.

Le Monceau (en yiddish : *Di Koupe*) apparaît avec le recul comme une œuvre capitale de l'époque mais aussi de l'avenir. Markish y fait preuve d'une virtuosité sans pareille, d'un génie de la langue qui multiplie avec bonheur les innovations tant prosodiques que métaphoriques, jouant des rythmes et des néologismes avec une aisance de prestidigitateur.

Cependant, ce n'est point par le seul effet de l'invention et de la réussite formelle que le poème atteint sa dimension d'œuvre fondatrice : c'est par son ampleur, sa densité, le souffle prophétique qui l'attise, sa puissance d'expression, à la fois puisée à la source biblique et comme arrachée au futur.

On peut comparer l'inspiration du poème à celle du "Monde sur la pente" d'Uri-Zvi Grinberg dans le premier numéro de *Khaliastra*. Le poème de Markish comme celui de Grinberg, traduit la vision apocalyptique d'un monde en proie au chaos, où la mort est omniprésente. Ce monde-là, c'est précisément le Monceau, cette ville-de-la-mort comme le poète la dépeint, tour de Babel bâtie à coups de cadavres et cimentée par la souffrance. On reconnaît, chez les deux poètes, l'enracinement dans la culture biblique et talmudique, les réminiscences ou citations des prophète Isaïe et Jérémie. Mais si l'un et l'autre recourent à l'exhortation, à l'imprécation, à la malédiction, leur écriture poétique et leur conception éthique diffèrent notablement. Grinberg interpelle, au nom de Dieu, la foule des pêcheurs, des impies, des hypocrites qui trahissent ou détournent la foi et les valeurs saintes de la tradition. Markish, lui, apostrophe Dieu directement, dans une sorte d'état second, ferveur et frénésie mêlées, où le blasphème et la profanation itérative l'emportent sur la piété et le fidéisme. Dans un dialogue halluciné, il met Dieu lui-même au pied du mur, plus exactement au pied du Monceau, en lui montrant Sa création réduite à cet amoncellement d'immondices et de pourriture sur lequel planent les corbeaux, les ombres d'un malheur sans rémission ou les apparitions spectrales de la nouvelle lune. Il voit aussi, sur le Dniepr, flotter non plus les radeaux de rondins pilotés par d'habiles bateliers, mais les corps de ses frères dont les pogromes ont fait ces cadavres sans sépultures, à demi submergés par un fleuve qui promettait la purification.

Le Monceau est une sombre allégorie où la mort et le mal se donnent la main complices ricanants, comme la corruption des âmes et la putrescence des corps. Il y a là comme un surgeon du romantisme noir, du Wallenrod de Mickiewicz au Maldoror de Lautréamont. Mais si pénétrée qu'elle soit de mysticisme, convoquant les scènes du Pentateuque et les séquences de la liturgie, cette allégorie est d'abord un long cri de douleur et de refus. Un cri qui cloue au pilori, ou enterre sous les strates du Monceau, un monde privé de Dieu mais en quête d'une âme. Markish, chercheur de Dieu sans Dieu, ne puise aucune réponse de sérénité ou d'apaisement spirituel à la fontaine de ses interrogations métaphysiques. Son poème métaphorise l'obsession de la guerre, si proche encore, sa boucherie monstrueuse, ses monceaux de morts pour rien, et au delà des circonstances, la hantise de tous les massacres et de tous les drames, ceux d'hier et ceux d'aujourd'hui, qui ont accablé son peuple, depuis les bûchers de l'Inquisition jusqu'au pogrome de Kishinev en 1903, et aux abominables exactions des Cent-Noirs, cette horde antisémite qui proliféra à la faveur de la guerre civile en Russie.

Rien n'est plus à sa place et Dieu n'est plus dans Dieu, puisque les hommes en ont corrompu la lumière. Avec ses tours babyloniennes, le Monceau symbolise deux mille ans d'injustice, de mépris, de tueries, des générations entières sacrifiées, celles que Markish appelle les "générations-franges", situées comme à la limite extrême de l'histoire ou en marge de leur destin.

Enorme remuement d'un esprit en ignition. Images torrentielles amalgamant les réalités et les fantasmagories, les fulgurances à la Rimbaud et les accents empruntés aux Prophètes, secouant l'invisible au point d'en faire tomber les grappes.

* * *

Federico Garcia Lorca, à la mémoire d'un torero éventré dans l'arène, écrivit son célèbre "Chant funèbre pour Ignacio Sanchez Mejias". Péretz Markish, lui, écrit avec le *Monceau* le chant funèbre de tout un peuple assassiné, comme une prémonition de la Shoah. *Le Monceau*, c'est le kaddish prononcé pour tous les morts des temps passés, mais aussi pour tous les morts à venir dont les os et les cendres s'entasseront en Pologne et en Allemagne. Kaddish à la fois pathétique et polémique, cérémoniel et blasphématoire, qui rejette la loi des hommes en même temps qu'il déverse ses sarcasmes sur la loi de Dieu :

> O mont Sinaï.
> Le Roi-monceau te recrache à la face les Dix-Commandements !

Au ciel, dès le début de cette noire profération, le poète dit NON ! Un NON sans réplique, vengeur et désespéré, qui va retentir longtemps dans les consciences juives et les fouailler comme parole de l'irréconciliable.

Markish, dans les trous du Monceau, rassemble toutes les alluvions de l'histoire et de la mémoire juive, la litanie sans fin des condamnés à l'absence, des condamnés à l'anonymat, des condamnés à la perte de leur identité dans l'engloutissement des siècles. C'est le destin du peuple juif qui se trouve ainsi gravé sur le parchemin par des phrases qui sont des nœuds d'aphorismes :

> Deux mille ans durant dans un puits cette bourrasque s'est perdue.
> Sans avoir atteint jusqu'ici le fond qui tant l'a désirée...

Une bourrasque en suspens qui jamais n'atteint le fond du puits qui rêve d'elle et en attend la délivrance, tel est l'oxymore par lequel le poète résume la traversée des siècles du peuple de l'exil. Et cette traversée ressemble à celle d'un désert sans Moïse, ou plutôt à celle d'un enfer où ne subsisteraient des hommes que cendre, vomissure, ordure, moisissure, selon les termes indéfiniment repris dans le *Monceau*.

De cet enfer moderne, Markish devient le Dante. Mais un Dante qui ne nous guide pas hors des ténèbres ou hors des cercles superposés de son poème. Car les vers eux-mêmes y incarnent un combat sans merci, sans espoir, où l'on ne sait plus qui est l'ange et qui le démon. Dans le labyrinthe de ses rythmes, de ses syncopes, il ne nous donne d'autre fil d'Ariane que son propre déchirement, la violence et les rafales de son nihilisme, son sentiment de l'abîme et son sens exacerbé de la dérision.

Dans ce monceau où grouille la vermine, chacun recherche père et mère, un ami cher, un "haver" (camarade / ami), et quand bien même on les trouve enfin, il sont trop loin, inapprochables, dévorés par la saleté au point que le père doit épouiller la mère endormie, et leur chair empeste, tout comme l'église, comparée à un putois, dont la puanteur est mortelle... Le poète invoque la divine triade du monothéisme, Iaveh, le Christ et Allah, placés sur le même banc du tribunal car la parabole est universelle comme les termes du procès.

Martelée à la fin du *Monceau* la phrase "Nous sommes-là ! Nous sommes là !" acquiert, cinquante ans après l'insurrection du ghetto de Varsovie, une résonance particulière, comme un écho au chant qui lui fut dédié... Il ne s'agit que d'une coïncidence dans les termes, mais l'on ne peut s'empêcher de penser aux insurgés, eux aussi condamnés à périr, comme Samson, puis à rejoindre le Monceau. Mais s'ils y tombent c'est les armes à la main, ce qui change du tout au tout le sens de leur mort.

C'est que dans le *Monceau*, le peuple s'incarne précisément en Samson, le colosse aveugle. Dans un moment d'exaltation lyrique, Markish convoque ce héros emblématique, ce kamikaze biblique qui décide pour vaincre de périr en provoquant l'écroulement du Temple sur l'ennemi Philistin. A cette victoire qui a pour rançon l'auto-anéantissement, Markish oppose son propre vœu : voir Samson recouvrer le pouvoir dont Dieu l'avait investi et qui lui fut confisqué de la manière que l'on sait. Cette reconquête du pouvoir, nous dit le poème, résultera pour Samson d'un nouveau bourgeonnement de sa chevelure, siège de son énergie perdue.

C'est ainsi que *le Monceau*, s'il nous plonge dans la désolation, celle de l'anéantissement, est en même temps irrigué en profondeur par l'espoir proclamé ou diffus d'un réveil et, qui sait, d'un soulèvement providentiel du petit peuple, celui des boutiquiers, des marchands forains, des artisans, des tisserands et même des fossoyeurs. Il les adjure à sortir de leur nuit, à sortir de leur lit, c'est-à-dire à sortir d'eux-mêmes, des liens de leur sujétion au destin ou à la mesquinerie du quotidien.

Le poète s'efforce d'arracher au mystère une mystique de l'homme libéré qui trouverait la volonté et l'énergie samsonienne de faire basculer "le monde entier" et non plus seulement les colonnes du Temple. Dans le noyau même de l'horreur réside le mystère que le poète s'acharne à scruter, même s'il n'a aucune chance de l'élucider.

Dans sa structure et ses méandres, le poème affronte l'insondable. Son mouvement interne, son crescendo, obéissent moins à la logique discursive qu'à l'intuition du sacré, à l'éclat secret d'une transcendance qui, fût-elle, reniée ou récusée, habite les linéaments du texte. On est frappé, dès ses premiers mots par la stridence de sa tonalité, sa furia blasphématoire. Le poème-monceau, le poème-morcellement, défie le ciel et lui dénie même le droit de "lécher ses barbes poisseuses et ses bouches d'où giclent des torrents bruns". Cet étrange pluriel n'est pas sans nous intriguer. D'où vient que *le Monceau*, interlocuteur injurieux du ciel, est doté d'une infinité de barbes et de bouches ? C'est qu'il n'est en rien, même au figuré, le JE du poète, ni même un AUTRE. C'est une entité faite de mots et de morts. Une collectivité fantomatique. Un ensemble informe et indéterminé d'êtres et de spectres qui n'ont aucune résidence sur la terre, aucun lieu de rencontre, aucune autre tombe où dormir leur éternité.

* * *

En 1921, pareille parabole pouvait sembler délirante, fruit d'une imagination enfiévrée, pour ne pas dire morbide. En vérité, elle ne fait que devancer de vingt ans le vrai Monceau qui ne sera plus un symbole, une extrapolation philosophique, mais une tragique réalité, sous l'espèce des charniers et des ossuaires mis à jour en 1945, d'Auschwitz à Treblinka et tant d'autres lieux... Des monceaux dans lesquels se sont confondus indistinctement des milliers de barbes et de bouches, de pères et de mères, d'amis et de "haver" dont la chair a fini par empester jusqu'au ciel, comme si leur putrescence même était un désaveu, un NON jeté à la face de Dieu comme un crachat à la face des dix commandements, un gigantesque NON proféré par le néant et contre le néant...

Peretz Markish, à qui l'on a volé sa mort, n'a lui-même de tombe dans aucun cimetière où l'on puisse aller se recueillir. La Russie soviétique l'a interdit de tombe. N'avait-elle pas effacé du monument aux martyrs de Babi-Yar la mention même de Juif ?

Sombre ironie du sort : Markish mort a beau être traduit en russe, admiré comme un classique, il n'a de vraie place que dans le Monceau dont il fit un de ses plus beaux poèmes. Le MONCEAU est son tombeau, son lieu d'exil, son mémorial. C'est dans la boue que commence sa résurrection. Dans l'immense Monceau sans feu ni Dieu des victimes des répressions politiques ou des persécutions d'un antisémistisme meurtrier, qu'il soit hitlérien ou stalinien.

Et pourtant, même posthume, même émanant du monceau comme l'exhalaison d'une fleur de la mort et d'une fleur du mal, la parole de Markish survit et nous illumine. Elle flotte au-dessus de nos têtes "dans la barque d'argent de la nouvelle lune".

Le langage de Markish ne se contente pas d'emprunter à l'hébreu yiddishisé une large part de son vocabulaire, il s'enrichit d'idiomatismes et de larcins pratiqués dans la langue russe, même lorsqu'il existe un terme usuel en yiddish. Pour ne prendre qu'un seul exemple, au mot yiddish "keml" qui désigne couramment le chameau, Markish préfère le mot russe "verblioud" illico naturalisé en yiddish au moyen du pluriel "verblioudn...". Ce langage n'est pas encore soumis à la soviétisation du yiddish qui deviendra la règle dans les années trente et imposera la quasi-suppression des hébraïsmes.

La poésie de Markish s'en trouvera certes modifiée dans la forme, sinon dans l'esprit. Dans les œuvres de la maturité, l'adoption d'une prosodie plus traditionnelle et d'une pensée plus "socialiste" ne parviendra pas à altérer les intuitions de son génie. Sa poésie se présente avec *le Monceau* dans son état originel, je dirais presque dans son état natif, avec ses audacieuses combinaisons métaphoriques, sémantiques et syntaxiques.

La lumière noire du *Monceau*, sous son éclairage dramatique, souligne et accentue la métamorphose de la poésie yiddish qui se produit à ce tournant du siècle et met tout le siècle en question.

* * *

La revue *Khaliastra* (2) dont le premier numéro paraît à Varsovie un an après *Le Monceau*, en 1922 - le second fut composé à Paris en 1924 - va cristalliser pendant un bref âge d'or les aspirations et les contestations d'une avant-garde qui travaille à l'élaboration d'un langage poétique neuf, fortement influencé par la révolution des arts plastiques qui l'a précédé en pays slave (Larionov, Gontcharova, Malévitch, Tatline, El Lissitzky etc...) comme en Occident. Marc Chagall et I. Brauner illustreront le volume parisien de *Khaliastra*, et le peintre de Vitebsk y ornera sa couverture d'une jubilatoire tour Eiffel.

Khaliastra est la caisse de résonance de la modernité en langue yiddish. S'y croisent des voix singulières, parfois dissonantes, en provenance de Russie, d'Ukraine, de Pologne, de l'ancien empire austro-hongrois et aussi des Etats-Unis où la modernité a suscité l'émergence des "Jeunes" (M.L. Halpern, Leivick etc...) puis du mouvement introspectionniste In-Zikh, animé par J. Glatstein. Des contradictions éclatent, mais s'opèrent aussi des recoupements et des synthèses : la spécificité du modernisme yiddish s'affirme dans le bouillonnement culturel du cosmopolitisme, un melting-pot qui rebrasse et fusionne les poussières d'or de l'expressionnisme allemand, du futurisme russe et de l'imagisme américain.

Peretz Markish est un des initiateurs de cette aventure littéraire dont la brièveté n'empêche pas la force disruptive et la fécondité : elle laissera des traces indélébiles dans l'histoire tourmentée de la culture juive au XX° siècle.

L'un des co-fondateurs de *Khaliastra*, le poète Meylekh Ravitch en esquisse la naissance en deux versions successives et différentes incluses dans *Le Livre d'histoires de ma vie* (2). Voici la seconde de ces versions :

> — 1922. Tlomacka N° 13 (siège de l'Association des Ecrivains et Journalistes juifs).
> — Nous sommes trois, Peretz Markish de Moscou, Uri-Zvi Grinberg de Lemberg (Lwov) et Meylekh Ravitch de Vienne..." Et Markish s'écrie . "Les gars ! nous allons publier une revue - une revue d'aujourd'hui, non - de demain, non - d'après-demain ! Et nous allons l'appeler Khaliastra ! Et d'ailleurs nous allons appeler notre groupe de trois et ceux qui s'y joindront Khaliastra !

En vérité, ces mousquetaires étaient quatre, comme il se doit, si l'on compte Israël Joshua Singer, prosateur, frère aîné d'Isaac Bashévis. Bientôt, avec Oser Warszawski, l'auteur déjà réputé des *Contrebandiers* (3), ce roman-choc de la nouvelle génération, poètes et prosateurs s'agrègeront au noyau initial, tandis que des plasticiens (I. Brauner, Marc Chagall, Tchaïkov, Weintraub) lui apporteront une contribution significative.

Pourquoi "la bande" ? C'est le sobriquet qu'ils revendiquent, en raison de leur complicité : ils mènent ensemble un tapage qui surprend, choque et parfois exaspère. Ils font dans leurs écrits un usage systématique du blasphème, de l'invective, de la crudité semi naturaliste : voir à cet égard, de Meylekh Ravitch son whitmanien "Chant du corps humain" (4). Ils célèbrent l'errance, le vagabondage, la bohème des déracinés. Ils se targuent d'être sans loi et sans patrie. Leivick, partenaire américain de *Khaliastra*, grand poète proche des "Jeunes", autrefois émigré de Russie où il connut la déportation, chante "le pays de personne", tandis que Markish se proclame "vagabond sans loi, sans raison, du non-pays de folie".

Dans le poème qui porte sa signature en préambule au N°

1 de *Khaliastra*, Markish, à l'inverse du Manifeste lancé aux U.S.A. par le groupe In-Zikh, n'énonce pas les modalités d'une esthétique ou d'une théorie poétique. Il n'engage pas la controverse avec les adeptes d'une école littéraire rivale. Il vitupère l'état des choses, l'état des êtres et des âmes, l'état de la réalité, telle qu'il l'a vue et vécue avec ses hécatombes et ses pogromes au cours de la guerre civile en Russie et en Ukraine. Contre les arguments du discours raisonné, il fait prévaloir la véhémence polémique, la profération lyrique et confronte sur le terrain d'exercice de la culture humaine "les expérimentations terribles" du monde extérieur et celles non moins périlleuses "à l'intérieur de l'esprit... dans la nature même de la tragique énigme humaine".

La poésie, assure-t-il dans ce texte programmatique, "braque les télescopes des observatoires vers l'au-dedans... Nous nous imprégnons de la musique de notre interne système planétaire et nous vagabondons par les voies lactées enneigées de notre ciel intérieur". Bien que selon toute probabilité Markish n'ait eu connaissance ni des théories de Freud ni de celles d'André Breton (fait curieux, le *Manifeste du surréalisme* paraîtra en 1924, l'année même du numéro "parisien" de *Khaliastra*, sans qu'il y ait la moindre rencontre !) on peut relever des similitudes ou des coïncidences : c'est ainsi que Breton définira les surréalistes comme des "scaphandriers qui font des fouilles au fond d'eux-mêmes".

En vérité Markish se rapproche ici de J. Glatstein et des Introspectivistes même si sa référence à l'au-dedans paraît préfigurer les explorations dans les gouffres d'un Henri Michaux... Se trouve ici, comme en précipité, la vision d'un monde où les désastres de la guerre ont pour corollaires le désordre du monde intérieur, son douloureux retournement ou sa totale confusion. Du paysage pulvérisé ne subsistent que terres dévastées (Waste Land...) et chaos primitif. C'est à quoi aboutissent de leur côté, bouleversant la perspective et le langage formel, les recherches des plasticiens qui relativisent et déconstruisent méthodiquement le visible et sa perception. Ils se font les prospecteurs - tel Max Ernst dont s'inspira Paul Eluard - d'une poésie qui germe "à l'intérieur de la vue". La prosodie tente de restituer ce tohu-bohu dans une analogie métaphorique à la tour de Babel. Résumant toute la révolte et la douleur d'une génération, résonne ce credo : "Notre mesure n'est point la beauté mais l'horreur".

Le sentiment d'effroi que suscite "l'humaine évolution souffrante et déchaînée "dans laquelle, par "chaque guerre et révolution /.../ nos nerfs ont été creusés comme des tranchées", domine dans *Khaliastra* la réflexion du poète et prolonge différemment celle du *Monceau*. Dans ce dernier texte, règnait le sentiment de l'irrémédiable, du malheur et de la mort partout présente et annoncée. Avec "Au repas des pauvres", comme plus tard avec "Jours de semaine" dans la seconde livraison de *Khaliastra*, le souffle incantatoire n'est pas moins soutenu, mais le potentiel imaginatif se déploie davantage encore. On voit s'amorcer un tournant, une manière de mutation. Il s'agit moins d'un changement de cap que d'un transfert dans l'écriture : le tissu métaphorique s'enrichit de motifs contemporains et s'opère plus radicalement la convergence de l'expressionnisme et du futurisme. Par la violence des contrastes, l'audace, la fougue et l'outrance des images, les pulsions de paroxysme, l'instauration d'un climat hors réel, d'un climat où le réel lui-même devient insolite, le jeu d'une dialectique très personnelle du réel et de l'irréel, de l'hyper-sensoriel et du quasi ontologique, enfin d'une scansion de la démesure qui caractérise le Markish de cette époque.

Avec *Le Monceau*, puis les poèmes de *Khaliastra*, à commencer par "Au repas des pauves", alternent les modalités de la poétique de Markish, à la fois distinctes et complémentaires. Il s'écarte, dans les seconds, de la thématique biblique du premier, de son instrumentation référentielle et liturgique. Il développe un autre registre lyrique, où le souci de la modernité lui impose de substituer au vocabulaire et à la symbolique qui découlent des Livres saints, un vocabulaire et une symbolique profanes, directement issus du concret contemporain, d'un quotidien revisité, transposé, transfiguré par l'allégorie.

Dépouillé de la composante hérético-spiritualiste du *Monceau*, "Au repas des pauvres" suggère une éthique de la liberté par la dépossession, revendique l'inquiétude sans repos ni recours, le dénuement de la pauvreté et le vagabondage obligé. Ce n'est plus le défi à la puissance divine comme dans Le Monceau, mais à l'omnipotence d'un monde inhumain. Le monceau, dirait-on, échappe à ses frontières, se met en mouvement, rassemble les "veilleurs des tas d'ordures", les errants, les "bâtisseurs d'asiles de fous et de temples sacrés". Désormais le porteur de besace, le poète mendiant, se veut aussi poète-roi : "Je suis le roi-misère de plus de 240 pays assoiffés". Ces 240 pays - comme les 248 étages de la tour - correspondent aux parties du corps humain dénombrées par un ancien traité juif d'anatomie. On peut entendre aussi dans l'éloge du "roi-misère" un accent villonien : Markish a-t-il pu lire le *Testament* de Villon que Boy-Zelenski venait de traduire magnifiquement en langue polonaise ? Toujours est-il que son poème utilise et combine des modes d'expression et des matériaux composites, parfois la trivialité ou le prosaïsme chers à Apollinaire et Cendrars, avec la haute modulation d'un lyrisme constamment étayé par une pensée philosophique et morale : le poète partage le sort commun des mortels et s'il apporte son écot au "repas des pauvres", c'est qu'il est lui-même, en vertu de son chant, l'écho d'un monde tâtonnant dans l'obscurité de son devenir.

Ce chant, on est en droit de le rattacher à diverses filiations ou cousinages, conscients ou non, de Stefan Georg à Yvan Goll, Ernst Stadler et Georg Trakl, et à l'autre pôle de l'avant-garde européenne, Alexandre Blok, Serge Essenine, Vladimir Maïakovski... Markish n'ignorait naturellement rien de la littérature russe, et il était également passé par le carrefour berlinois.

De toutes ces effervescences qui ont engendré l'esprit nouveau en poésie dans l'ancien et le nouveau monde, l'œuvre de Markish n'est nullement une sorte d'hybride ou de greffon en langue yiddish. Elle est née dans le même temps et le même creuset, sous l'impulsion de cette générale éruption volcanique qui va submerger les conceptions obsolètes et conduire la poésie à se réinventer, puis à se contester elle-même...

Mais à travers tous ces avatars, Markish a renforcé et ciselé sa spécificité. Il contribue à perfectionner et à rénover l'instrumentation de la poésie yiddish. Il la préservera sous le régime soviétique auquel il s'est rallié - ou plié - en croyant servir l'émancipation des Juifs, la révolution sociale et l'utopie de sa jeunesse. Il évoluera alors vers le classicisme, mais on constatera avec *l'homme de quarante ans*, *Pour une danseuse juive*, et surtout la vaste fresque épique *La Guerre*, entrelaçant mille épisodes héroïques et tragiques de l'occupation nazie en Pologne et en Russie, qu'il parvint pour l'essentiel, à maintenir intactes l'indépendance de sa pensée et la source du génie verbal dont les chefs-d'œuvre des années vingt portent précocement le sceau.

NOTES

(1) En français aux éditions Actes Sud / Solin.

(2) a : Ed. Lachenal & Ritter, 1989, - Repris par Rachel Ertel dans "Khaliastra et la modernité européenne", même ouvrage p. 267.

(3) Collection "Domaine yiddish", Editions du Seuil 1989.

(4) in. Khaliastra, p. 13.

Avrom Sutzkever,
HÉRITIER DE LA PLUIE ET DE LA MÉMOIRE

En juin / juillet 1941, alors que déferle la marée brune en Lituanie, Avrom Sutzkever, dans sa vieille maison de Vilno, installé dans un grenier délabré, avec la lune pour unique vis-à-vis, écrit une suite de neuf poèmes qu'il intitule *Visages dans les marais*. Ce sont les évocations prophétiques d'un monde qu'envahissent des miasmes mortels et qui semble d'ores et déjà voué à l'engloutissement.

Ces poèmes, la femme de Sutzkever parviendra à les préserver jusque dans l'hôpital où elle va donner le jour à un enfant que la fatalité condamne à mort. Les poèmes, eux aussi, sont promis à la disparition. Quelques-uns pourtant traverseront la tourmente. Les autres ne seront tirés de l'ombre et du secret des archives de Vilno / Vilnius qu'un demi-siècle plus tard, grâce aux recherches d'une universitaire qui fit parvenir à Sutzkever les maillons manquants de cette chaîne poétique.

Ce n'était point une "chaîne d'or" comme la revue que dirigea le poète à Tel-Aviv où il la fonda en 1949, mais une chaîne de souffrance, de mort, de prescience, fondue et forgée dans les creusets de la nuit. La nuit est un laboratoire des présages où, par une alchimie négative, c'est l'or qui se change en plomb et la lumière en ténèbres.

Ces fragments, pareils aux débris d'une météorite arrachée à la nuit, figurent à la fin du recueil publié en 1992 par Avrom Sutzkever. Il s'y désigne comme "héritier de la pluie" et précise :

De toutes les pluies dont j'ai hérité
Une seule m'est restée, de cet instant
qui roule sous des nuages déchiquetés
Dans les chariots de feu que forgèrent les eaux.

Il n'est pas fortuit que de pareils textes resurgissent afin de tisonner notre mémoire. Ce ne sont pas que des reliques exhumées des ruines de la guerre, des documents pour faire date et servir de repères, mais des souffles capables de ranimer les braises. Ils appartiennent à la fois au destin singulier d'un homme, devenu de son vivant une légende, et à tous ceux, victimes ou rescapés, dont il s'est fait le porte-voix, au point de pouvoir écrire :

> Je n'avais qu'une seule bouche. A présent je suis plein de bouches.
> Mes mains, mes veines, mes pensées sont des bouches.

Et de même qu'il se veut l'héritier de la pluie, c'est-à-dire du ciel qui s'unit à la terre, il s'affirme l'héritier de la mémoire, de la mémoire de chacun, par une magnifique métaphore où se proclame, au-delà de Rimbaud, la symbiose et l'identification du JE et des AUTRES :

> Je dis aux souvenirs des autres :
> devenez miens !

A l'heure où certains tentent de passer l'éponge sur les crimes, au tableau noir de ce siècle, n'est-il pas nécessaire et salutaire que certaines vérités émergent de nouveau, non de leur puits allégorique, mais des tréfonds de l'histoire, qu'elles prennent par la poésie irréfutable force de loi, force de foi, une dimension universelle ?

Avrom Sutzkever nous redit cette vérité qui est pour lui adage de toute son expérience :

> Ma plume est une main qui conduit un aveugle.

Ainsi, dans le labyrinthe des événements, des cataclysmes, des tragédies, c'est l'écriture, toujours, qui sert de fil d'Ariane. Au poète-Oedipe, fut-ce à son insu, l'écriture est en quelque sorte l'Antigone protectrice qui le guide au plus loin, au plus vrai de lui-même. La poésie se trouve ainsi dotée d'un pouvoir de nyctalope : elle est le regard intérieur qui permet à l'homme de surmonter sa cécité. C'est elle qui voit et c'est elle qui prévoit pour lui.

Avrom Sutzkever, appelé comme témoin au procès de Nuremberg, n'a en fait jamais cessé d'être le témoin de tous ceux-là qui se sont tus à jamais, par millions, et de ceux non moins nombreux qui connaissent si mal le mode d'emploi de la vie. Toute sa poésie nous enseigne comment vivre et comment survivre, dans les conditions les plus extrêmes, les plus désespérés, au bord du gouffre, dans les serres du cyclone, et même enfermé dans cette bière où le poète se fit passer pour un défunt à qui cette feinte macabre, fut, ô paradoxe, le seul moyen de rester en vie.

Une leçon de vie et de survie, c'est ce qui, d'après moi, caractérise le mieux la poésie d'Avrom Sutzkever. L'enfer dont il a traversé les cercles, tel un Dante de notre temps qu'aucun Virgile n'aura guidé, n'est pas le fruit de la parabole ou de l'imagination. C'est l'enfer quotidien du mépris, de l'oppression et de la solution finale dont la destruction du ghetto de Vilno fut l'une des premières étapes.

La shoah, pour lui, n'est en rien un théâtre mental de l'apocalypse. C'est ce qu'il a vécu, vu de ses yeux, éprouvé dans sa chair. S'il a pu, par miracle, échapper au dernier chemin, celui de la chambre à gaz, c'est qu'il fallait quelques phénix de son espèce pour témoigner, pour prouver que la résurrection était possible.

Sa poésie devient alors chronique de la vie annoncée, de la résurrection poursuivie avec héroïsme et opiniâtreté par le peuple juif sur la terre de ses ancêtres.

Cette terre, aux yeux de Sutzkever, est ce qu'il nomme une "terre spirituelle". Et le journal intime qu'il rédige, des années 1970 aux années 1980, y consigne aussi bien des impressions, des faits personnels, qu'une réflexion au jour le jour sur le présent.

La poésie de Sutzkever, toujours située au point d'intersection de la beauté et de l'horreur (Rilke nous le rappelle : "Car le beau n'est rien d'autre que le commencement du terrible") au carrefour du désastre et de la renaissance, est constamment une éthique en cours d'élaboration. Une éthique du moi dans son rapport complexe avec le monde, avec le devenir, et qui se construit en s'interrogeant sur le chemin parcouru et en se projetant avec hardiesse vers le futur. Le poète n'est pas de ceux qui s'en tiennent à l'exploration, voire au ressassement du passé. Il nous dit :

> Plus je me rapproche de mes premiers souffles
> Plus loin je suis de ma biographie...

Cette biographie qui est sienne, auréolée de légende, il ne la récuse certes pas, mais il l'éclaire par ce qui change, ce qui surgit, surprend et fulgure dans un ciel d'orage. Il est en quête de l'inécouté et de l'informulé, tel ce passant qu'il nous montre, dans ses poèmes de Paris - écrits entre 1986 et 1989 - cherchant chez les bouquinistes un livre qui n'existe pas encore. Il rêve aussi, les yeux ouverts, de voir un jour le premier exemplaire d'un de ses livres, qui serait imprimé non pas sur terre mais sur la lune...

On pourrait ne voir là qu'une bouffée de naïve utopie où le poète, à la fin las de ce monde ancien, tel Apollinaire, chercherait sa sauvegarde dans le mythe. Chez Sutzkever pourtant, le mythe se confond avec la vision dont il est habité. Il nous l'avoue :

> ô visions qui êtes le pain de mes yeux affamés.

En même temps, ce qu'il entrevoit du monde d'hier et du monde d'aujourd'hui, l'incite à mettre son langage en résonance avec toute la réalité et tout l'inconnu des êtres et des choses :

> Dieu ! je veux apprendre le langage des choses...
> Ou bien comprendre leur langage
> Ou bien le parler. .

Et il va plus loin encore avec cette affirmation :

> Une nouvelle langue est née en moi.

Cette nouvelle langue, on le constate, se mue en effervescence et en lucidité de plus en plus aigüe dans les livres de ces dernières années. Entre le poète d'avant-garde de *Jeune Vilno* (Young Vilné) des années trente, entre le poète révolté qui bouscule les conventions et les règles admises, porte la poésie yiddish au plus haut degré de la modernité, et le poète classique qui atteint sa maturité et sa plénitude en Sutzkever, on dirait que la boucle est bouclée, que le cycle d'une œuvre se clôt sur la perfection des formes et leur polyphonie réalisée.

Avrom Sutzkever serait-il un novateur assagi ? Je n'en crois rien. L'invention l'a placé sur la crête de la vague, aux côtés d'un Markish et d'un Glatstein. Il est devenu maître absolu à bord d'une écriture pilotée comme un navire évitant les écueils mais qui cingle toujours vers de nouveaux rivages. Il n'a jamais été et ne sera jamais le poète de la quiétude, le poète d'un langage à qui il suffirait de se désaltérer à sa propre pureté. La poésie de Sutzkever n'est pas l'aboutissement d'une vie ou d'une œuvre, elle est le lieu de convergence, le confluent toujours bouillonnant de tous les courants anciens et modernes de la poésie yiddish. En elle s'opère une synthèse où l'audace de la recherche se conjugue aux sursauts d'une conscience écorchée, en quête perpétuelle d'un sens qui se dérobe et qu'il faut pourtant coûte que coûte donner au malheur comme au bonheur de vivre.

Rachel Ertel dans sa préface au recueil anthologique *Où gîtent les étoiles* a discerné avec justesse chez Sutzkever un "moi psychique, spirituel, mais aussi biologique, entièrement investi dans l'acte d'écrire". C'est encore plus vrai aujourd'hui, même lorsque le poète feint d'embrasser l'univers et le microcosme quotidien avec le regard du détachement stoïque et de l'ironie, lorsqu'il nous fait part de son désenchantement :

Les lèvres ont déjà ruisselé de la plupart des mots.

Comme si tout, ou presque tout, avait été dit et désormais les mots n'étaient plus que des masques pareils à ce visage "qui est un masque tendu sur un autre masque, d'où jaillira pour peu qu'on le frappe du doigt, un flot de lave".

Précisément, chez Sutzkever, la lave n'est jamais bien loin de la surface en apparence refroidie du langage. Il suffit d'y regarder d'un peu plus près et l'on distingue le rougeoiement du cratère, la violente lumière d'un feu central qui jamais ne s'éteint.

Entre la blessure et l'éveil, la poésie de Sutzkever est effectivement cette poésie "des limites" dont parle Rachel Ertel. Mais l'extraordinaire de cette poésie qui emprunte l'étroite passerelle, ou si l'on préfère, le gué entre la mort et la vie, l'enfantement et l'anéantissement, c'est qu'elle a depuis ses débuts été prodigue d'une lumière indéfinissable, réfractaire à l'analyse mais inextinguible.

C'est la lumière de givre et de cristal qui baigne les poèmes de *Sibérie*, cette évocation magique, adamantine, d'une enfance dont la distance du temps, le froid de l'hiver et de l'exil, ont aiguisé les facettes et attisé l'incandescence. Lumière d'un paradis perdu, où l'image du père recherché se confond avec l'éclat bleu de la glace qui emprisonne les eaux de l'Irtich. C'est aussi la lumière énigmatique et révélatrice qui émane des proses de l'*Aquarium vert*. Le langage, comme le rayonnement, est constitué de particules sécables et d'ondes qui nous parviennent des plus lointaines zones de la mémoire, de la douleur, de la méditation. Ces particules, ce sont les mots. Avrom Sutzkever est de ceux qui savent ce qu'ils contiennent de mystère et qui savent pour chacun de nous les convertir en intarissable énergie.

Moshe Shulshtein
et LES INTENTIONS SECRÈTES

Contrairement à ce qui se passe dans d'autres langues et d'autres pays, un poète yiddish qui disparaît ne trouve pas de successeur. Je ne veux pas dire qu'il ne laisse pas de trace. Sa trace est dans son œuvre, et c'est cette aura qui occupe toute la place. Aucune autre voix ne viendra recouvrir celle-là, aucune autre écriture ne viendra rivaliser avec celle qui s'efface. La poésie ne disparaît pas, bien sûr, elle se poursuit et se transmet dans d'autres langues. Mais en yiddish, lorsque le poète n'est plus là, il ne reste qu'un trou noir. Et c'est la trame de l'histoire juive qui s'effiloche un peu plus avec la perte du yiddish.

Du poète Moshe Shulshtein, qui vécut longtemps à Paris et nous quitta en 1981, voici l'ultime moisson, une gerbe aux épis serrés, une gerbe posthume. Des poèmes qui palpitent, qui respirent, veines vives, veines ouvertes dirait-on. Leur titre est un peu énigmatique : *l'Intention secrète*. C'est que le poète, familièrement ou secrètement, a toujours quelque chose à nous dire, à nous rappeler, à nous révéler, même si son intention pour mieux nous atteindre doit rester masquée. Le recueil, pour commencer, fait référence à la parole "la parole mienne" :

Parole mienne qui n'est pas encore à ma langue.
Parole mienne qui n'est pas encore à ma plume.

Cette parole intentionnelle continue de se déployer dans le champ du sensible. La bouche n'est plus là, le message poursuit son vol, tel ce phénix auquel Shultshtein a dédié un poème, resurgi de la cendre sitôt que ses yeux sont calcinés. Phénix en lequel il voit à l'évidence un mythe, celui de son propre peuple, symbole d'une perpétuelle et douloureuse résurrection.

De son peuple, Moshe Shulshtein fut l'un de ces porte-mémoire qui nous sont indispensables. Ce n'est pas qu'ils soient chargés de mission, ou assignés au rôle de vigiles. Mais ce sont les porte-flambeaux qui éclairent le chemin ou la maison désertée. C'est grâce à eux qu'un peuple recouvre son empreinte, sa place, son identité. Identité indélébile, certes, mais à qui il arrive d'être brouillée. C'est grâce à eux qu'il peut mieux prendre conscience de la signification de son destin.

Du haut de la "montagne de souliers" qu'il a vue à Auschwitz, une montagne où ne subsiste intacte, comme un de ses poèmes nous le dit, qu'une poupée sans feu ni lieu, une poupée non pas orpheline, mais pire : privée de tout enfant qui puisse la prendre et jouer avec elle, le poète est descendu dans un cercle inédit de l'enfer, que Dante n'a pu imaginer : un océan de cendres, le panorama d'un désastre absolu. Les poèmes de Shulshtein, dès lors, ont veillé sur le rivage de cet océan. Ils sont devenus des bougies allumées, ou des lampes-tempête de mots afin que jamais on n'oublie que la nuit fut infranchissable.

Les ombres de la Shoah n'ont jamais cessé de hanter la poésie de Moshe Shulshtein depuis les années d'après-guerre. Il est suivi et poursuivi par l'ombre de ces massacres qui ont pu être commis sans que la terre se révolte et tremble tout entière, cette terre qu'il interpelle et prend à témoin. Pourtant, par la nature de son chant, Shulshtein ne fut pas seulement un homme des ombres, mais un homme de la lumière, un alchimiste dont l'amour pour son peuple fut tel qu'il pouvait transmuer l'ombre en lumière comme on rêve de transmuer le plomb en or.

Il était investi de cette volonté : faire connaître et transmettre aux nouvelles générations l'expérience de l'exil, vécue comme enfant de l'immigration polonaise en France où il s'installa en 1937, l'expérience de la tragédie, des jours néfastes du nazisme, mais aussi plus tard, l'expérience de l'espoir, lorsqu'il vit ressusciter son peuple, dans la patrie, Israël, à laquelle il aspirait depuis deux mille ans. Toutes ces expériences conjuguées ont fait de son œuvre poétique une synthèse et un creuset de notre époque : le lamento de la souffrance y alterne avec le lyrisme de la passion et de la joie d'être vivant. L'humanisme désenchanté du regard qu'il porte sur le monde s'y combine, d'autre part, à une ample méditation sur les aspects les plus quotidiens de la vie, avec tout ce qui implicitement lui donne sens.

Dans sa jeunesse, en Pologne, Moshe Shulshtein fut un poète fougueux et militant du progressisme. Il collabora aux publications littéraires de la gauche et du renouveau de l'esthétique et des valeurs juives, tour à tour à la *Tribune littéraire*, puis aux fameuses "literarishe bleter", les Pages littéraires, fondées à Vilno en 1908, un des lieux où prit essor la modernité yiddish en même temps que la tendance populiste dont témoignent ses manifestes et prises de position. Adepte lui aussi d'un populisme qui voulait être l'expression des revendications et des aspirations d'une population juive prolétarisée et exploitée, Shulshtein publia en 1934 son premier recueil, *Du pain et du plomb*. Mais c'est principalement en France que s'est épanouie l'œuvre de Shulshtein. Il s'engagea dans l'armée française, au début de la Seconde Guerre mondiale, participa à la Résistance au sein d'un cercle juif clandestin d'intellectuels. Arrêté, il fut jeté dans une cellule de la prison de la Santé dont certains de ses poèmes ont restitué le climat et le souvenir, un peu comme les *Sonnets composés au secret* de Jean Cassou à la même époque. Son pays adoptif, la France, il l'aimait de toute son âme, il aimait son histoire, sa culture, ses poètes. Ses propres vers parfois faisaient écho à ceux qu'il avait rencontrés et prélevés dans le patrimoine poétique français. C'est à Paris qu'il rencontra l'impénitent bohème, Itzik Manguer, un poète qui jamais ne put tenir en place et qu'il nous montre, fuyant sa propre tombe comme un détenu en cavale...

Il ne fait aucun doute que sa poésie s'est nourrie en France de tonalités et de thèmes originaux. Des thèmes qui n'existent nulle part ailleurs dans la poésie yiddish. C'est ainsi que dans sa grande ballade "l'Empreinte de la nuit", il a évoqué comme peu d'autres poètes de la Résistance, à l'exception de Desnos, de Paul Eluard dans *Le Rendez-vous allemand* et d'Aragon dans "Le paysan de Paris chante", l'atmosphère d'angoisse et d'étouffement, le décor fantasmagorique de la capitale occupée où pour chaque Juif, rescapé des rafles de Juillet 42 et de la déportation, la menace et l'inquiétude restaient présents et prégnants à chaque instant, à chaque pas, en même temps que la volonté de les vaincre. Il aura été avec Elchonen Vogler, autre résident à Paris, l'un des rares poètes de langue yiddish dont le lien de cœur et d'esprit avec la France fut si puissant, intégré indissociablement à ses poèmes :

> La ville était sans langage, blessée,
> Des pansements sur les plaies de son corps,
> A son sommeil pesant, lampe baissée,
> lorsque la fièvre monte encore.
> ...
> Notre ruelle à volets clos refuse
> D'être par l'épée des échos meurtrie.
> Malgré le chant de Horst Wessel qui fuse,
> Silencieux bat le cœur de Paris.

Influencée par son entourage parisien, la vision de Shulshtein n'en est pas moins profondément juive. Il est en premier lieu soucieux de son héritage et c'est en lui demeurant fidèle jusqu'au bout qu'il a donné le meilleur de lui-même. Peut-être était-il doué à son insu de ces légendaires "mains en or" dont il exalte le travail obstiné et miraculeux. Car les poèmes qu'il cisèle avec la ferveur et la minutie d'un artisan sont faits d'un matériau éminemment transformable, comme la glaise modelée en poterie. Qu'il décrive sa mère en train de cuire du pain ou sa grand-mère s'exerçant à la fabrique des confitures, qu'il imagine un homme en train de fouiller dans un tas d'ordures afin d'y débusquer, qui sait, "le bonheur", ou encore qu'il compose un sonnet d'amour à partir d'un papillon dont la poussière va moirer ses vers, on découvre dans son langage, qui chante si naturellement , dans son "mame loshn", une composante d'universalité. Universalité qui est au demeurant une seconde nature, une vocation de la poésie yiddish. Tour à tour romantique et réaliste, dramatique ou teintée d'ironie, constamment sous-tendue par les concepts d'une morale exigeante et le sens des valeurs du judaïsme, la poésie de Moshe Shulshtein manifeste une peu commune diversité des ressources, ampleur du registre, sûreté du métier, acuité de la vision. J'ai pu constater moi-même quelle patience, quel acharnement, quel souci de la perfection Shulshtein apportait à son travail créateur. Ce n'était pas un dilettante mais, au contraire, un véritable artiste pour qui chaque mot, chaque intonation, chaque intention évidente ou secrète, avaient leur importance.

Cet homme de tourment savait être en même temps généreux, amical et modeste. Au fond, peut-être ressemblait-il à ce cerf symbolique, à ce "cerf capturé" qui pénètre avec ses ramures le soleil lui-même, sans se douter que ses ramures transpercent la substance de l'astre et s'enchevêtrent à ses rayons.

On lira et on relira son œuvre comme un témoignage nécessaire de la littérature yiddish contemporaine dont son propre itinéraire nous offre une image authentique et un raccourci. Il débuta dans le milieu révolutionnaire de la Pologne d'avant-guerre, continua à travers la guerre d'Espagne où l'un de ses poèmes sur la bataille de Barcelone devint une chanson populaire, transmise par les participants juifs du bataillon Botvine des Brigades internationales. Il vécut coup sur coup la traversée des ténèbres de l'anéantissement, puis la désillusion d'un "socialisme réel" dont il perçut très tôt le caractère de meurtrière imposture. Sa dernière étape, la résurrection juive en Israël, redonna flamme vive à sa foi et à son inspiration de poète. Cette foi retrouvée lui permit de faire réellement de sa poésie un "Arc-en-ciel au-dessus des frontières" comme il intitula un de ses livres. Arc-en-ciel de souffrance et d'espérance en l'avenir qui scintille, de Paris jusqu'à Jérusalem, des mille facettes de sa poésie.

De Paris jusqu'à Venise aussi. Car la suite sur laquelle son ultime ouvrage s'achève est l'une des plus belles. Venise, pour le poète, comme pour les amoureux de tous les siècles, est un pélerinage obligé, quasi rituel, un miroir des métamorphoses où se combinent magiquement les reflets prisonniers des eaux, les ombres filées des nuages, aux souvenirs et aux fantômes de la légende. Cependant, la Venise de Moshe Shulshtein n'est évidemment pas celle de Musset ni de

Thomas Mann ! Les gondoles qu'il voit amarrées à leur quai ou qui processionnent sur le Grand Canal sont les catafalques flottants d'un convoi funèbre. La mort à Venise ressemble à la mer : elle ride à peine la surface du miroir aquatique. Son ressac est en nous, qui s'acharne à gommer toutes les traces sur le sable. Ce que recherche le poète, sillonnant au Lido les allées d'un ancien cimetière envahi par les hautes herbes, c'est la tombe d'un de ses ancêtres en poésie, Elie Boher Lévita, dit Eliohou Boher, qui vécut au XVI° siècle et écrivit en vers le "Bovo Boukh" premier roman de chevalerie en yiddish.

L'herbe épaisse aux pas du poète va-t-elle enfin lui révéler le nom gravé sur une dalle ? Ou va-t-elle se refermer sur le mystère de ce génie qui hanta venelles et ruelles de la cité des Doges et du Ghetto vecchio ? Moshe Shulshtein, à son tour, vient déambuler dans ces ruelles obscures mais drapées de légendes, se perdre dans le dédale des eaux et des songes toujours renaissants de cette ville-éponge, entre lagune et ciel, qui fut pour les Juifs expulsés d'Espagne par l'Inquisition un des havres de leur diaspora.

Curieusement ici, c'est à un autre poète que l'on pense. A Umberto Saba, poète juif de Trieste qui, observant un jour à Venise sur le Lido, le passage d'une "camionnette blanche et bleue" semble soudain s'adresser à une ombre qui pourrait être celle de Shulshtein :

... Mais toi
qui depuis si longtemps chemines à la surface de la terre
te voilà, docile, qui te laisses prendre
à un mouvement de la vie !

Les derniers vers de Moshe Shulshtein gardent pour moi et garderont je crois pour ses lecteurs, l'éclat feutré et les miroitements nocturnes des eaux vénitiennes qui sont, comme la vie, perpétuel mouvement, perpétuel changement. A Venise, comme dans la vie, le poète apporte sa propre lumière, qui est peut-être celle de ces soleils transpercés, de ces soleils que nous portons en nous et qui jamais ne cesseront de battre.

Moshe Shulstein et les intentions secrètes

UNE POUPÉE A AUSCHWITZ

Sur un tas de cendre humaine une poupée est assise.
C'est l'unique reliquat, l'unique trace de vie.
Toute seule elle est assise. Orpheline de l'enfant
Qui l'aima de toute son âme. Elle est assise
Comme autrefois parmi ses jouets,
Au chevet de l'enfant sur une petite table,
Elle reste assise ainsi, sa crinoline défaite,
Avec ses grands yeux tout bleus et ses tresses toutes blondes.
Avec des yeux comme en ont toutes les poupées du monde,
Qui, du haut d'un tas de cendre, ont un regard étonné
Et regardent comme font toutes les poupées du monde.
Pourtant tout est différent. Leur étonnement diffère
De celui qu'on lit dans les yeux de toutes les poupées du monde.
Un étrange étonnement qui n'appartient qu'à eux seuls,
Car les yeux de la poupée sont l'unique paire d'yeux
Qui de tant et tant d'yeux subsiste encore en ce lieu,
Les seuls qui aient resurgi de ce tas de cendre humaine.
Seuls sont demeurés des yeux - les yeux de cette poupée
Qui nous contemple à présent, vue éteinte sous la cendre.
Et jusqu'à ce qu'il nous soit terriblement difficile
De la regarder dans les yeux.

Dans ses mains, il y a peu, l'enfant tenait sa poupée.
Dans ses bras, il y a peu, la mère portait l'enfant.
La mère tenait l'enfant comme l'enfant la poupée,
Et se tenant toutes les trois c'est à trois qu'elles périrent
Dans une chambre de mort, dans son enfer suffocant,
La mère, l'enfant, la poupée,
La poupée, l'enfant, la mère.

Parce qu'elle était poupée la poupée eut de la chance.
Quel bonheur d'être poupée et de n'être pas enfant.
Comme elle y était entrée elle est sortie de la chambre,
Mais l'enfant n'était plus là pour la serrer sur son cœur,
Comme pour serrer l'enfant il n'y avait plus de mère.
Alors elle est restée là, juchée sur le tas de cendre,

Moshe Shulstein et les intentions secrètes

Et l'on dirait qu'alentour elle scrute. Qu'elle cherche
Les mains, les petites mains qui voici peu la tenaient.
De la chambre de la mort la poupée est ressortie
Intacte, avec sa forme et avec son ossature,
Ressortie avec sa robe et avec ses tresses blondes
Et avec ses grands yeux bleus qui remplis d'étonnement
Nous regardent dans les yeux, nous regardent, nous regardent.

Moshe Schulshtein

Mordechai Litvine :
UN MAGICIEN DE LA TRADUCTION

    Si je compare volontiers Mordechai Litvine a un bénédictin, c'est qu'il possédait d'un moine du Moyen Age la persévérance et l'érudition, le côté sévère et le côté feutré. Les religieux de l'ordre de Saint-Benoît se distinguaient par leur opiniâtreté à accroître le savoir commun en déchiffrant des textes ardus et souvent obscurs. Leur violon d'Ingres consistait à sélectionner des plantes et à les distiller pour obtenir une liqueur délectable. Litvine montrait la même passion pour les textes à vaincre coûte que coûte, et s'il en tirait quelque liqueur elle ne provenait pas des herbes mais du verbe soumis à son raffinage transformateur.
    Ce savant si modeste semblait avoir cueilli ses connaissances comme des fleurs des champs, au cours d'une nonchalante promenade. On l'eût dit déplacé dans notre époque, non point en marge mais un peu à l'écart, observant le monde à la pointe de l'ironie où son regard prenait vivacité. Il apportait à ses travaux d'anciennes vertus, l'équilibre, la perspicacité du jugement, les secrets perdus d'une alchimie des langues qui permet de les transvaser l'une en l'autre sans dilapidation de l'or originel. Il possédait une autre qualité de caractère : la témérité. Il n'hésitait pas à aller toujours plus loin dans un projet, à défier l'impossible, à dépasser insolemment toutes les bornes et à se dépasser ainsi lui-même.
    Dans le domaine de la traduction, l'artisanal et l'impécunieux, par opposition à l'industriel et au lucratif, Mordechai Litvine s'est attaqué à des forteresses inexpugnables, à des créneaux qui semblaient inaccessibles. Patience et abnégation pour rapprocher des langues et des cultures au moyen de fragiles passerelles, parfois de simples ponts de cordes. Ce genre d'exploit fait peu de bruit, mais il représente une contribution

irremplaçable au progrès de la pensée.

Si ses méthodes et ses résultats sont passés au crible, nul ne conteste l'utilité du travail d'un traducteur. On a pourtant l'air de croire, s'il réussit, que sa réussite va de soi, qu'elle est comme un don naturel. En revanche, on ne lui pardonne ni ses erreurs ni ses échecs. Tout traducteur est voué à s'oublier dans l'autre, à se surpasser impérativement, à franchir d'un bond les obstacles que dressent sur son chemin les particularités d'expression ou de prosodie de chaque langue. De tels obstacles s'avèrent parfois irréductibles. Il arrive aussi qu'à affronter des difficultés majeures le traducteur donne sa pleine mesure. Sa passion monomaniaque du langage lui aura servi de levier.

Mordechai Litvine appartenait à cette parentèle peu nombreuse et discrète de traducteurs qui consacrent à leur passion, plus encore qu'à leur métier, la plus grande part de leur vie. Il a mené à bien une entreprise unique en son genre, son *anthologie de la poésie française*, deux volumes qu'il se proposait de compléter par un troisième : un monument et un apport inestimable à la littérature yiddish. Il a enrichi celle-ci et en même temps lui a donné de l'oxygène à l'heure où elle étouffait, menacée par l'amputation de ses lecteurs et de ses créateurs, mais aussi par la restriction de ses circuits et de ses symbioses avec d'autres langues.

C'est que le développement de la littérature yiddish fut constamment conditionné par un système d'irrigation. Les œuvres traduites lui ont été aussi salutaires que l'eau des averses aux bonnes récoltes. Nécessité sociale, la traduction est aussi une hygiène de l'esprit. Tout ce qui a quelque valeur a été traduit en yiddish, de Balzac à Dostoïevski. Les canaux et les aqueducs venaient principalement du russe, du polonais, de l'allemand, du français et de l'anglais. Les poètes - et les meilleurs d'entre eux - étaient sur la brèche : ils pensaient et ils ponçaient. Ils transcrivaient en yiddish les poésies étrangères, au besoin les proses. Le yiddish est une langue accueillante qui adopte volontiers les textes venus d'ailleurs, pourvu qu'ils soient de bonne tenue et que soit respecté leur "exotisme". Grâce aux traductions de Bialik (poésie hébraïque), Yehoash (une magistrale version de la Bible, à faire pâlir celle de Luther) Many-Leib (poésie anglo-saxonne), certaines œuvres ont fait leur lit dans le patrimoine yiddish. Baudelaire, traduit par Leib Naïdous avant la Première Guerre mondiale (on lui doit aussi les adaptations de Verlaine, Musset, Gautier, Maeterlinck et Edmond Rostand) n'est nullement un Baudelaire "folklorisé", la coloration du yiddish ne modifie *Les fleurs du mal* que par l'étrangeté mais en préserve le parfum capiteux. C'est dans une version yiddish de *L'île des pingouins* d'Anatole France que j'ai appris à déchiffrer les caractères d'imprimerie d'une langue que je savais seulement parler.

Editer un volume de poésie en yiddish, à la fin des années soixante et à la fin des années quatre-vingt était une performance en raison de la raréfaction du lectorat. C'est pourquoi la publication de l'*Anthologie* de Mordechai Litvine prit à juste titre l'importance d'un événement. Ce qui suscitait l'émerveillement, c'était le témoignage d'une foi que rien n'avait pu entamer, dans l'intervalle d'une génération qui sépare les volumes, mais surtout d'une connaissance exceptionnelle de la poésie française d'hier et d'aujourd'hui, de la diversité de ses registres et de ses contrastes. Témoignage de la sûreté des choix et du sens poétique d'un homme qui, devant les poètes, tenait à s'effacer avec humilité, mais qui, du poète, tenait l'impulsion créatrice et le métier. Un métier qu'il n'a cessé de parfaire jusqu'à nous offrir, plus que des arpèges raffinés ou des gammes de pianiste virtuose, l'orchestre entier, l'orchestre intérieur qui permet d'entendre résonner et chanter en yiddish, sans le moindre couac, sans le moindre hiatus, les plus beaux vers de Louise Labé, de Du Bellay, de Ronsard, de Lamartine ou de Baudelaire.

Sans doute, chez cet amoureux des langages et du bel canto y avait-il prédestination. S'il savait en évaluer et en transmettre les plus délicates nuances, les plus fines connivences, c'est certainement parce qu'il était né en Lituanie, sur cette terre, où comme des fleuves, plusieurs langues et plusieurs cultures ont convergé, se sont cotoyées et entrecroisées. Il est venu de ce carrefour des cultures où la création yiddish avait connu son apogée. Plus encore qu'un polyglotte, Mordechai Litvine était en personne une manière de carrefour de l'érudition et de la linguistique, un dispatcher des messages poétiques qui demeurent des hiéroglyphes tant qu'un Champollion ne les a pas déchiffrés. Il ne lui suffisait pas d'être un germaniste émérite (Berlin s'était trouvé pendant quelques années sur sa route d'exil), d'emmagasiner le russe, l'hébreu, le yiddish, il avait de solides notions de polonais et d'ukrainien. De chacun de ces domaines, comme du français, bien sûr, il s'était approprié l'héritage littéraire classique et une grande part du moderne.

De l'effervescente Vilna (Vilnius aujourd'hui) que Napoléon Bonaparte a pu désigner comme la "Jérusalem du Nord", Mordechai Litvine incarnait l'âme et l'intelligence. L'âme juive et l'intelligence cosmopolite qui vont si bien de pair, la spiritualité non doctrinaire, l'amour de la recherche comme une composante de l'être, la curiosité encyclopédique, la foi dans les ressources de la création. Toutes qualités précieuses et parfois hors norme qui se sont formées sur le terreau historique et dans le sillage de savoir et de sensibilité d'une capitale légendaire (1).

Ce que Litvine représentait mieux que personne, lui qui avait pris l'option des utopies révolutionnaires, puis s'en était détaché, penseur plus que militant, adversaire des illusions anesthésiantes et des mystifications idéologiques, c'est l'humanisme juif, dans toute sa dimension philosophique et éthique, humanisme agnostique et paradoxalement empreint de spiritualité, enraciné dans l'humus des Lumières de la Haskala, parcouru d'un flux puissant et fertile du XIX° au XX° siècle.

Mordechai Litvine n'était pas un rat de bibliothèque, mais un écureuil fouineur et fouilleur de livres, collectionnant des mots et des idées comme noisettes à préserver pour les temps de pénurie. On constate l'étendue de son érudition à lire les commentaires et les études qui éclairent sa démarche et les œuvres des poètes qu'il traduisit. Il ne cherchait nullement à impressionner ses lecteurs, mais il pensait qu'instruire c'est aussi séduire. Il passa des années à construire un panthéon pour les poètes qu'il aimait, mais ce panthéon reste ouvert à tous, et ce n'est en rien une chambre mortuaire. Plus qu'un musée, ce qu'il a conçu est un jardin de la mémoire, dans lequel, pour son propre plaisir d'abord, il a cultivé avec art les espèces dont il voulait nous faire partager les couleurs, la singularité ou les parfums volatils.

Touchant ses choix et ses méthodes, Litvine a toujours revendiqué la part personnelle, le droit de la subjectivité. Il dit ce qu'il aime, et de ce qu'il aime, il s'attache à nous transmettre un éclat, une braise, une flammèche. Avec autant de sagacité que de modestie. Dans son introduction au deuxième tome de son *Anthologie*, Litvine évoque métaphoriquement la servitude et la grandeur du traducteur de poésie, la tâche ingrate à laquelle il se voue et l'attirance magnétique qui commande sa démarche. Il compare celle-ci à l'attrait qu'éprouve l'alpiniste pour les sommets jamais atteints et qui, chemin faisant, derrière chaque pic, en découvre un autre à franchir. Litvine compare aussi la relation double et dialectique du poète et de son traducteur. Chez le poète, explique-t-il, qui se situe au point de départ, des fils à peine soupçonnés se tissent vers les autres, tandis que le traducteur, dans la langue d'arrivée qui est toujours une langue d'approche, doit percevoir ou pressentir sans cesse de nouvelles possibilités et de nouvelles variantes, dans la trame d'un texte qui ne laisse affleurer souvent que sa surface et une part infime de sa complexité.

Dès lors, pour un artiste qui a la conscience chevillée à la plume, perpétuellement insatisfait, scrupuleux jusqu'à l'exaspération, aucune traduction ne saurait être un aboutissement. S'il veut obéir au précepte de Boileau, ce n'est pas "cent fois" mais mille fois qu'il remettra son ouvrage sur le métier. Il s'évertuera à tirer de chaque texte sa "substantifique moëlle". Il sera l'orfèvre qui polit une pierre afin que de chacune de ses facettes émane le maximum d'éclat. Il nous proposera, s'il le faut, vingt ou trente versions du même vers de Baudelaire, afin de nous prouver qu'en yiddish les virtualités sont inépuisables sur l'échelle des métamorphoses. Sa pratique ressemblera à un acharnement, non point pour maintenir en vie artificiellement, un malade condamné, mais pour permettre à un poème ou à un vers de vivre, grâce à la transfusion d'une autre langue, toutes les vies qui sont potentiellement en eux.

Chez Mordechai Litvine, le souci des variantes devint le

principe ou le complément d'un art, identique à celui du compositeur ou du chef d'orchestre qui met en œuvre la pluralité des registres et toutes les ressources des instruments.

C'est que Litvine ne s'est jamais contenté d'une simple transposition littérale. Il s'est fixé pour objectif de restituer en yiddish, de la poésie française, le sens, les tonalités multiples, la diversité des rythmes et des structures formelles, y compris lorsque ces formes étaient inédites en yiddish. Il y avait en lui un Paganini de la traduction et ses réussites les plus éclatantes résident dans la transcription de pièces qui sont des "clous" du répertoire, mais que leur perfection même, ou leur virtuosité technique rend réfractaires à l'apprivoisement. C'est ainsi qu'il s'est emparé des "Djinns" de Victor Hugo, du "Cimetière marin" de Paul Valéry, d'un grand nombre de poèmes de Baudelaire, des sonnets de Nerval ou de Hérédia. On pourrait croire qu'il s'est plu à des exercices de style sophistiqués par masochisme de la difficulté ou pour se prouver à lui-même qu'à tout problème poétique en apparence insurmontable, il n'est pas impossible de trouver une solution élégante.

Qu'il traite de Rimbaud, de Corbière, de Mallarmé, de Max Jacob, et surtout de Baudelaire, pour lequel il affiche sa prédilection avec le bouquet fastueux de près de cent pièces extraites des *Fleurs du mal* et des *Tableaux parisiens*, son dessein n'est pas tellement de procéder à des exhibitions de son talent, mais à ce qu'il appelle des "re-créations", sauvegardant autant que possible l'agencement prosodique et la saveur spécifique de l'original.

Certes, la langue yiddish est malléable. Sa métrique, d'une certaine façon, moins drastique que la française, est disponible à l'invention rythmique et rimique. Il n'en reste pas moins que Mordechai Litvine, tel ce "magicien des lettres" évoqué par Baudelaire dans sa dédicace des *Fleurs du mal* à Théophile Gautier, a accompli de véritables tours de force. Il n'a pas prétendu bâtir un panorama exhaustif : son florilège de la poésie française, sans en rassembler toutes les composantes, n'en trahit pas pour autant l'histoire et l'évolution. Partant de la Renaissance avec Louise Labé, Joachim du Bellay et Ronsard, il fait le grand écart des quelques siècles qui vont des Troubadours à Villon, il y aurait fallu quelques volumes supplémentaires, et passe directement aux romantiques, une place de choix étant réservée à Hugo.

Viennent ensuite, dans cette chronologie forcément sélective, Rimbaud représenté surtout par les vers de jeunesse, avec la performance des "Voyelles" et du "Bateau ivre", à merveille restitués, Verlaine et Mallarmé, puis O.V. de Lubicz Milosz (Lituanien d'origine, comme Litvine) auquel est consacré une étude exemplaire. La modernité mise en valeur avec Apollinaire, Max Jacob, Valéry, Cocteau, Spire, Supervielle, Saint-John Perse, pour déboucher sur le surréalisme et ses mutations, avec Tzara, Eluard, Breton, Soupault, Jean Arp, Aragon, Artaud, Yvan Goll, Prévert, Queneau et de plus récentes générations : Pierre Morhange, Pierre Emmanuel, René-Guy Cadou et Claude Vigée.

Tout ce qui compte n'est pas inclus dans cet immense ouvrage : Litvine a obéi, tout naturellement, à ses affinités, mais on y trouve des poètes que l'on n'avait jamais lus en yiddish, le dadaïsme et le surréalisme n'ayant guère d'équivalents dans cette langue, même à l'époque des avant-gardes, Khaliastra, Inzikh, Young Vilné qui ignoraient peu ou prou les recherches modernistes poursuivies en France et se situaient davantage dans la parenté littéraire des Allemands, des Russes et des Américains.

Aux textes constitutifs de cette modernité il était problématique de donner en yiddish une matérialité poétique qui ne les défigurât point. Mordechai Litvine y est parvenu, suivant son propre flair et fidèle à sa conception, en créant d'une langue à l'autre un effet de capillarité. Il a fallu pour cela, en l'absence de références (rien ne coïncide dans les écritures de Halpern, Markish, Gladstein, Meylekh Ravitch avec celles de leurs contemporains, et il n'existe pas en yiddish de rupture comparable à celle du dadaïsme) que le traducteur inventât ses propres repères, ses propres coordonnées lexicales et syntaxiques, en ayant parfois recours à l'hébreu, parfois à des germanismes. Ce qui caractérise le travail de Litvine, c'est le souci de la nuance et celui de l'exactitude.

Mes premières tentatives de traduction du yiddish en français, à l'époque de la revue *Domaine Yiddish* (1958 / 1959) où nous collaborions, ont été encouragées et orientées par lui. C'est ce qui m'a permis de découvrir non seulement l'amour de la poésie qui l'habitait, mais la rigueur de sa pratique. Il était partisan de la traduction des vers réguliers yiddish en vers comptés français, technique très contestée, voire récusée par les poètes français, rebelles à toute francisation du texte par la métrique traditionnelle. J'ai pensé néanmoins que Litvine avait raison dans une large mesure, et je me suis plié à cette discipline formelle chaque fois que cela correspondait à une exigence de l'original. Comment donner une juste idée de Manguer, par exemple, sans la musique, les rimes, la tonalité de ballade populaire ? Sur les chemins épineux du choix de la forme et du mot, Litvine m'a été d'une aide appréciable, lui qui avait le sens de la poésie populaire autant que de la poésie la plus savante. Chez lui, tout dogmatisme était proscrit. Il était l'adversaire des recettes. Chaque poète était un cas d'espèce qui ne pouvait s'accommoder, pour la traduction, d'une quelconque formule préétablie.

C'est à l'incitation de Mordechai Litvine que je me suis remis à la traduction des poèmes de Leib Naïdous pour la réédition, au Seuil, de mon anthologie de la poésie Yiddish. J'y avais renoncé pour la première édition, estimant que Naïdous, en français, ne semblerait qu'un épigone de poète parnassien. Litvine m'a convaincu du contraire, et au prix d'une multiplication des variantes, sous son regard attentif et amical, j'ai essayé de montrer comment l'influence de Hugo, de Banville, du Parnasse, n'était pas incompatible avec des poèmes typiquement yiddish...

Nous autres, traducteurs, nous sommes pareils à des drogués. Sous l'emprise de notre hallucinogène, la poésie, nous nous promenons avec les mots, avec les strophes, comme des somnambules. Quand nous ne leur trouvons pas une réplique ou un équivalent dans notre langue, les mots nous poursuivent dans le métro, à table et jusque dans notre sommeil. Litvine était de cette espèce-là, persécuté persécuteur des mots, obsédé par sa quête du "gramme". J'ai vu dans quelles affres pouvaient le plonger telle ou telle expression d'un poète contemporain, telle ou telle articulation syntaxique. Il lui fallait coûte que coûte résoudre l'énigme en remuant des montagnes de dictionnaires, mais aussi en harcelant de questions ses amis...

Au fond, nos problèmes étaient analogues, mais en sens inverse. Il nous arrivait alors de passer de longs moments au téléphone, à confronter nos remarques, à peser le pour et le contre d'une formulation ou d'une correction. Litvine me tendait une main secourable pour démêler les rébus idiomatiques où je pataugeais, faute de dictionnaire des hébraïsmes et des slavismes qui saupoudrent le yiddish. Il m'indiquait les gués pour franchir le torrent verbal d'Uri-Zvi Grinberg ou de Markish, à l'époque où nous préparions la traduction intégrale de *Khaliastra*, sous la direction de Rachel Ertel (2). Il savait aussi, mieux que quiconque, analyser et éclairer pour moi la poésie d'Avrom Sutzkever, son ami de longue date, devenu le mien (3).

De son côté, il arrivait à Litvine de me solliciter pour une précision ou une suggestion. Je crois l'avoir persuadé, par exemple, de traduire Tzara et quelques textes d'André Breton. Ce que je connais des traductions qu'il poursuivit dans ses dernières années m'a confirmé qu'il était allé encore plus loin dans la recherche de la perfection. Le troisième volet du triptyque qu'il avait l'ambition de réaliser va manquer à la poésie yiddish. Mais il demeure qu'en vingt années, l'espace d'une génération, Mordechai Litvine a mis sur pied ce magnifique édifice qui honore la littérature yiddish et fera partie désormais de sa mémoire. Cette œuvre de traduction apparaîtra non seulement comme le témoignage irréfutable du talent d'un grand créateur, mais comme la démonstration majeure du très haut degré de vérité, de beauté et de savoir-faire artistique à quoi la transmission poétique des langues peut atteindre lorsqu'elle devient la pratique d'un véritable "magicien du verbe".

NOTES

(1) Voir l'ouvrage fondamental d'Henri Minczeles VILNA, WILNO, VILNIUS, la Jérusalem de Lituanie (Ed. La Découverte).
(2) Ed. Lachenal & Ritter, 1989.
(3) Voir le volume OU GITENT LES ÉTOILES, traduction en collaboration avec Rachel Ertel (Ed. du Seuil).

Marc Chagall
LA POÉSIE

De Marc Chagall, le peintre, on a déjà tellement glosé que l'on pourrait se demander s'il subsiste, sur sa mappemonde de toile, quelque tache blanche de l'inexploré, quelque triangle rouge cubiste ou disque noir suprématiste qui se prêteraient à une approche par la tangente...

Et l'on s'aperçoit qu'elle n'a peut-être pas livré tous ses secrets, qu'un trait peut en cacher un autre et que, derrière la syntaxe des couleurs, une autre langue se dévoile en filigrane, un parler de l'enfance qui fut assurément le substrat du merveilleux chagallien.

Son œuvre constitue à elle seule un prisme de l'imaginaire yiddish. Dès l'envol de Vitebsk, au propre comme au figuré, le shtetl a été le tremplin et parfois l'axe d'une rêverie - persistance rétinienne de l'âme - qui n'a cessé de s'enrichir et de se ramifier. La première Révolution russe, en 1905, a coïncidé avec les débuts de sa propre révolution esthétique, la génèse d'une vision hors catégorie (malgré tout ce qu'elle doit initialement au fauvisme et au primitivisme) qui a su synchroniser comme nulle autre la sensibilité juive et les ressources novatrices de la modernité.

Cette œuvre a inspiré en abondance exégèses et monographies. Mon propos n'est donc pas ici de l'étudier. Tout au plus de noter que son lien organique avec le monde yiddish est apparu puissant dans l'écriture, précisément dans la langue de ses pères, de l'autobiographie *Ma vie* qui fut traduite par Bela Chagall (1). Il a été d'autre part magnifiquement souligné pour la première fois en Septembre 1995 au Musée d'art moderne de la Ville de Paris, à l'occasion de l'exposition des décors que Chagall réalisa pour le Théâtre d'Etat juif de chambre (GOSEKT) fondé à Pétrograd en 1919 par le metteur en scène Alexeï Granovski puis transféré à Moscou. La séance inaugurale, le 31 décembre 1920, fut entièrement consacrée à Sholem Aleikhem avec trois pièces en un acte, toutes trois interprétées par Shlomo Mikhoëls, *les Agents, C'est un mensonge* et *Mazeltov*. Ce fut pour ce théâtre, un manifeste anti-naturaliste, à la fois théorique et pratique, qui prenait le contre-pied de la tradition instaurée par Stanislavski et ses disciples juifs. Chagall, dont les costumes et les décors contribuèrent d'une façon déterminante à ce radical changement d'optique, le commenta en ces termes : "Voilà l'occasion de renverser le vieux théâtre juif, son naturalisme psychologique, ses barbes collées. Là, sur les murs au moins, je pourrai me mettre à mon aise et projeter librement tout ce qui me semble indispensable pour la renaissance du théâtre national".

Il n'est pas difficile de constater que le souci d'un renouveau affirmé par Chagall en ce qui concerne le théâtre, s'applique à la culture juive dans son ensemble. Son travail pour le GOSEKT en témoigne avec éclat. Il n'est pas fortuit en effet, que les quatre grandes toiles rectangulaires qui en forment le point d'appui latéral - elles étaient placées entre les fenêtres - soient dédiées respectivement à la Musique, au Théâtre, à la Danse et à la Littérature. C'est une manière offensive de signifier par l'allégorie, au moyen de figures qui appartiennent d'ores et déjà au microcosme de l'artiste, ses aspirations profondes, la conception qu'il entendait poursuivre et sa profession de foi en faveur d'une mutation dans les autres disciplines.

La lumière qui irradie les sept panneaux conçus pour le théâtre Kamerny - conservés et cachés pendant un demi-siècle ! - émane d'une parabole exaltant la vie et l'art avec une jubilation sensuelle. Plus qu'un ornement de théâtre, ce fut une symbiose des deux arts, dramaturgie et peinture, une stratégie d'environnement qui débordait le plateau, agrandissait l'espace jusque dans ses abords et aimantait le regard des spectateurs de la scène à son contexte. Toute l'expérience du peintre, acquise notamment lors de son séjour parisien, entre 1910 et 1914, s'inscrivait dans cette démarche syncrétique qui conjugue les influences de la culture juive et celles de la

Russie en ébullition.

Chagall entreprit d'ailleurs, dans la même période, des maquettes de décors destinés au *Révizor* de Gogol (dont il avait déjà illustré le livre) et au *Baladin du monde occidental*, de Synge, élargissant ainsi la démonstration de ses possibilités et de ses idées en matière de théâtre. Si l'on s'en tient au cycle du Kamerny, la célébration lyrique de l'homme qu'il y déploie se situe dans l'immédiate continuité auto-référentielle d'une mythologie humaine et animale qui reprend et porte à leur plénitude polyphonique les thèmes, les symboles, les signes, personnages et créatures, disséminés jusque-là dans de nombreuses œuvres peintes. Ils représentent, rassemblés dans les fresques et les gouaches, une synthèse de l'art chagallien, une phase décisive de son écriture iconographique de conteur et de fabuliste.

A ce rendez-vous affectif des prédilections récurrentes, des formes expérimentées et des chimères nourricières, on trouve, mis en scène et projetés dans une perspective imaginaire - c'est-à-dire simultanéiste - tout autant qu'issus de la réalité du vécu, le klezmer violoniste et le badkhan - amuseur public - les amoureux et les acrobates, comme une illustration de la grâce et de l'allégresse de la fête de Pourim et de ses jeux (l'œuvre doit beaucoup aux souvenirs de ce carnaval juif) et l'artiste lui-même dont la tête, au lieu de se perdre dans les nuages, semble vouloir rejoindre en les frôlant les Tables de la Loi... On y découvre en outre les guirlandes d'inscriptions hébraïques ici et là utilisées - comme ailleurs selon la même méthode de collage les caractères cyrilliques - et naturellement le fameux bestiaire, indispensable complément du légendaire : chèvres, coqs, vache à la renverse, la couleur attribuée à chaque animal (comme Rimbaud le fit pour chaque voyelle) ayant aussi valeur d'un code.

L'univers de Chagall, univers en mouvement, univers aérien, est par définition celui du Luftmensh, non pas ici simplement "l'homme en l'air" l'homme de vent de la tradition, mais l'homme en perpétuel déplacement, l'homme volant celui qui bondit, flamme bleue, de la toile "En avant" de 1917, incarnation de l'audace et de la passion conquérante, d'une poésie ailée qui saute par-dessus les obstacles de la vie, ignore les limites imposées au désir et au rêve, révèle les pigmentations subjectives des choses et les paysages dansants d'une géographie née des fantasmes et de l'inconscient. Dans cet univers pluri-dimensionnel coexistent l'espace imaginaire et l'espace de la réalité, mais soumis à l'échange d'un continuel aller-retour. Le voyage spatial s'accorde harmonieusement, toutes les cloisons étant abattues, avec le voyage temporel dans le quotidien du shtetl que la nostalgie transfigure.

Le style métaphorique de Chagall est en résonance intime avec la structure de la langue yiddish, métissage phonétique et lexical, creuset d'emprunts qui ont fusionné au cours des âges, contrepoint constant du profane et du sacré. Il n'est pas étonnant que la langue yiddish, si généreuse en images, en expressions naïves et incongrues, en proverbes et adages qui questionnent le monde et parfois le mettent sens dessus dessous, ait trouvé une correspondance subtile et substantielle dans la peinture de Chagall. L'artiste désignait son territoire non point dans la littérature mais dans la spontanéité du parler : "Ces locutions et ces proverbes, au fond, sont devenus populaires parce que des milliers de gens comme moi y avaient chaque jour recours pour exprimer leur pensée. Si un charretier se sert de ces images, ce n'est pas de la littérature".

Il est arrivé néanmoins à Marc Chagall, c'est un aspect moins connu de ses recherches, de franchir la frontière entre poésie plastique et poésie écrite. C'est ce que j'ai appris moi-même, en 1969, sur une sollicitation de Louis Aragon qui me demanda de traduire du yiddish quatre poèmes de Marc Chagall, lesquels furent publiés dans le numéro de l'hebdomadaire *Les lettres françaises* daté du 31 décembre 1969, accompagnés d'une série de poèmes d'Aragon sur Chagall que l'on devait ensuite retrouver dans le livre *Les Adieux* (2) sous le titre "Celui qui dit les choses sans rien dire".

Je travaillais alors au *Miroir d'un peuple*, anthologie de la poésie yiddish qui allait d'abord paraître chez Gallimard en 1971, avant d'être remise à jour et complétée pour une réédition au Seuil en 1987. Si je n'y ai pas inclus mes traductions de Chagall, c'est que le peintre envisageait une publication séparée dont il tenait à garder la primeur.

Aragon m'assura que Marc Chagall avait vivement apprécié mes traductions. Ce que le peintre me confirma lorsqu'il me reçut chez lui, à Paris, pour un entretien plein de cordialité où nous parlâmes de la poésie en général et de la poésie yiddish en particulier. C'était peu de temps après cette publication que l'on retrouvera ci-après dans son intégralité.

NOTES

(1) Ed. Stock.
(2) Ed. Messidor.

QUATRE POÈMES DE MARC CHAGALL
Traduits du Yiddish

AUX ARTISTES MARTYRS

Les ai-je tous connus ? Suis-je venu
Dans leur atelier ? Ai-je vu leur art
De près ou de loin ?
Et maintenant je sors de moi, de mes années,
Je vais vers leur tombe inconnue.
Ils m'appellent. Ils m'entraînent au fond
De leur trou - moi l'innocent - moi le coupable.
Ils demandent : où étais-tu ?
_ Je me suis enfui.

On les conduisait, eux, vers le bain de leur mort
Et c'est là qu'ils goûtaient à leur propre sueur.
C'est alors qu'ils ont entrevu la lumière
De leurs toiles non peintes.
Ils ont compté les années non vécues
Qu'ils veillaient et qu'ils attendaient
Afin d'aller jusqu'au bout de leurs songes -
Endormis et non endormis.
En eux-mêmes ils retrouvèrent
Le coin d'enfance où la lune cernée
D'étoiles leur annonçait un limpide futur.
Le jeune amour dans les logis obscurs, dans l'herbe,
Sur les monts et dans les vallées, les fruits taillés
Trempés de lait, enfouis sous les fleurs,
Leur promettaient le paradis,
Les mains de leur mère, ses yeux,
Les escortaient jusqu'au train, vers la lointaine
Gloire.

Quatre poèmes de Marc Chagall traduits du Yiddish

Je les vois : maintenant ils se traînent en haillons
Pieds nus sur les chemins muets.
Les frères d'Israëls, de Pissaro et de
Modigliani, nos frères - que conduisent
Avec des cordes les enfants de Dürer, de Cranach
Et d'Holbein - vers la mort et les crématoires.
Comment puis-je, comment dois-je verser des larmes ?
On les a depuis si longtemps trempés dans le sel
De mes yeux.
On les a consumés de dérision, afin que je
Perde la dernière espérance.
Comment puis-je pleurer,
Quand chaque jour j'ai entendu
Arracher de mon toit une dernière latte ?
Quand je suis harassé de poursuivre ma guerre
Pour le morceau de terre où je reste debout,
Dans lequel pour dormir on m'étendra plus tard.
Je vois le feu, la fumée et le gaz
Qui montent vers le bleu nuage, et qui
Le rendent noir.
Je vois les dents, les cheveux arrachés.
Ils projettent sur moi - déchaînée
Ma couleur.
Je suis dans le désert face à des monceaux de souliers,
De vêtements, ordure et cendre, et je murmure
Mon kaddish.

Et tandis que je reste ainsi - de mes tableaux
Descend vers moi le David peint, avec
Sa harpe à la main. Il veut
M'aider à pleurer, à jouer des versets
des Psaumes.
Et après lui descend notre Moïse,
Il dit : n'ayez peur de personne.
Il vous prescrit de reposer en paix
Jusqu'à ce qu'une fois encore il ait gravé
De nouvelles Tables pour un nouveau monde.
L'ultime étincelle s'éteint,
Le dernier corps s'évanouit.

Quatre poèmes de Marc Chagall traduits du Yiddish

Tout se tait comme avant un nouveau déluge.
Je me lève et vous dis adieu,
Et je prends le chemin qui mène au nouveau Temple,
Et là j'allume une bougie
Pour votre image.

LE TABLEAU

Si mon soleil rayonnait dans la nuit,
Je dors - baigné dans des couleurs,
Dans un lit d'images,
Et ton pied sur ma bouche
M'étouffe et me torture.

Je m'éveille dans la douleur
D'un nouveau jour, avec des espérances
Qui ne sont pas encore peintes,
Qui ne sont pas empreintes de couleurs.

Je cours là-haut
Vers les pinceaux desséchés.
Comme le Christ je suis cloué,
Crucifié sur ma palette.

Suis-je fini,
Achevé dans ma toile ?
Tout rayonne, ruisselle, court.

Lève-toi, encore une touche
Là-bas, du noir,
Ici, le bleu le rouge se sont étendus
Et m'ont apaisé...

Ecoute-moi - mon lit de mort
Mon herbe desséchée,
Les amours disparues,
Revenues de nouveau,
Ecoute-moi.

Quatre poèmes de Marc Chagall traduits du Yiddish

Je passe par-dessus ton âme,
Je franchis ton ventre,
Je bois le reste de tes jours.

J'ai englouti ton clair de lune,
Le songe de ton innocence
Afin de devenir ton ange
Et te veiller comme autrefois.

VERS DE HAUTES PORTES

Seul est mien ce pays
Qui se trouve en mon âme ;
Comme un familier, sans papiers,
Je m'y rends.
Il voit ma tristesse et ma solitude,
Il me couche pour m'endormir,
Me recouvrant d'une pierre d'odeurs.

Un vert jardin fleurit en moi, des fleurs imaginées,
En moi mes propres rues s'étendent.
Les maisons manquent
Depuis le temps de mon enfance elles sont en ruines,
Leurs habitants s'égarent dans les airs,
Ils cherchent un logis, ils vivent dans mon âme.

Voici pourquoi quelquefois je souris
Quand le soleil scintille à peine,
Ou bien je pleure
Comme une pluie légère dans la nuit.

Je me souviens d'un temps
Où je portais deux têtes...
C'était un temps
Où les deux têtes
Se couvraient d'un voile d'amour,

Quatre poèmes de Marc Chagall traduits du Yiddish

Se dissipaient comme le parfum d'une rose.

Il me semble à présent
Que même en revenant sur mes pas
J'avance
En direction de hautes portes
Qui cachent un chaos de murs
Où les tonnerres abattus passent leurs nuits
Et les éclairs brisés.

TON APPEL

Je ne sais pas si j'ai vécu. Je ne sais pas
Si je vis. Je regarde le ciel
Et ne reconnais pas le monde.

Mon corps s'en va vers la nuit,
L'amour, les fleurs des images
D'un sens à l'autre sens m'appellent.

Ne laisse pas ma main privée de bougie
Quand ma chambre s'obscurcira.
Comment dans la blancheur verrai-je ton éclat ?

Ton appel comment l'entendrai-je
Quand je resterai seul sur mon lit
Quand mon corps connaîtra le silence et le froid ?

---

* Ed. Messidor, 1982 et ŒUVRE POÉTIQUE, T. 7. Livre Club Diderot.

LA RECONQUÊTE DE L'IMAGE

Les Juifs, au cours des siècles, n'ont pas eu de visage. Je veux dire pas de visage qui fut identifiable et irréfutable à leurs propres yeux, pas de visage qui s'accordât sans hiatus à ce qu'ils voyaient ou rêvaient d'eux-mêmes. Ils étaient hors d'état de projeter ou de transcrire leur image dans une quelconque matière, qu'elle fût noble ou triviale. Ils ne se connaissaient ou se reconnaissaient que fugitivement, par leur reflet sur une surface lisse, liquide ou métal, captifs d'un simple jeu de miroir ou d'une manipulation par les autres, les maîtres effectifs de leur image, libres d'en disposer à leur gré.

Parce que leur religion, et l'art qui s'en est inspiré, prenait source dans l'Ecriture, notamment les Evangiles, ce sont les Chrétiens principalement, qui ont octroyé aux Juifs ou façonné leur représentation d'âge en âge, une représentation conforme à leur théologie, à leurs modèles esthétiques, à leurs présupposés mythiques ou éthiques.

Le JE du Juif, pour l'essentiel, est ce qui a été vu et reconnu par des yeux qui ne sont pas les siens, ce qui a été dessiné, gravé, peint ou sculpté par un autre, un non-Juif, qui ne partage ni ses sentiments, ni sa sensibilité, ni sa croyance. Représentation qui s'est effectuée suivant un principe de mimétisme ou de singularisation, que ce principe impliquât réprobation ou compassion. L'art du christianisme, nourrissant par là même ses audaces et ses splendeurs, n'a cessé de puiser dans l'Ancien et le Nouveau Testament ses thèmes, ses fabulations, ses scènes ou ses portraits allégoriques. Il s'est approprié et a traduit magistralement les figures emblématiques du judaïsme, Moïse, Adam et Eve, Noé, Loth et ses filles, Abraham et Rebecca, David et Salomon, Jacob et Esaü, Judith et Esther, Samson et Dalila, etc... en leur prêtant les traits des modèles pris dans l'entourage de l'artiste, une psychologie à sa convenance ou relative à ses connaissances, épousant les modulations de sa foi.

Il en est résulté un très grand art classique et nul ne songe à en nier l'extraordinaire richesse, la dimension humaine et universelle. Mais ce quasi monopole (je ne parle évidemment que des arts occidentaux, à l'exclusion des africains et des asiatiques) comporte aussi des effets pervers. Prenons un exemple non dans la peinture mais dans le théâtre classique : le plus célèbre personnage de Juif est sans conteste le Shylock du *Marchand de Venise*. Le génie de Shakespeare a fixé pour la postérité un certain stéréotype subordonné aux conditions sociales de l'époque, notamment à l'interdiction faite aux Juifs de cultiver la terre et d'exercer bon nombre de professions. L'économie bourgeoise trouvait alors avantage à ce confinement qui laissait aux Juifs le rôle de banquiers ou d'usuriers, avec pour conséquence une transposition péjorative dans l'imagerie populaire ou la conscience sociale.

Il est intéressant de constater que de nos jours la représentation littéraire des Juifs, fut-elle infléchie par l'histoire récente et plus délicate à manier après la Shoah, n'en est pas moins toujours soumise à l'attraction des lieux communs, réfractaires à toute emprise du réel.

C'est ainsi qu'un philosophe et penseur doué non seulement d'une intelligence des plus aiguës, d'une sagacité hors de pair, mais aussi d'une plume étincelante, je veux parler d'E.M. Cioran que l'on ne saurait une seconde soupçonner de partialité ou d'antisémitisme, nous a offert du ou des Juifs un éblouissant portrait dans "Un peuple de solitaires" chapitre de son ouvrage *La tentation d'exister* (1). En alternance avec des vues pour la plupart pertinentes, profondes, ingénieuses, il n'hésite pas à faufiler quelques images-clichés qui semblent tirées du même ancien tonneau des préventions ou des définitions séculaires touchant le comportement des Juifs, pris d'ailleurs, d'une façon nécessairement caricaturale, comme une entité à peine divisible en individus particuliers...

Il faut faire la part, bien entendu, chez Cioran, de son goût de la dérision, de son esprit frondeur qui s'en prend aux notions les plus communément admises, de son humour ravageur qui ne laisse pas une noix, à force de le secouer, au cocotier des mythes chrétiens, ou s'exerce à un dithyrambe

La reconquête de l'image

forcené et hilarant du Dieu des Juifs, Yaweh. Mais si Cioran voit dans les Juifs, non sans lyrisme, des "prospecteurs d'éternité", il les montre aussi "cupides et généreux, s'insinuant dans toutes les branches du commerce et du savoir "ce qui nous ramène à un refrain connu. Il leur propose d'étranges alibis : "Il faut avoir perdu soi-même plus d'une patrie, être comme eux, les citadins de toutes les cités, combattants *sans drapeau* contre tout le monde, savoir à leur exemple, *embrasser et trahir toutes les causes*" (c'est moi qui souligne).

Quant à ce nomadisme que semble justifier la diaspora (mais peut-on confondre la fatalité, la cruauté du sort, avec une vocation ?) E.M. Cioran croit bon d'insister en déniant aux Juifs toute attache avec une patrie, ou même une terre, quelle qu'elle soit : "Chassés de chez eux, apatrides-nés, ils n'ont jamais été tentés d'abandonner la partie".

En vérité, son amour et son sens du paradoxe - qui ne vont pas sans une certaine complaisance - conduisent Cioran, très sciemment, à attribuer aux Juifs comme vertus les défauts ou les anomalies que la tradition antisémite leur impute.

* * *

L'image interprétée et reproduite du Juif, telle qu'elle a été formée et forgée par d'autres mains, à plume ou à pinceau, obéissant à des critères douteux ou peu avouables, ne pouvait que le trahir, le déposséder de lui-même, contribuer à son abaissement et à son humiliation.

La responsabilité de cette situation qui a perduré pendant des siècles, revient d'abord au tabou édicté par la religion juive - il en va de même pour l'Islam - touchant la représentation divine, donc humaine.

Dans les Ecritures, Dieu est non seulement privé de nom - on écrit IhvH pour Yaveh et on dit Adonaï - mais privé de visage. Il ne saurait avoir pour apparence que le vêtement transparent de l'esprit. L'homme, qui est sa créature, a le droit d'être recensé, défini, désigné, sous tous les termes qu'on voudra, mais il demeure absent à l'image comme on est absent à l'appel, éternelle Arlésienne d'un opéra qui resterait muet ou mimé.

Un des dix commandements stipule :

> Tu ne feras pour toi ni sculpture ni toute image de ce qui est dans les ciels en haut, sur la terre en bas et dans les eaux sous terre (2).

Le respect de cette parole recueillie par Moïse a été quasi absolu. Il en est résulté que l'image, objet de prohibition, ne s'inscrira dans aucune œuvre d'art, sinon par exception, presque clandestinement ou anonymement. Ni dans l'albâtre des Égyptiens (lesquels néanmoins l'introduiront dans certaines fresques, bas-reliefs et ronde-bosse) ni dans le marbre des Grecs. Pourtant, les vestiges des murailles de Massada aux fresques effacées, les mosaïques de la synagogue de Hammath, près de Tibériade, celles du pavement de Beth Alpha où les visages ont pour guirlandes des caractères hébraïques, nous révèlent par leur trace même et leur beauté embryonnaire ce qui aurait pu advenir de cet art s'il n'avait été étouffé, exclu de lui-même, écrasé sous le poids du tabou, voire détruit par des fondamentalistes iconoclastes.

L'interdit a été supprimé par le christianisme : aucun des Commandements - tels qu'ils figurent dans le catéchisme - ne s'y rapporte. Dès lors, c'est par le christianisme que l'image la plus répandue du Juif a pu être propulsée à travers le temps et l'espace. Dans tous les registres de son art, qu'il soit byzantin, roman ou gothique, il a multiplié les références et les scènes bibliques qui ont des Juifs pour héros et protagonistes. La plus célèbre image du Juif, faut-il le rappeler, est celle de Jésus de Nazareth, emblème d'une Passion dont tous les épisodes ont été illustrés dans d'innombrables versions dues au génie des plus grands artistes au cours des siècles.

Pour une part, les objets du culte judaïque, les ornements synagogaux, furent façonnés par des artistes chrétiens, l'accès aux métiers dits "nobles" étant interdit aux Juifs. La construction du premier temple lui-même fut confiée par Salomon à des maçons phéniciens. Il existe cependant des exceptions à l'absence d'images dans l'art synagogal archaïque. J'ai cité Beth Alpha. On y trouve une iconographie et quelques symboles sculptés, Daniel et les lions, par exemple. La plus notoire de ces exceptions est archéologique : les vestiges du plus grand ensemble iconographique ont été découverts en 1921 (et les fouilles poursuivies jusqu'en 1932) à Doura Europos, sur la rive occidentale de l'Euphrate. La synagogue de cette colonie grecque en Mésopotamie (300 avant notre ère) servit au culte de la communauté juive jusqu'en 256. Elle comporte un ensemble de peintures et de figures allégoriques illustrant l'Ancien Testament suivant une stylisation sommaire où les personnages sont constamment représentés de dos, conformément à l'interdit du visage, ce qui confirme mon propos.

Si bien que, mis à part de magnifiques parchemins enluminés conservés à Mantoue et à Florence (reflets de l'essor artistique de la communauté juive en Italie, au XVe siècle), de même que de précieuses et exemplaires Haggadah comme celle de Sarajevo, au XVIe siècle, qui se distinguent par leurs calligraphies hébraïques, leurs lettrines, leurs enluminures, l'histoire juive ne s'incarne pas avant le vingtième siècle dans la tradition picturale. Elle continue de flotter à la surface du temps, tel un lotus immatériel. Hors du visible, du palpable, du saisissable, la visualisation historique ou mythologique reste un aliment du regard aussi suspect et réprouvé par la loi que la nourriture non-casher. Il n'empêche que la figure et le corps humain ont poursuivi dans l'art leur fabuleuse trajectoire, leur aventure esthétique qui s'intègre à l'histoire de la civilisation.

Enfin délivré de l'anathème séculaire, l'artiste juif recouvre à la fois sa liberté d'examen et de jugement et sa vue imprenable sur la vie. Il reprend possession de ses instruments transformateurs, de tous les sujets et de tous les moyens de son art. Il redécouvre l'homme dans sa totalité et sa complexité, comme une Amérique que le dogme religieux l'empêchait d'aborder.

De même qu'en l'espace d'un siècle la poésie yiddish a investi tous les courants, toutes les écoles, du classicisme aux diverses avant-gardes, l'art juif, au cours du XXe siècle a opéré la reconquête de l'image, de l'image de l'homme juif, en premier lieu, mais aussi de l'image de l'homme et de la femme en général, avec une accélération et une profusion qui n'ont guère d'équivalents dans l'histoire de la création.

C'est ainsi, au cours de la décennie 1910-1920, que la contribution des plasticiens juifs a marqué le tournant des avant-gardes. Qu'il s'agisse du futurisme, du dadaïsme, du cubisme, du constructivisme, de l'expressionnisme, l'esthétique a procédé au grand lessivage de la culture. Elle a exalté l'imagination au détriment de la religion et de ses symboles. Dans la prolifération et le chassé-croisé des écoles, l'être juif puise de nouvelles déterminations. Il s'éprouve sans attaches, maître et pionnier de ses explorations les plus risquées. Il suffit de citer Jacques Lipchitz, El Lissitzky, Zadkine, les frères Gabo, Man Ray, Sonia Delaunay, Max Weber, Meidner et Steinhardt, Hans Richter et Marcel Janco, pour constater ce pluralisme où ce qui importe désormais n'est plus l'illustration, soit d'une idée, soit d'un sentiment, soit d'un thème. La référence à la psychologie, à l'histoire personnelle, est évacuée. L'originalité se substitue à l'originellité. L'empreinte identitaire se dilue dans la forme où se situe le primat de la pensée. La recherche remplace la quête de soi par la conquête des choses. L'artiste juif à la fois s'assimile et se dissimule dans la généralité de l'art qui ne saurait dépendre d'un particularisme. Il s'affirme résolument non-distinct, délivré du judéo-centrisme et de l'ethno-mémoire. Il n'y a pas de cubisme juif, pas plus que de cubisme chrétien. L'art ne badine pas avec son autonomie : il constate qu'il ne peut être révolutionnaire que s'il est laïque. Cette condition convient à merveille à des créateurs qui cherchent moins à se masquer, en s'avançant sur ces terres incertaines, qu'à se dépouiller des oripeaux du passéisme et de la vieillerie esthétique, laquelle a partie liée avec les religions et les coutumes. Séculiers par vocation, ils n'ont d'yeux que pour ce qu'ils découvrent et non pour leurs antécédents. Le passé s'estompe dans la poursuite effrénée d'un devenir enfin acceptable. On a moins besoin de racines que d'une frondaison qui embrasse tout ce qui fut et tout ce qui sera.

Par le chemin de l'avant-garde, l'artiste juif abandonne le déterminisme supposé de son destin ou de sa singularité pour rejoindre une communauté de l'invention qui veut, pour le nouveau siècle et le nouvel homme qu'elle pressent et appelle, affranchir le regard de ses entraves, de ses tabous, et remodeler la sensibilité, fut-ce au prix d'une déflagration.

D'autres artistes, sans rien sacrifier de la modernité, sauront y réintroduire une expression proprement juive, d'Utrillo à Marcoussis, Kisling, Kikoïne, Mané Katz. Ils instaurent une multi-identité, conforme à la nouvelle dimension de la culture, ou s'attachent à rénover l'iconographie et la mythographie. C'est ce que feront Pascin, Modigliani, Marc Chagall et Chaïm Soutine. Chez celui-ci, la rébellion contre les tyranniques contraintes subies dans l'enfance, ira jusqu'au refus radical de la tradition, de la langue yiddish et de la société juive. Pourtant, son art de visionnaire écorché vif, qui sacralise en voulant désacraliser, demeure ambivalent, écartelé entre l'attirance inavouée du christianisme et la récurrence juive. Sans revenir jamais au monde du shtetl lituanien qu'il a rejeté - mais qu'il ne parvient sans doute pas à arracher de son inconscient - il ne peut adhérer vraiment au monde adoptif, la France, auquel il s'est mal adapté.

Chez toute une pléiade d'artistes contemporains, célèbres ou non, appartenant à toutes les tendances esthétiques, à toutes les disciplines, peinture, gravure, sculpture, tapisserie, s'est exprimé un génie qui à la fois, paradoxalement, reprend terre dans la spiritualité et la conscience tragique de l'histoire, et parfois vise à dissoudre le particulier dans l'universel.

Je n'ai évidemment pas l'intention d'établir un inventaire, encore moins un palmarès. Je voudrais simplement évoquer l'œuvre de quelques-uns de ceux que la vie et mon intuition m'ont amené à découvrir et à aimer.

NOTES

(1) Ed. Gallimard, 1966.
(2) La Bible, traduction Chouraqui.

UN POÈTE DE LA TAPISSERIE :
Thomas Gleb

> *Mémoire fil-I-aléatoire*
> *Je*
> *Fils de Moishé le tisserand*
> *et de Riwke fil-à-sept-brins-blancs*
> *co-naissant*
> *Thomas Gleb*

Thomas Gleb fut en ce siècle un des plus grands poètes de la tapisserie. Un aède de la laine qui joua des fils et des trames comme on joue des cordes d'une harpe. La harpe du roi David, par exemple, qu'il tendit, élévation blanche, prière tissée entre terre et ciel, instrument tactile et textile d'où naît la musique reliant le matériel et le spirituel. La laine vient sous les doigts du lissier comme le clavier sous la main du pianiste. Chaque fibre est connue par cœur. Et celui qui conçoit le modèle, le compositeur du carton, connaît également - et co-naît avec - ce qui va sourdre et s'amplifier sous les doigts. Il est l'auteur d'une partition qu'il appartient à d'autres d'exécuter, mais dont il a d'abord pensé la structure, le rythme et la densité.

Avec Thomas Gleb s'est définitivement consommé le divorce de l'illustration et de la tapisserie. Celle-ci n'est plus la reproduction d'un tableau, ni son décalque mental, voire un sous-produit obligé de la peinture ou de l'enluminure, mais une création autonome qui n'obéit qu'à ses propres règles, à ses propres motivations et motifs, même et surtout lorsque celui qui lui donne le feu vert est un artiste polyvalent, peintre et sculpteur, un artiste qui a finalement découvert dans la tapisserie l'échelon supérieur de sa conception plastique et de sa soif d'absolu. C'est que "né sur un tas de laine" comme il se définissait malicieusement, fils de tisserands, père et mère, né en 1912 à Lodz, la capitale de l'industrie textile en Pologne, il se devait, probablement par prédestination, de tracer dans la laine le sentier de sa vocation pleinière, de bâtir avec les faisceaux asymétriques des fils un fabuleux vitrail de la mémoire, captant les plus secrets rayonnements de l'aube et de la nuit. Du "tas de laine" de son enfance il fit dans sa maturité un temple ouvert à tous.

* * *

Le Thomas Gleb que j'ai connu était un homme trapu, imberbe et modeste. La discrétion était dans sa nature et la résolution dans son allure. Homme de laine au tempérament peu moutonnier. On eut dit, à l'occasion : ours mal léché. Mais c'était un trompe-l'œil. Plutôt ours rebelle, inapprivoisable dans le cirque du parisianisme, car c'est lui qui vous apprivoisait. Il n'avait encore acquis ni la célébrité ni les honneurs des grands prix nationaux et internationaux, mais se montrait inflexible dans ses convictions, ses goûts et ses idées. Rien n'aurait pu le distraire de son projet, l'écarter de la ligne qu'il s'était fixée, quitte à affronter les aléas, les hic et les déconvenues d'un quotidien assez âpre. S'il y faisait face, avec une inusable dignité, c'est qu'il y avait en lui du roc, des arêtes vives, mais aussi de la mousse. Sous forme de poils bouclés, cette mousse finit par envahir son visage en lui ciselant pour l'éternité un masque en harmonie avec son œuvre. Masque d'un mage zoroastrien, du Saint-Pierre des icônes byzantines du Sinaï ou d'une toile de Masaccio, masque que sa noblesse laissait flotter, comme détaché des contingences, en tout cas de toute petitesse et de toute pose.

Il vécut longtemps loin des salons et des hautes sphères, presque aussi pauvre que Job dans le minuscule logis du faubourg Saint-Antoine qui lui servait également d'atelier avant qu'il en trouvât un plus spacieux, dans les environs. Il n'était pas le plus privilégié ni le plus démuni des habitants de ce quartier animé par le commerce du meuble. Lui, il possédait cet unique trésor : ses mains ouvrières, inventives, son imagination galopante, sa passion et sa foi dans son art. Une foi que partageait et protégeait l'admirable Maria, sa femme toujours sur la brèche, défiant l'adversité ou la médiocrité, toutes griffes dehors, sachant être constamment la source d'énergie du courage, de la tendresse, de la fierté dont Gleb avait besoin pour poursuivre sa tâche sans trébucher, sans compromis, sur un chemin parsemé de creux et de bosses.

La mémoire est un "fil aléatoire" nous a-t-il dit. Mais c'est en même temps le fil initial, le fil conducteur et, s'il le faut, dans le dédale inextricable de nos vies enchevêtrées avec l'histoire, le nécessaire fil d'Ariane qui peut nous conduire hors de sa toile d'araignée. La toile tissée sur les murs n'est jamais ce qui capture ou emprisonne. C'est ce qui nous délivre, nous allège de notre surcroît, nous ramène en nous vers le plus pur, le voilé, la blessure à cicatriser.

Mais avant la tapisserie sur le mur, il y eut la laine sur la brebis. Lente croissance sur l'animal d'une touffe de vie, d'une herbe ovine que l'on transformera en tissu, la laine est d'abord une transhumance de pelage et de poils, couleur de sable et couleur de temps. Cette toison dorée, cette toison biblique, du fond des âges, a servi à vêtir les humains et leurs légendes. Elle a traversé les déserts et laissé dans les souvenirs son écume bienfaisante. Le métier à tisser à modulé les fibres en infinité de figures florales, chimériques, allégoriques, entrelacs de toutes les énigmes et de toutes les voluptés visuelles.

Pour rendre la parole aux murailles austères des cathédrales et des palais, on favorisa cette éclosion de la laine armoriée, ces vastes blasons porteurs de chatoiements et de l'héraldisme des rêves. Protectrice du corps et de sa tiédeur, la laine vestimentaire, quand on la convertit fil par fil, en tapisserie, point noué et coupé à la main, surface épaisse et crémeuse, conserve de l'animal la palpitation, la rondeur caressante, le léger friselis où peut s'insinuer le vent. La laine, qui se souvient d'une existence primitive, n'est jamais immobile ou stagnante. Certains levains la gonflent, la font respirer imperceptiblement. Elle libère les ondulations du rêve.

Pour Thomas Gleb, la laine fut matière de pensée et d'écriture. Il bannit de la tapisserie ce qui constituait sa rhétorique, l'ornementation, sans pour autant lui refuser la puissance lyrique et symbolique, la profonde résonance spirituelle et religieuse qui s'est exprimée dans l'oratoire de la Sainte-Baume, dans le cycle des "Douze tribus d'Israël" dont les cartons furent exposés au centre culturel de l'abbaye de Royaumont, dans l'Hôtel de la Communauté urbaine à Bordeaux, chacun de ces lieux devenant le foyer d'un message incluant l'Ancien Testament et l'Evangile. Il faut cependant remarquer que dans les lieux de recueillement chrétiens où s'inscrivent ses tapisseries dans l'éclat de leur blancheur éblouissante, il évita toujours la croix emblématique, considérée par lui comme l'inhumain symbole d'un supplice plutôt que d'une foi qu'il respectait. La croix romaine est remplacée par une ellipse qui évoque les bras tendus dans une courbe admirable de simplicité. L'artiste juif procède par décantation. Aux festons, aux frénésies baroques, il substitue délibérément une rigueur quasi janséniste. Le dépouillement comme méthode d'entrée en soi et de méditation, par quoi il rejoint, suivant un chemin de traverse, la sérénité mystique d'un jardin zen. Démarche sidérante, au bout de laquelle, partant peut-être de la Kabbale et du Talmud, on aboutit en quelque sorte à une variante du bouddhisme tantrique...

En vérité, les références de Gleb, puisées dans le Livre et dans les Ecritures, exigeaient tout autre chose qu'une transcription : un déplacement radical, une métaphore. Il leur fallait émigrer du domaine du papier vers celui de la pierre et du béton, afin de s'y déployer et de répandre ce rayonnement qui émane de l'intérieur de l'être et rebondit de l'un à l'autre. La diaspora des signes accompagne l'adoption d'une nouvelle technique. Gleb donne à la tapisserie sa dimension murale en même temps que sa dimension morale. Une éthique incluse dans une esthétique. Il réussit à conjuguer sans heurt le monumental et l'intime, la perfection plastique et la ferveur de la prière. L'alliance n'est pas uniquement, scellée dans la laine par les franges, le cuir, les raies noires du châle de prière, une évocation mosaïque, elle incarne aussi l'alliance du matériel et du spirituel, le matériau acquérant lui-même, par le dispositif mis en jeu et l'inspiration qui l'anime, une vertu proprement spirituelle.

Ainsi traitée, en douceur et en haute lisse, la laine reprend sa liberté de route caressable. Elle se plie au souffle de l'artiste qui sait, subtil jusque dans la fantaisie, utiliser sa substance, son moelleux sa surface flexible et extensible. Gleb parlait couramment le yiddish, sa langue maternelle, comme le polonais, et l'hébreu qu'il avait étudié : avec les signes hérités de cette tradition, il met en œuvre une conception inédite de l'espace. Les signes sont déracinés, réinventés, dans les "Douze tribus" ou d'autres petits formats. Ils commencent dans les boucles de la laine un singulier voyage, une odyssée de l'imaginaire. Non point défigurées, mais transfigurées, les lettres de l'antique alphabet, sous l'effet d'un précipité poétique, subissent une véritable mutation. Leur graphisme d'art brut, d'art bref, griffe de nuit plutôt que graffiti, est peut-être la transcription d'un morse inconnu, en intelligence avec l'invisible. C'est un langage qui traverse les cercles concentriques du temps, une ligne lancée, ou enroulée sur elle-même, munie d'un redoutable hameçon pour happer le signifiant dissimulé.

On pouvait déjà observer la présence d'un primitivisme formel, influencé comme le cubisme par les arts animistes d'Afrique et d'Océanie, dans certaines sculptures ou assemblages de Gleb, conçus à partir de matériaux hétérogènes, résidus ou produits du hasard : un quelconque morceau de bois peut participer de cette magie visuelle qui doit moins à la combinatoire du montage qu'à la célérité et au débridement de l'imagination pour qui toute chose terrestre, fut-elle laissée pour compte (laissée pour conte...) peut devenir un état de poésie. De sorte qu'une semelle usée peut sertir un portrait, un caillou perdu permettre l'échappée belle d'un visage, une tresse de cordes et de laine frangée prendre la puissance d'un masque totémique. L'imaginaire a pour tremplin les formes les plus humbles, les apparences deshéritées, déchues ou exclues par la civilisation. On constate que germait ou mûrissait dans l'œuvre antérieure de Gleb, sculpture et peinture, ce qui allait s'épanouir dans la floraison de sa tapisserie.

Le passage d'un peintre à la tapisserie est une démarche à la fois naturelle et révolutionnaire. On l'a vu avec Jean Lurçat, Marcel Gromaire et Picart Le Doux. Grâce à eux, Aubusson devint le foyer d'une renaissance éclatante de la tapisserie avant et après la Seconde Guerre mondiale. Le geste épique d'où sont issues la Dame à la Licorne, l'Apocalypse d'Angers, les fresques de la Reine Mathilde à Bayeux, a retrouvé jeunesse et le langage de la laine sa splendeur dans une profusion de symboles, de rythmes, de couleurs et de motifs, incarnant une plasticité moderne. Cependant cette nouvelle ère de la tapisserie, pour une part majeure, demeura décorative, vouée au monumental, au commentaire mythique ou à l'illustration poétique comme, de Jean Lurçat, ses admirables suites du *Chant du Monde* et du *Chant Général*, inspiré de Pablo Neruda.

Thomas Gleb, quant à lui, a pris en solitaire le chemin différent d'une tapisserie qui ne serait rien d'autre que la présence d'une quête de mémoire, d'une interrogation obstinée, et la braise intérieure d'une mystique.

Le grand tournant de la tapisserie fut pris par Thomas Gleb à la fin des années cinquante. Sa rencontre fut probablement décisive avec le maître lissier Pierre Daquin, son principal initiateur. Il perfectionna sa technique avec les douze cartons des "Tribus d'Israël", réalisés dans les ateliers du Centre culturel de Royaumont où il reçut l'accueil le plus encourageant.

Ne l'oublions pas toutefois, l'artiste avait commencé son itinéraire en Pologne avant de s'installer à Paris en 1935. D'abord marquée par le talent du dessinateur, un réalisme minutieux, descriptif et foisonnant, la peinture de Gleb s'orienta vite vers des sujets plus allégoriques et des formes plus stylisées avec les deux cycles du *Coq* et du *Cirque* (1955 / 1956). Reconnue désormais et saluée notamment par Jean Cassou, elle va trouver la plénitude de son expression dans une abstraction lyrique qui le situe dans la lignée de Kandinsky, Paul Klee ou Miro. Mais cette affinité ne l'empêche pas de se distinguer par sa "patte" comme par sa thématique ou coexistent une certaine nostalgie du pays natal (Hiver polonais, 1960) et une certaine tension dramatique dont témoigne "l'Avaleur de sabre" transformé en tapisserie en 1966.

L'expérience picturale de Gleb dans le champ de l'abstraction, une abstraction qui combine jaillissement gestuel et équilibre des formes, violence et musicalité, prédisposait à l'évidence l'artiste à écrire ses plus beaux poèmes en pages de tapisserie, et j'emploie à dessein le mot de poème car Thomas

Gleb écrivait aussi avec des mots-météorites des textes parallèles aux œuvres peintes, séquences de vers ou aphorismes que leur brièveté fulgurante rendait encore plus incisifs.

Adoptant la technique spécifique du carton, Gleb opère un renversement : il épure le modèle de la représentation jusqu'à une désincarnation ascétique. Ce minimalisme le rapproche d'ailleurs du poète Guillevic qui fut son ami. Or, l'art juif n'avait pratiquement jamais emprunté le support de la tapisserie dont Thomas Gleb lui fait l'offrande. Il y introduit, outre le souvenir de son père Joseph, thèmes et personnages bibliques, Moïse, Benjamin, le roi David, les Noces de l'agneau, les Manuscrits de la Mer morte, des métaphores du Zohar ou de la liturgie qu'évoque le Hassid, le taleth (qui doit sa récurrence à la multiplication des franges, des rayures noires sur fond blanc, comme sur le châle de prière), sans parler des tapisseries de "l'Alliance" et du "Shabbat". Celle-ci s'illumine, dans toute sa pureté, grâce à l'association de deux langages : celui du tissage (de la laine) et celui du message (des signes). Il y a juxtaposition de structures : le cercle qui comporte en relief, les lettres hébraïques, se trouve au centre du panneau de laine rectangulaire. Se juxtaposent alors deux textures, l'une lisse et l'autre granuleuse, si bien qu'au lieu d'une armature close, d'une surface inamovible, on se trouve devant une œuvre graduelle, modulable, polyphonique, où les longues franges de la bordure inférieure rappellent le taleth. Oeuvre ouverte, du dedans et du dehors, sur le sacré, l'altitude, la méditation sereine.

Jean Grenier a écrit "l'existence de l'absolu se cache et bouge derrière la tapisserie du monde". Rien ne prouve en effet que la tapisserie n'est pas une sorte de tenture, de rideau de scène, qu'il suffirait de soulever pour apercevoir un autre univers. Un arbre peut cacher une forêt de signes. Une tapisserie est en mesure de garder, sous la frondaison des apparences, toute une réserve d'inconnu, de virtuel. D'où chez Gleb, qui sait, cette propension à ménager dans l'espace circonscrit de la laine, des interstices singuliers, un œil ou un œilleton avec vue sur l'arrière-espace. Ce trou de serrure peut permettre au voyant d'observer dans la chambre noire un soleil qui ne se révèle qu'à lui.

En vérité, dans toute sa tapisserie, Thomas Gleb n'a cessé d'appliquer le principe des variations de texture, des reliefs, des grilles, des surimpressions, des nodosités, suivant une dialectique du plein et du vide qui aboutit non seulement à l'ouverture - plus exactement à l'échappée du panneau par le filet des franges - mais aussi dans certains cas, par une lucarne centrale ("L'aimée"), des striures, des fentes, des entailles, de vives incisions qui unissent le cosmos, le théos et l'éros dans une même irruption du mystère, tout à la fois charnel et métaphysique, comme dans ce "Bleuet" des ateliers de Saint-Cyr où l'on peut voir la célébration du sexe féminin, "origine du monde" selon la saisissante toile "cachée" de Courbet.

C'est ici que le rituel d'amour et le rituel gnostique semblent se confondre comme chez Jean de La Croix en un identique parcours pour graver en nous, ineffaçable, leur sillon conjoint. L'art de Thomas Gleb atteint alors sa plus haute intensité, la tessiture tissée qui lui est propre.

"Le Gardien du désert" (Haschomer Bamidbor), constitue un embranchement distinct de cette démarche, figuration transcendante, synthèse audacieuse de la tapisserie et de la sculpture. Ce colosse de laine contient une colonne de prière dans sa blancheur zébrée de noir. Il surgit moins des sables du désert que des sables du temps, des dunes de l'histoire, totem d'une religion à découvrir, à la limite du mysticisme et du paganisme. C'est à cette frange de la pensée et du songe que se situent également, comme déplacés d'une île de Pâques de l'imaginaire, les géants de Gleb en fibro-ciment ou en toile de sac.

Le monde de Gleb n'a cessé de se peupler non de fantômes mais de figures énigmatiques et cérémonielles, pélerins disproportionnés qui n'ont d'autre but de migration que le littoral le plus pur de la lumière.

Au monde yiddish qui demeura, jusqu'à la mort du grand artiste en 1991, le sillage indélébile de sa culture et de sa sensibilité, Thomas Gleb aura apporté par son génie la conquête d'un langage de laine où se renoue, dans la matière immaculée, la parole des sages et des prophètes.

LA GRAVURE D'ABRAHAM KROL
OU LE TEMPS RETROUVÉ

Abraham Krol est un artiste Protée, c'est-à-dire qu'il a le goût du mouvement, de la conquête, de l'outrepassement de ses limites supposées. La gravure est un art majeur, qu'Albrecht Dürer a porté à son apogée et qui n'a cessé, de siècle en siècle et d'estampe en estampe, d'emprunter les sentiers inconnus de ses métamorphoses pour lesquelles les peintres ont conjugué leurs passions, leur inventivité, leur indispensable professionnalisme. Krol, maître incontesté de cet art, a étendu le domaine de ses dilections et de son savoir-faire en passant avec la même agilité d'oiseau qui s'approprie une branche, du burin au pinceau, de la médaille aux émaux. Il n'est pas question pour lui d'être touche-à-tout, mais d'apporter à chaque chose qu'il aime et met en valeur la touche de la justesse. La lithographie et la gravure, pour un peintre, sont souvent sinon un violon d'Ingres du moins l'exercice d'un métier complémentaire, une zone exploratoire où l'expérience de la peinture et du dessin trouvent un emploi distinct, un tremplin, pour ainsi dire, à d'autres élaborations visuelles. Sachant que cette discipline requiert sa part entière d'étude et de pratique rigoureuse, Krol s'y est investi sans réserve.

Ce qui commande la démarche de Krol, c'est le regard, son infaillible perception de ce que l'on peut obtenir d'une plaque de cuivre ou de bois mise en condition d'être porteuse d'un langage. Un regard qui jauge et soupèse la matière, qui sait comment y formuler l'équation de ses entailles, y définir ce qui doit être allégé, ciselé, la transposition colorée du dessin, couché dans un lit de Procuste, métal ou bois, jusqu'au papier où il prend son envol et scelle son destin.

Depuis plusieurs décennies, la réputation de Krol s'est affirmée, au fil des expositions et des ouvrages publiés. Sa main de magicien a transformé ceux-ci en admirables et précieux spécimens, devenus des raretés, mais lui modestement, s'est tenu dans l'ombre de ses trésors, à la margelle d'une gloire qui n'est pas fatalement le puits de la vérité. Sa vérité, il l'a inscrite dans la persévérance, l'acuité, la minutie du geste, le souci stimulant d'une perfection que l'on serait tenté de croire hors d'atteinte. Chez cet artiste, elle n'est pas fonction, en tout état de cause, de la technique la plus sophistiquée, ou de la performance : elle résulte d'une exigence morale qui laisse sans repos. C'est que pareil travail s'apparente à celui du sculpteur, mais au lieu d'agir sur l'espace et sur le volume, il traite le matériau dans la seule dimension de sa surface, afin de lui faire rendre gorge de ses secrets intimes, de son code, de ses profondeurs masquées, de ses reliefs qui sont autant de virtualités.

C'est que la gravure, si elle est pour le peintre une extension de son art par d'autres moyens, est aussi comme une fenêtre qui s'ouvrirait sur un univers second, un univers qui reste à révéler, directement en prise avec le livre et avec la lettre. Ce qui est en jeu, dans les pages à illustrer, ne saurait se suffire d'une paraphrase. Le trait, instamment, doit se qualifier en tant que contrepoint, non seulement au diapason du temps de lecture, mais aussi hors de ce temps comme tentative d'approche de l'imaginaire et du non-dit du livre. La gravure est ce qui, dans un livre, permet d'en préserver et d'en retrouver le temps comme si celui-ci tenait tout entier dans son maillage.

L'incision pratiquée dans le bois ou le cuivre offre à l'œil le surgissement d'un sentier qui n'est pas, ou pas uniquement, tributaire du texte. Il crée un espace autonome et, dans cet espace, il établit son orbite, ses arabesques, ses ombres spectrales, ses grisés de velours, un tressage ininterrompu de lignes qui de simples, deviennent complexes et sont appelées dans leur trame, à capter les striures du temps et la substance de la mémoire.

La gravure est le fil arachnéen d'une rêverie qui se fixe sur le papier, par le noir ou par la couleur, suivant les caprices, la respiration et le rythme que le burin de l'artiste entretient. De sorte qu'en jaillisse, comme des limbes ou de l'orée incertaine des ténèbres, une forme qui mordra dans la durée et en conservera l'empreinte fossilisée, de la même façon que certains quartz, certains cœurs d'arbres pétrifiés, ont retenu intactes les nervures d'une feuille ou la silhouette d'un insecte préhistorique.

* * *

Né à Pabjanice en Pologne, dans une famille de rabbins, Krol a vécu à Paris toute sa carrière d'artiste. Le mot carrière ne s'entend pas ici comme l'échelle dorée vers le succès mais désigne le lieu du creusement, de l'extraction obstinée de la beauté de son plus opaque minerai. Graver, c'est arracher à la nuit les graines du jour. Ce qui se manifeste avec constance dans l'œuvre de Krol, c'est l'équilibre réalisé et maintenu entre ses deux composantes : la composante universelle par quoi le créateur en pleine possession des outils de la modernité, assimile tout ce qui dans la culture peut irriguer et enrichir sa réflexion, et la composante juive, intrinsèque à sa sensibilité, qui le relie à l'origine et lui insuffle le sentiment d'une présence millénaire, d'une foi donnée en partage, irréductible à la gnose, d'une histoire enfin, revendiquée dans tous ses aspects, mythologiques, tragiques et quotidiens.

Krol s'est attaché avec le même bonheur - en conjurant avec soin le risque d'éparpillement - à toute une gamme de sujets. Son burin, sur cuivre ou sur bois, a transcrit les *Fables* de La Fontaine, l'*Hérodias* de Gustave Flaubert, le *Testament* de François Villon, le *Thésée* d'André Gide, la *Ballade de la geôle de Reading* d'Oscar Wilde, l'*Agamemnon* d'Eschyle ou le *Cimetière marin* de Valéry. A ces hauts-lieux de la littérature où s'entrecroisent et s'effacent les frontières des langues et de la pensée, l'artiste ne s'est pas rendu en pèlerin ou en touriste, visiteur de textes exotiques ou de sites archéologiques. Plutôt que de se considérer comme l'interprète ou le servant d'une œuvre étrangère, il s'est évertué à nous la rendre plus proche, plus communicable, plus vivante, par la mise en résonance du mot et de l'image. Il ne pouvait atteindre cet objectif par la seule opération du traitement graphique, quelles qu'en fussent la précision et la virtuosité. Il se devait de s'y projeter, d'y participer pleinement, avec toute sa fougue. La connexion de l'image et du texte crée pour celui-ci un autre réseau d'intelligibilité et de perception sensorielle. Krol s'est fait l'instrument grâce auquel soudain, l'orchestre prend nouvelle amplitude et nouvelle tonalité. Dans toutes ses "suites" s'impose un style. Celui de Krol, identifiable entre tous, est une griffe à la fois sèche et souple, anguleuse et lyrique, qui naît de fragments, de découpages très élaborés, pour dire et résumer l'essentiel. Ce style confère à la composition gravée l'allure et l'élégance d'un modèle architectural, d'une mosaïque sans fin recommencée et renouvelée par les mille ressources de l'agencement et du détail.

Si Krol illustre La Fontaine, il ne cesse en même temps de poursuivre sa propre fable, d'imaginer son propre bestiaire, du Zodiaque au Pentateuque, en peuplant ce zoo personnel d'animaux chimériques, sauvages ou domestiques, le cheval et le canard, le coq et la chèvre, le lion et le rhinocéros, le sanglier et l'ours, l'aigle ou le hibou, échappant au cercle des mots comme à une cage. Figure à la fois ordinaire et légendaire, le bélier passe par de nombreuses variantes, tout en gardant, comme le lion souvent mis en vedette, sa puissante carure, sa majesté ahurie, son hiératisme qui n'est pas celui des blasons mais des contes et des récits épiques.

C'est que Krol est tout le contraire d'un ordonnateur de pompes cérémonielles ou funèbres : il est l'animateur d'une joyeuse saga à travers les âges et les livres, qu'ils soient profanes ou sacrés. D'ailleurs, le profane ne réside-t-il pas au cœur du sacré et vice-versa ? La Bible est un manuel de l'expérience humaine, du sacrifice d'Abraham (un des thèmes privilégiés) à la lutte de Jacob avec l'ange, mais aussi de la cueillette des fruits au pressage de l'olive, de l'épiphanie du buisson ardent à l'ardeur d'une étreinte amoureuse, le burin délivre tous les signes de l'avènement du divin et tous les signes du désir charnel, la cruauté de l'acte fratricide de Caïn et la pure beauté d'un couple enlacé. Pour la gravure il n'est pas de sujet noble ou trivial. Il s'agit de nous restituer tout l'héritage des significations apparentes et sous-jacentes.

Le registre de Krol recourt aux trames hachurées, fines ou brouillées, aux zones plus ou moins ombrées, aux reliefs saillants, à de multiples combinaisons géométriques. Le tracé linéaire est parfois poussé à l'extrême, comme c'est le cas dans les séries du Pentateuque. Entre foisonnement et dépouillement, il y a certes une graduation, mais toujours impérieuse, la même sûreté, la même célérité du trait, la même tendresse presque ingénue, dans la symbolisation des personnages et des scènes bibliques ou le cortège malicieux des animaux-métaphores de La Fontaine.

L'art de Krol atteint cependant son degré le plus haut d'expressivité et d'intensité lorsqu'il s'empare de la lettre hébraïque pour la remodeler, ou plutôt la mettre en scène à son gré. Il ne cherche pas à la transformer en élément ornemental ou purement calligraphique, mais en miroir habité de mille visages, apparitions et allégories. Ces lettres auxquelles s'enroulent et s'attachent comme un lierre de l'esprit, dans *Aleph-Beth*, des figures humaines et animales (le hibou inclus dans les signes), on les dirait resurgies d'anciens manuscrits, tel celui de la bible de Samuel Ben Abraham Ben Nathan, qui fut achevée à Cervera, en Espagne, entre 1299 et 1300. Dans cette enluminure aux motifs floraux et animaliers, s'entrelacent des têtes et des corps d'hommes, ce qui en montre l'originalité et l'audace, défiant l'interdit religieux. Les lettres hébraïques très stylisées, présentent une série de combinaisons de figures animales et de visages humains dénudés.

Comme si se révélait une continuité, on découvre une identique invention dans l'écriture du mot BERESHIT (au commencement) par Krol qui figure la lettre BETH (b) par deux poissons perpendiculaires et qui installe dans ALEPH un oiseau... On trouve des exemples du même type d'association métaphorique dans les pages de titres du *Lévitique* (tête de coq), de *l'Exode* (le lion) et des *Nombres* (le taureau).

Cette manière de concevoir l'alphabet hébraïque comme un arbre généalogique dont les lettres seraient tantôt les fruits - exhibés au grand jour - tantôt les racines - dissimulées dans la nuit - on la voit s'épanouir avec autant de liberté que de raffinement dans la *Liturgie juive*, superbe suite kabbalistique qui s'inspire d'un texte du Zohar pour remettre en situation les 22 lettres, chacune en concordance avec un épisode biblique (Samson, l'esclavage en Egypte, Adam et Eve, etc.) et marquant une référence au rituel. Calligraphie initiatique si l'on veut, mais dont l'ésotérisme découle de source. J'y vois pour ma part une chorégraphie où chaque lettre prend valeur d'une figure de danse, au milieu des chevaux, des poissons, des aigles, des taureaux, des rois en chevauchée et des prêtres en prière, dans un merveilleux déploiement de signes et de figures miniaturisées, jusqu'à la lettre SHIN, au-dessous de laquelle un rouleau de la Thora, au lieu de dévider le texte saint, expose une suite de personnages. Cela peut sembler une "bande dessinée", mais au sens générique qui désigne de longue date, toute histoire en images.

On remarque encore cette méthode épurée dans la suite des *Fêtes*, qui retrace de Roch Hachanah au Shabbat, les riches heures d'une tradition à la fois religieuse et familiale, comme en témoigne une des scènes : la mise au four des galettes du pain azyme pour Pessah.

La familiarité, la simplicité, n'excluent pas une pointe d'humour, visible dans les 24 cuivres de la *Haggadah*. Ici, l'analogie avec l'histoire racontée en "bande dessinée" s'accentue en raison du découpage horizontal de chacun des tableaux et d'un trait à la fois primesautier et incisif. La *Haggadah* est un livre de fête, le livre de la Pâque, et plus que tout autre il se prête à cette allègre décantation qui permet à l'artiste de renouveler une vision du texte pascal trop souvent académique. Il l'illumine par sa verve, sa vélocité. Il le réinsère dans notre vie d'aujourd'hui, et c'est ainsi que le verbe se fait signe et se fait chair.

C'est à croire que l'artiste qui nous invite à traverser avec lui le Pentateuque, porte en lui de toute éternité, l'image et le temps biblique comme une circulation mentale et poétique qui lui serait consanguine. On pourrait voir se déployer ici quelque expérience mystique, quelque trajectoire intérieure de la méditation, recoupant celle de la Grande langue et de l'immortelle légende. Mais pour métaphysique qu'elle soit, sous un certain angle, cette expérience s'avère aussi pleinement physique, traduite dans l'occupation de l'espace, son morcellement, l'irradiation du trait qui découpe et qui cerne avec une netteté sans emphase. Dans les nombreux portraits stylisés, la grâce s'ajoute à la force. De ces compositions hachurées, émane étrangement la lumière d'un vitrail où, comme dans l'illustration majeure du *Testament* de Villon, les contrastes interviennent comme les supports des fugues et des contrepoints d'une partition visuelle et musicale.

De ses livres, de ses lettres, un peuple est né, a vécu, a souffert dans son être, a reconnu un Dieu, et voulant rester fidèle à sa Loi, l'a souvent tournée ou trahie. Mais c'est ce peuple-là "pêcheur et victime" comme il est dit dans le Lévitique, dont Krol suit la longue marche au long des siècles, pas à pas, trait pour trait, bâtissant sa demeure au plus vrai de la vue.

L'ORCHESTRE DES CUIVRES

Les cuivres de Krol appartiennent à des séries autonomes, éditées jusqu'alors séparément (1). Or, il suffit de les rassembler pour constater qu'elles prennent, en raison de leurs parentés stylistiques plus que de leurs thèmes, la dimension d'un univers si personnel et si homogène que tout en acquérant sa plénitude dans les livres auxquels s'attache la foliation du regard, il ne perd pas la moindre parcelle de sa singularité. L'unité du style à la fois les distingue et leur donne un air de famille, mais il s'agit d'une famille spirituelle et d'une irradiation toute intérieure. Eléments d'un puzzle mental, ces cuivres inventoriés, répertoriés, nous proposent le plus fastueux et le plus persistant des bouquets, qui n'est en rien celui d'un feu d'artifice, mais d'un art accompli.

Le foisonnement du dessin forme un faisceau de méridiens, fuseaux d'une pensée en rotation plutôt que d'un découpage horaire ou géographique ; lignes de fuite, lignes de faîte, lignes de fraction, écheveaux des rencontres ou des intersections d'une multitude de visages, de corps, d'attitudes fixées ou mobiles, de paysages, de mythes et d'écritures. Le burin amorce et instille un sillon, peut-être le sillage à venir d'une méditation que la main va piloter avec dextérité jusqu'à son grand large. Le burin est complice, détecteur et scribe du merveilleux encore latent mais prêt à jaillir dès qu'on ouvre une brèche à l'ondoiement qu'il va propager sur le papier.

Réalisées soit pour accompagner des textes bibliques

(*Ruth, l'Ecclésiaste*), poétiques (le *Testament* de Villon, les *Fleurs du mal* de Baudelaire, les *Poèmes* d'Edgar Allan Poe) des tragiques grecs (*Oedipe*, de Sophocle), romanesques (*Brouria*, de l'écrivain israélien David Shahar) soit pour introniser une vision de la nature, tantôt rurale - *Pays sage* exalte dans la sérénité des collines le quotidien des villages de Bourgogne - et tantôt urbaine - *Yerushalayim* intègre la Ville sainte dans la beauté de son équilibre architectural et l'éternité de sa légende - les suites gravées de Krol ont toujours un caractère à la fois familier et orchestral, ce qui peut tenir du paradoxe, mais c'est au contraire le résultat d'un alliage subtil où le plus intime ne peut aller de soi que parce qu'il découle du plus universel. L'orchestration recourt au tissage fractionné des traits et à la mise en relief de la trame hachurée, agencés de telle sorte qu'ils produisent non pas une image univoque mais une polygraphie, laquelle inclut des surimpressions de visages, de lettres, de symboles, car le dessin dispose lui aussi, comme un film, d'effets spéciaux qui ne sont pourtant pas des truquages, mais le moyen d'associer et de synchroniser la vue directe et la vue mentale.

Modulés par les striures du dessin - cet instrument d'optique joue presque le rôle d'un vidéogramme - l'histoire ou le texte font l'objet d'une analyse et d'une stylisation qui en ponctuent les temps forts, les nœuds de tension, les scansions et les résonances.

Prenons l'idylle originelle de Ruth et de Bo'az contée dans le *Livre de Ruth* (*) et célébrée par Victor Hugo dans "Booz endormi" poème fameux de la *Légende des siècles* : Krol réussit avec un rare bonheur à préserver les deux tonalités : l'archaïque et la romantique. Son burin délicat restitue au récit élégiaque son rythme propre, non point celui d'une prose canonique, mais d'une chanson de geste. A la parole du texte qui se déroule d'épisode en épisode jusqu'à la "généalogie de David" (où il trouve une conclusion qui n'est toutefois qu'un des maillons de la chaîne) le graveur ajoute l'indispensable écho, disons la rime du geste. Gestuelle cernée trait par trait suivant sa sémantique, son mouvement, sa vertu de sug-

---

* Bible, Chouraqui p 1334.

La gravure d'Abraham Krol ou le temps retrouvé

gestion et sa qualité d'émotion. L'itinéraire de Ruth la Moabite est celui d'une délivrance qui passe par le deuil, l'exil, et le choix de son propre destin. Délivrance d'une condition serve, délivrance de soi par l'échange consenti de la jeunesse avec le grand âge de Booz. De cette progression psychologique qui culmine dans le choc de la sensualité, la planche III de la série nous offre l'image dédoublée du couple : l'entrelacement du trait y correspond en toute logique à la fusion des corps dans l'étreinte. Il en va de même, d'image en image, avec la scène des moissonneurs aux bras desquels les gerbes d'épis ressemblent à des harpes ; du repas champêtre où le geste de la femme apportant la cruche est la clé d'harmonie de la composition ; de la scène centrale de la "visite nocturne" qui atteint une sorte d'apogée dans l'érotisme pastoral, le couple ayant pour seul témoin l'âne à l'attache ; et enfin de la scène hiératique du jugement de lévirat où plus que les bouches se sont les mains qui se font éloquentes.

La lettre hébraïque, incorporant selon le cas la créature humaine ou la créature animale, sert de fil conducteur à l'illustration de *l'Ecclésiaste*. De verset en apophtegme, la stylisation des figures soit par l'ellipse, la courbe, le cercle, soit par le détail agrandi et le cadrage (VI, VII, XVI, XXII) est dotée d'une variable asymétrie grâce à laquelle constamment elle s'affranchit de la littéralité. Un visage se compose ou se décompose (IX, XIV), des enfants sont bercés dans un alignement irrégulier (II), le désespoir d'un personnage a pour confident le hibou (V), la joie de vivre est magnifiée par la table couverte de victuailles. Il n'empêche que, d'autre part, la "mouche morte" ou la sauterelle devenue "pesante" et presque mécanisée dans sa terrifiante carapace géométrique font planer leur énigme menaçante dès lors que "un peu de folie l'emporte sur la sagesse et sur la gloire".

Je l'ai dit : chaque suite recèle sa chorégraphie, une danse et une cadence de clivages et de cloisonnements que partout nous allons retrouver. Elles assurent aux *Ballades* de François Villon, celle des Dames du temps jadis, des Pendus ou des Belles langagères, entre autres, un commentaire visuel qui conjugue le lyrisme et l'inventive alternance des segmentations et juxtapositions, tels ces deux poissons en sens inverse qui sertissent un visage, ou encore les deux visages (celui de la jeune et de la vieille femme) encastrés et opposés comme un Janus et qui semblent ainsi naître l'un de l'autre, comme nous naissons ou renaissons différents à chaque étape de notre vie. La technique est ici fondée sur la fiction géométrique, sur la finesse du hachurage et la répartition des zones d'ombres, sans pour autant se cantonner à l'apparence ou à l'anecdote. Dans le registre du grotesque, du pittoresque ou du pathétique, le dessin procède à sa transcription du poème, à la fois fidèle et détachée, ce détachement n'étant pas synonyme d'écart mais d'un sens de la perspective et du mythe que l'on voit s'exercer dans toute son acuité avec la scène des Bateleurs (réminiscence de Breughel) ou avec celle, dramatisée jusqu'au cri, de l'homme enchaîné à la potence, corps démantelé par la souffrance, mis à l'étal devant la foule.

Le regard de Krol défie les âges, saute les frontières et les siècles pour aller repérer, au cœur du XIX° chez deux poètes dont on connaît les affinités, Edgar Allan Poe et Charles Baudelaire, le point de départ et le reflet virtuel de ses pérégrinations imaginaires. La sensibilité baudelairienne n'est pas esquivée ni traitée à contre-sens : le dessin de Krol s'y accorde mais c'est moins par quelque chatoiement impressionniste ou sensoriel, que par les vibrations, les virevoltes et l'électricité du trait.

Fondateur de la modernité en poésie, le langage des *Fleurs du Mal* trouve un équivalent - et non pas simplement un usage référentiel - dans des compositions graphiques qui modèlent l'allégorie avec une grâce souveraine. Elles inscrivent les figures emblématiques, "l'homme de la mer" (*Homme libre toujours tu chériras la mer* : un visage émerge et flotte sur l'immensité océane), la "Charogne" ; les "Hiboux" ; "L'invitation au voyage" ; les "Femmes damnées" ; les "Bijoux" (*La très chère était nue...*) et tant d'autres dans un mouvement perpétuel qui se garde de "déplacer les lignes" mais les multiplie, les entretisse, les étire, parfois les morcèle, à l'horizontale ou à la verticale, jusqu'à les douer d'une stridence visuelle qui sans être soumise à la scansion du vers baudelairien n'en traduit pas moins les errances, interrogations et fantasmes d'une âme écorchée.

Les burins pour les poèmes d'Edgar Poe obéissent à un principe analogue : restituer un monde sensible et spirituel consubstantiel à son écriture dans un autre espace, celui des paraboles et des métaphores dessinées. La vision de l'auteur d'*Annabel Lee*, de *Lénore* et du *Corbeau*, se décale et se ramifie à la fois vers la métaphysique et vers le fantastique, l'un et l'autre possédés par l'angoisse de la fragilité des choses, par l'ombre de la mort et la prescience du néant. Mais le graphisme qui s'en inspire échappe à la pesanteur et à la tentation de la paraphrase : c'est par le découpage méticuleux et le montage des formes, par la légèreté et la vélocité du trait, qu'il répond avec le plus de justesse et le plus de liberté à l'esprit tourmenté du poète. Que celui-ci évoque "l'amour dont languissait son âme" et l'amour devient une épiphanie : il tombe du ciel comme un oiseau dans les bras de l'aimé (II). Qu'il appelle à "écouter les traîneaux avec les cloches", et les cloches commencent à tinter sur le papier, mais ce sont des cloches translucides dont les battants visibles sont des visages (IV). L'esprit du mort (VIII) semble la réplique d'une planche d'anatomie, un crâne désarticulé, disposé en mosaïque, tandis que le dessin se plie au climat de légende noire de Lénore et d'Ulalume. Après quoi, le Corbeau peut planter sa patte acérée dans l'œil du poète (XVIII) et faire de son crâne un nid : la symbiose du bien et du mal, de la vie et de la mort, de la réalité et du faux-semblant s'accomplit avec férocité comme une alchimie de l'inéductable dont le poème seul balise le lieu et détient la formule.

Sous un angle différent mais avec une puissance accrue, la fatalité règne dans *Oedipe*. Fatalité mythique, archétype qui a nourri toute la culture occidentale : les références au sphinx, à Thésée, Tirésias, Jocaste, Antigone, sont les repères obligés d'une dimension tragique de la conscience et des rapports humains. Plus que jamais appropriée la méthode du hachurage apporte à chaque personnage et à chaque scène densité, présence et précision. Les chevaux galopant sur la route de Delphes, la mêlée du meurtre, l'apparition de Thésée venu en aide à l'exilé, le combat équestre de Polynice et d'Etéocle, toutes ces images sont animées d'une flamme noire, d'un souffle qui attise les braises de la passion, de la violence et de la perdition. La synthèse s'opère par la planche-épilogue qui annonce "la paix enfin trouvée" dans l'identification absolue de l'homme et de la terre, la transfiguration de son visage - et donc de sa mémoire - en un arbre noueux qui en même temps l'enchevêtre à ses branches et l'élève au-dessus de lui-même.

On l'observe d'autre part, suivant son parcours de la campagne et des villages de Bourgogne (*Pays-sage*) ou dans le labyrinthe des rues et des perspectives de Jérusalem (*Yerushalayim*), le graveur s'attache à l'essentiel, à ce qui constitue à ses yeux l'implicite et l'arrière-plan d'un lieu, sa beauté durable, son modèle architectural dépositaire d'une ancienne mémoire, sans que jamais le passé soit sollicité pour occulter le présent. C'est ainsi que l'on peut créditer Abraham Krol de cette double filiation qui a sous-tendu toute son œuvre : le génie de la judéité et la généalogie de l'universel, l'un circulant en l'autre et le fertilisant.

NOTES

(1) Ils viennent d'être réunis en un superbe volume : *Dix suites, Burins 1993/1997*. Librairie - Galerie Graphes, 1998.

ILEX BELLER OU LE DÉFI A L'OUBLI

Ilex Beller est un homme modeste. Il ne prétend être ni peintre ni écrivain. Pourtant, il expose ses toiles. Le commentaire dont il les a accompagnées s'est transformé en un vrai livre (1), où les couleurs, les souvenirs et les mots entretissent leurs échos. Il a rassemblé en un album une centaine d'œuvres reproduites et le sentier de sa création traverse désormais un vaste et fertile domaine, une singulière forêt d'enchantements dans laquelle les arbres à la fois se répètent, se ressemblent - ou simulent leur ressemblance - mais nous réservent constamment la surprise de ce qui les rend différents. Ainsi, grâce aux yeux, à la mémoire, au talent d'Ilex Beller, on découvre ou l'on redécouvre tout un monde pareil à un navire englouti dans l'océan de cendres de la Shoah.

Cet homme, c'est par ses propres moyens, en autodidacte, qu'il a acquis l'expérience artistique. Par son intuition. Par son sens inné de l'image et du signe. Il n'appartient donc à aucune école, si ce n'est celle des témoins qui est pour nous essentielle.

Car on n'en a jamais fini de dire et de redire ce qui fut : la vérité s'efface comme des pas dans le sable. Certains ont intérêt à tuer les morts une deuxième fois, en mutilant et en falsifiant l'histoire. Et l'oubli fait le reste, éclipsant pour les nouvelles générations les traces de ce que vécurent leurs parents et grands-parents, leurs prédécesseurs, et le comment de leur vécu. C'est ici qu'Ilex Beller accomplit la plus noble et la plus difficile des missions : nous restituer notre passé, rendre au jour l'identité qui y prend ses racines et y grave ses empreintes indélébiles.

Cette entreprise capitale, il est de ceux qui la poursuivent avec patience, avec passion, affinant sans cesse son métier de rêveur et de révélateur. Ce n'est pas seulement un travail d'archiviste extrêmement précieux par sa minutie, un travail qui aurait pour objectif de conserver et de restaurer des pièces de musée. Il s'agit en fait, d'une sorte de résurrection. L'univers de la culture yiddish qui s'épanouissait dans les shtetl de Pologne a été balayé par l'ouragan nazi. Pour ses héritiers, dans la diaspora comme en Israël, il est en voie d'extinction, faute d'un point d'appui social et d'une continuité dans la pratique de la langue.

C'est cet univers menacé qu'Ilex Beller fait resurgir dans ses images où ce qui domine est le sentiment d'une poésie retrouvée à sa source, dans le fonds commun de la culture religieuse et de la culture profane qui distinguait les communautés juives de Pologne.

N'étant ni philosophe ni sociologue, Ilex Beller ne s'attache nullement à en définir et analyser les multiples significations. C'est de la vie quotidienne la plus humble qu'il s'inspire, et de ses propres souvenirs, afin d'en restituer les scènes les plus caractéristiques, la simplicité sereine et parfois dramatique, la dimension mystique et éthique, mais aussi le mystère profond comme un rêve émergeant du brouillard.

Ce qu'il nous propose est un inventaire, à la fois méticuleux et magique, un document sur lequel à leur tour, les sociologues pourront se fonder lorsqu'ils voudront étudier, fut-ce à travers les prismes de l'imagination qui les idéalise ou les stylise, les coutumes, les habitudes, les traditions et les métiers d'un peuple qui devient, pour Ilex Beller, le motif même de sa célébration hassidique.

On pourra toujours se défendre de leur évidence, en arguant que ces évocations sont naïves, voire sommaires, que leur académisme rudimentaire rappelle celui des images d'Epinal. En vérité, leur primordiale qualité, c'est qu'elles sont justes, qu'elles possèdent la fraîcheur et la limpidité d'une enfance inaltérée, lumineuse comme une fontaine de couleurs où viendrait se retremper notre mémoire.

Car l'artiste ne vise pas à réaliser une œuvre d'esthète ou de manipulateur des formes : il suit le chemin de son intuition, de son imagination, de cette réalité perdue dont persiste en lui le mobile et mythique reflet. Ce reflet, il le convertit en visions qui ont souvent forme de paraboles, qu'il décrive certains épisodes des fêtes, Pourim ou Pessah, se réfère à la

Torah ou illustre allégoriquement la venue du Messie.

C'est par ce truchement que le peintre trouve sa propre vérité et celle de l'histoire. C'est sa foi qui nous empoigne et nous convainct. C'est elle qui lui permet de reprendre pied sur la terre de ses ancêtres, de sa famille, de toutes les familles de son environnement d'autrefois, et de nous montrer comment ils vivaient, pensaient, souffraient et aimaient.

De ce peuple de pauvres gens, colporteurs, cordonniers, porteurs d'eau, tailleurs, bûcherons, gagne-petit et rêve-grand, interlocuteurs exigeants de Dieu au heder, ou dans l'exercice sacro-saint du "pilpoul" (discussion talmudique), le peintre a su retenir les vertus fondamentales, l'endurance, la piété, l'esprit de solidarité, la tendresse et les aspirations permanentes à la dignité et à la justice. Celles-ci notamment, sont évoquées par des scènes où la diversité des idéologies - le sionisme, le bundisme, le communisme - fait l'objet d'une allégorie non dépourvue d'humour.

Tous sont ici les personnages d'une geste sacrée, et pourtant familière, d'une légende lointaine mais qui étreint le cœur. Nous voyons émerger de l'ombre tous les détails estompés de leur existence, de leur habitat, les paysages et les saisons, l'hiver surtout, qui ouvre au peintre une dimension onirique, les gestes du travail et les rituels de la fête, comme dans un film muet qui soudain se mettrait à parler, à nous parler directement de ce trésor dilapidé, déraciné, dont nous sommes les légataires malgré la dépossession.

Il serait hors de propos ici, de rouvrir le débat sur la vocation de la peinture qui pour être moderne, devrait exclure l'anecdote, la narrativité, la transmission d'un message ou même, tout simplement la figuration, ce qui paradoxalement, pour un artiste juif, reviendrait à proroger l'interdit religieux de toute représentation du visage humain qui a pendant des siècles bâillonné toute expression plastique juive autre que décorative.

Avec ses couleurs candides et chantantes qui s'accordent admirablement aux "nigunim" yiddish, complaintes et mélodies juives, Ilex Beller précisément, reprend possession de l'histoire, reprend possession de ce qui fut arraché par la violence et la mort. Il lance un défi à la mort et à l'oubli. Il nous dit comme la vie était rude et précaire dans le shtetl, et comme elle était belle malgré tout d'une chaude lumière humaine dont ses images portent la trace jusqu'à nous.

Certes, dans la vie juive de l'époque, il y avait encore d'autres aspects qu'il ne fait qu'effleurer ou suggérer. Il nous rappelle la naissance d'une espérance sociale et d'une espérance de la Terre promise, chacune ayant ses partisans et conduisant parfois à des antagonismes. La vie des Juifs était riche de ces contradictions mêmes, des rêves qu'elle nourrissait, de la culture dont elle était le terreau. De cette culture, toute imprégnée de religiosité, bien qu'elle ne fût pas exclusivement religieuse, prospérant par le livre, le théâtre, la chanson, la poésie, le peintre a saisi les manifestations coutumières et les moments fort.

Ilex Beller, tout naturellement, a concentré son attention et son amour sur le shtetl qui est son village natal, Grodzisko, et sur ce qu'il a personnellement connu et vécu au jour le jour. Ce qu'il dépeint, avec la minutie d'un ethnologue, le souci de chaque détail et une magie de la palette qui en restitue le climat, il l'arrache grain par grain à l'oubli. Il y puise les chromatismes du rêve et les harmonies énigmatiques d'un émerveillement qui est propre à l'enfance. Une enfance dont rien ne semble pouvoir altérer la transparence et la résonance profonde. Peindre s'avère dès lors un acte de sublimation, un acte de reconquête non seulement de son passé mais du passé de tous ceux qui en furent amputés.

Le mot naïf découle étymologiquement du mot natif. Et le peintre est cet orpailleur qui sait extraire de la gangue du temps, sous les strates de la rouille, du sang séché et des larmes fossilisées, cet or natif qu'est la mémoire d'une communauté. Communauté à laquelle il est lié par tant de fibres que sur la toile, tout naturellement, suivant la complexe alchimie du réinvestissement de l'homme dans son art, se produit l'émergence et s'organise la circulation de la vie, tout comme si soudain s'animait un palimpseste. Cette écriture peinte de la mémoire devenue langage, Ilex Beller en est l'interprète privilégié. C'est ce qui constitue la tonalité originale de son œuvre peinte. C'est un témoignage inappréciable par son authenticité, et qui rivalise avec les éclairages des ethnologues et des historiens. Un témoignage auquel on se référera dans l'avenir parce qu'il est un fragment irradié et irrigué de notre mémoire collective. Un fragment qui n'est pas tombé du ciel comme une météorite, mais est ressorti palpitant, des ténèbres de la Shoah.

A l'heure où beaucoup - jeunes et moins jeunes - s'interrogent sur leur identité, leur différence, leur insertion dans le présent et dans la continuité historique, Ilex Beller en désigne les soubassements, en illustre avec éclat les ramifications les plus secrètes.

Chacun de ses tableaux comme au théâtre, est un lever de rideau sur une scène où l'imagination, le sentiment mystique et la foi en l'homme opèrent une résurrection de l'ancienne réalité submergée et lui assignent de reprendre place dans l'histoire qui n'était plus que table rase.

C'est pourquoi il faut regarder les toiles d'Ilex Beller comme les paysages de notre généalogie. C'est pourquoi il faut lui savoir gré de nous rendre si sensible et vivante une part de notre patrimoine.

Avec lui, grâce à lui, les disparus et les martyrs retrouvent un visage, une présence, une personnalité expressive. Et c'est comme si, au milieu des décombres du passé, repoussait un arbre de vie chargé de tous ses fruits, de ses oiseaux et des étoiles bleues que ses feuilles découpent dans un ciel d'orage.

NOTES

(1) *Ils ont tué mon village.* Ed. Cercle d'art, 1981. *La vie du shtetl.* La bourgade juive en 80 tableaux. Préface de Charles Dobzynski, Ed. du Scribe, 1986.

Michel Milberger
OU LA SCULPTURE D'UNE IDENTITÉ

*L'écrivain agit par les mots
mais le sculpteur agit par l'acte.*
POMPINIUS GAURICUS *(vers 1504).*

Parmi les artistes juifs de la seconde moitié de ce siècle, Michel Milberger appartient à ceux qui ont contribué à une reconquête : celle de la figure. La statuaire juive était une virtualité, presque une utopie. Il est de ceux qui en ont fait une vivante réalité et ses œuvres en témoignent qui ont su, avec une force irrécusable, implanter dans la matière les signes de l'histoire dramatique et de la petite histoire quotidienne, les résurgences biographiques, les portraits des humbles, des gens de la rue, des inconnus, ou de ceux-là qui amplifient la culture et illustrent la civilisation.

Michel Milberger a choisi d'être le chroniqueur de notre temps, de le graver dans le bronze ou de modeler dans l'argile une identité si longtemps hasardeuse ou expropriée.

Le sculpteur, afin de marquer son territoire sans équivoque, a suivi la voie d'une tradition classique dont Michel Ange fut le phare et qui a rayonné en se renouvelant en France, jusqu'à Despiau, Maillol, Rude, Bourdelle et Rodin. Cette voie s'accordait à l'expérience et au tempérament de Milberger. Elle n'est pas celle du radical changement de cap opéré dès le début du siècle par le modernisme et balisé par les recherches novatrices des Archipenko, Zadkine, El Lissitzky, Pevsner-Naoum Gabo, Tatline, pour ne citer que quelques-uns de ceux qui firent de l'avant-garde russe, avant et après Octobre 1917, le moteur d'une révolution des formes. Observons en passant que Michel Milberger, trop jeune pour participer à ce mouvement, a bien connu, hors de l'URSS

Tatline et Zadkine qu'il évoquait avec émotion.

Le haut-relief réalisé par Michel Milberger en 1955 inscrivit dans le bronze comme une scène cinétique la rencontre et l'amitié - parfois orageuse - d'Alexandre Pouchkine et Adam Mickiewicz. Cet hommage au grand romantique polonais, à l'occasion du centenaire de sa mort, que parraina l'UNESCO, semble adresser par-dessus les frontières et les préjugés d'école un signe de reconnaissance à Antoine Bourdelle, lequel érigea sur une place de Paris sa statue de Mickiewicz en manteau de pélerin, au bras tendu vers l'avenir, monument disparu puis restitué dont la photographie orna la couverture de mon essai *Adam Mickiewicz, pèlerin de l'avenir*, publié en cette même année 1955.

Le langage de pierre taillée de Bourdelle apparaît nettement plus stylisé, avec une pointe de grandiloquence, mais non moins lyrique que celui de Milberger. Au croisement des chemins des deux poètes slaves, celui-ci a peut-être entrevu la bifurcation de son propre destin entre Pologne et Russie.

Il naquit en effet à Varsovie, mais vécut de longues années à Moscou où il dut se réfugier en 1939 à l'heure de la menace hitlérienne. Il fut redevable de sa formation aux maîtres russes de l'Académie des Beaux-Arts, tel Vladimir Favorski dont il fut le disciple. La consécration obtenue en Russie soviétique aurait pu immobiliser Milberger dans le relatif confort d'un art officiel qui bénéficiait des commandes de l'Etat, à condition d'en respecter les directives...

C'est ainsi qu'il composa, suivant les normes du réalisme en vigueur, un Alexandre Herzen, ce philosophe pré-marxiste, objet d'un culte pédagogique. Cependant, avec ses portraits du physicien atomiste Lépold Infeld et de l'astro-physicien Ary Sternfeld, il montra sa prédilection pour des figures appartenant au panthéon des sciences plutôt qu'à la sphère du pouvoir politique, prédilection qui s'étendit d'ailleurs au monde du spectacle avec un buste de Marcel Marceau et surtout une statue du célèbre clown Oleg Popov. Celui-ci fut appréhendé dans une attitude affranchie de toute pose, d'un naturel étourdissant, forme quasi dansante et sourire qui fait rayonner le bronze du visage. Ces incursions thématiques hors des sentiers battus constituèrent un écart sensible par rapport au conformisme et au pompiérisme règnants.

* * *

La décision prise par l'artiste de s'installer définitivement en France, à partir de 1963, de devenir citoyen de ce pays, après un passage en Suisse qui lui permit de sculpter un buste de l'écrivain Friedrich Dürrenmatt, tenait évidemment à un choix délibéré et ce fut en même temps un tournant dans son itinéraire artistique.

Certes, il n'a pas renoncé pour autant à la conception et à la technique héritées des grands classiques, tout particulièrement, j'y reviendrai, de Rodin, influencé par son impressionnisme, sa puissante stylisation du corps humain, récusant comme lui l'usage de la taille et du ciseau, afin de donner à la main qui pétrit, manipule et modèle la glaise, la primauté dans l'élaboration plastique, adoptant à son tour fréquemment la recherche de la figure incomplète et du modelé "non finito" dont Michel Ange fut le précurseur et l'incomparable magicien.

Milberger emploie cette technique surtout pour des sujets de taille réduite, statuettes, groupes ou individus, bas-reliefs de moindre format. C'est ainsi que plusieurs plaquettes de terre cuite évoquent, derrière des grilles, quasiment fondu dans l'ocre du matériau, un élan éperdu et désespéré vers une hypothétique libération. Des mains se cramponnent aux barreaux, les secouent et l'on sent qu'elles vont soudainement s'en arracher pour prendre leur envol, immobiles oiseaux d'une cage de pierre devenus les emblèmes d'une résurrection.

Ne peut-on déceler précisément, dans cette œuvre modeste et émouvante, non seulement le symbole de la résurrection du peuple juif, défiant ses bourreaux et forçant les barreaux de toutes les prisons, mais aussi plus généralement, l'irrépressible impulsion vers la liberté qui anime les hommes à tous les horizons de notre planète ?

* * *

Michel Milberger ou la sculpture d'une identité

Michel Milberger n'est pas le pionnier d'un art en rupture de ban ou en rupture de beauté. Il se voulut le mainteneur conscient et vigilant d'une technique du portrait qui a fait ses preuves, mais qui est en passe de se perdre, délaissée par tant d'autres au profit souvent de l'épate, de la surenchère et des excentricités de la mode.

On aurait tort toutefois de ne voir que du conservatisme pur et dur dans ce souci de préserver, contre vents et marées un métier, le portrait sur modèle, qui a légué à la mémoire collective au cours des siècles, sa ponctuation du contexte social et ses instruments de mesure du temps.

On dira avec raison que d'un certain point de vue, la photographie a repris et rempli cette mission d'archiviste. Mais la photographie, quelles que soient ses qualités propres, demeure un objet sans relief, un objet privé de volume, une surface plane impressionnée, toujours menacée de n'être plus qu'un palimpseste. La matière au contraire, où le sculpteur imprime sa vision, acquiert le volume corporel et le mouvement interne de la vie. Toute la différence est là, que l'on ne peut ignorer. La réussite étant affaire non plus de métier, mais d'expérience et de talent.

La sculpture n'est pas l'effraction puis l'envahissement de l'espace par une bouture de matière qui serait en quelque sorte son cheval de Troie. Elle est création d'un espace différent, autonome, qui n'existait pas avant, à partir d'une forme façonnée qui lui impose un axe, une orbite, et l'oblige à graviter autrement autour d'elle.

* * *

Le bouleversement et la mutation des formes dans le champ de la sculpture, dès le premier tiers de ce siècle, furent provoqués par l'intervention subversive et massive des peintres, précipitant la disparition des catégories cloisonnées. Picasso, Matisse, Henri Laurens, le futuriste Boccioni, les dadaïstes Marcel Duchamp, Jean Arp, Francis Picabia, les surréalistes Joan Miro et Max Ernst, pour n'en citer que quelques-uns, transférèrent dans la sculpture leurs Innovations picturales. On a vu triompher les combinatoires du relief, du collage, du ready-made, de l'assemblage d'éléments disparates, voire de rebuts, dont le dispositif semble obéir à la recette provocatoire d'Isidore Ducasse : "la rencontre d'une machine à coudre et d'un parapluie sur une table de dissection" (1). Ces agencements aléatoires et illusoires sont en fait une manière d'analyser, d'autopsier, de contester de fond en comble ou par bribes une réalité douteuse, en suivant une autre logique que celle de la rationalité et de la perspective. Ils ont relégué la technique du modelage à des utilisations privées ou publiques par avance taxées d'académisme. Pourtant de grands artistes, tels que Germaine Richier, Henri Laurens, Alberto Giacometti ou Apel.les.Fenosa, en France, Ernst Barlach et Wilhelm Lehmbruch en Allemagne, dans le courant expressionniste, Chana Orloff, Moïse Kogan, Henri Glicenstein, Jacob Loutchanski, Léon Indenbaum, Léopold Kretz, Nathan Rapoport et Jacob Cytrin, au cœur d'une sensibilité juive accordée à leur temps, sont restés fidèles à la figuration, fût-elle sous-tendue par le cubisme, fidèles soit par la taille, soit par le modelage, le marbre, la terre cuite ou le bronze.

Je pense que ce qui caractérise en art la modernité, c'est le bond en avant, le franchissement des limites, le rejets des stéréotypes, l'affranchissement radical par rapport aux conventions du réalisme académique ou du naturalisme. Y revenir ou s'y tenir comme à un acquis définitif, c'est risquer la stagnation ou pire : la régression. Est-ce à dire que la figuration elle-même serait condamnée ? Pas le moins du monde ! Elle possède son dynamisme propre, capable de s'approprier la modernité et de l'enrichir à la mesure de ses modulations et de sa faculté transformatrice.

Michel Milberger, peintre lui aussi à ses heures, et qui s'adonne au dessin systématiquement et non sans bonheur, s'est attaché en sculpture à un idéal qui ne se peut concevoir sans l'autonomie de l'objet sculpté, le témoignage physique de sa présence, sa ou ses significations au moyen d'une interprétation concrète, et de plus en plus, dans la production actuelle de Milberger, par le truchement du modelage à la spatule, du modelage à retouches, indécis dans le détail autant qu'il est déterminé dans la vue d'ensemble, bref un art des approches, des contrastes, de l'éclairage psychologique ou symbolique dont le dynamisme et la polysémie se trouvent exaltés et décuplés par l'inachèvement, l'ébauche de l'apparence, le refus du polissage dont on sait qu'il peut être piégé. La perfection est une fatalité qui a l'inconvénient de clore l'œuvre, tandis que celle qui parvient à préserver une part d'aléatoire et de virtualité, une part non réalisée en suspens, demeure en permanence ouverte à la méditation, à la rêverie, à l'interrogation de qui la contemple.

* * *

Il importe de constater que Michel Milberger, une fois libéré des pressions ou des censures directes et indirectes auxquelles le soumettraient l'ordre établi dans l'art et le système soviétique - tout en lui octroyant une flatteuse promotion - a puisé son renouveau et le regain de son inspiration dans le développement d'une thématique qui se réfère à ses sources originelles, à la légende biblique ou à la culture juive qu'il ne pouvait traiter auparavant que sporadiquement, presque par allusion.

M. Milberger parlait couramment le russe et le polonais, sa langue maternelle au même titre que le yiddish, et il connaissait parfaitement la littérature yiddish dont son enfance et son adolescence furent enveloppées comme d'un manteau de musique, un air que l'on respire, saturé de souvenirs lancinants et d'une nostalgie aussi douce et fugace que la neige hivernale.

On ne saurait s'étonner, par conséquent du lien profond, du lien viscéral tissé dans l'art de Milberger par l'histoire juive, antique ou contemporaine, et par la mémoire poétique dont la langue yiddish est porteuse.

Ce lien avec l'histoire est manifeste dans les portraits sculptés de chefs d'Etat, présidents successifs d'Israël, mais aussi des érudits et des penseurs au prestige international, tels que Dov Sadan et Emmanuel Lévinas. Le buste de ce dernier est un travail récent. Il frappe par une ressemblance qui n'est pas à mes yeux je dois dire le critère essentiel, s'il ne se rapporte qu'à des traits de physionomie. Non. Ce qui doit commander et dominer l'œuvre est la vérité intérieure qu'elle traduit. Dans le cas du grand philosophe Emmanuel Lévinas, cette vérité est une évidence : c'est toute l'énergie d'une intelligence, toutes les strates d'une culture qui se trouvent mises en valeur, mises en résonance dans le bloc de matière. Il en va de même, pour la puissance du masque de bronze et tout ce qu'il dévoile, comme un concentré massif de la pensée, avec le portrait du poète polonais - prix Nobel - Czeslaw Milosz, devenu l'ami de Milberger.

Multiples sont dans l'œuvre du sculpteur, les relations - il faudrait dire les connivences - avec la poésie, et plus spécialement avec la poésie yiddish. Il n'est pas fortuit qu'il ait réalisé un buste de bronze de David Hofstein, après ses portraits sculptés de Leivick, Binem Heller, Rachel Baumwoll, Itzhak Katzenelson, auteur de l'inoubliable "Chant du peuple juif assassiné", David Sfard, Moshe Shulshtein, Mordechai Litvine, éblouissant traducteur de la poésie française en yiddish, André Spire - qui écrivit en français ses "Poèmes juifs" - Avrom Sutzkever auquel il a consacré plusieurs œuvres, dont une statuette en pied, un portrait tout en finesse du poète, qui tient un mince ruban de manuscrit, portrait où se trouvent subtilement distillées la sagesse et l'ironie de l'auteur de *Grinem Akvarium* (l'Aquarium vert) et de *Wu Nekhtikn di shtern* (où Gîtent les étoiles).

Mais je veux saluer tout particulièrement, parmi les petits formats, le portrait de Rainer Maria Rilke que je considère comme un chef-d'œuvre, image délicate et juste du poète qui se tient debout, un carnet à la main, mince et souple comme un roseau, image la plus prenante et la plus véridique peut-être qu'ait jamais suscité l'auteur des *Elégies de Duino*. Il fut on le sait, l'ami et le correspondant de Marina Tsvetaïeva et de Boris Pasternak, deux grands poètes russes chers au cœur de Milberger. La statuette qu'il a composée est pareille à une lettre pleine de secrets et de murmures qui devrait se joindre à celles des deux autres partenaires.

On ne saurait voir une simple coïncidence dans le fait que Rilke, ainsi célébré, ait été le secrétaire d'Auguste Rodin. Rodin qui est sans conteste le maître à penser de Milberger, son incontournable repère esthétique. Rodin dont Guillaume

Apollinaire, admirateur et propagateur du cubisme, n'a cessé dans ses chroniques sur l'art de saluer le génie, et dont Gustave Kahn, dans l'enquête sur le cubisme incluse dans "Les peintres cubistes" d'Apollinaire, écrit : Il semble bien que l'art de Rodin ne soit pas étranger à l'art des cubistes". Tandis qu'Apollinaire réplique au sarcasme de Baudelaire :
"pourquoi la sculpture est ennuyeuse" par l'impératif plus optimiste :
"la sculpture ne doit pas être ennuyeuse" !

* * *

David Hofstein on le sait, fut l'une des victimes de l'hécatombe stalinienne des écrivains yiddish, en août 1952, après un procès si fabriqué qu'il dut se dérouler à huis-clos. Il me paraît intéressant de noter, dans les poèmes de David Hofstein que j'ai traduits, les vers suivants :

Conscience !
Je sais
Tu es
Dit-on
Un chien
Un chien qui s'est arraché à sa chaîne...
Conscience, je t'aime !

David Hofstein écrit encore :

Nous sommes issus des rocs
Qui enchaînèrent le destin...

Il y a là, n'est-il pas vrai, une extraordinaire coïncidence : Michel Milberger, lauréat du prix David Hofstein décerné à Tel-Aviv en juin 1994, semble très exactement correspondre à l'éthique d'un poète qui affirme : "Conscience, je t'aime" et qui nous montre comment cette conscience, fut-elle ramenée à celle d'un chien, est capable de s'arracher à sa chaîne, de la même façon que l'humanité, enchaînée au destin comme Prométhée à son roc, à ce roc dont nous sommes issus, a réussi peu à peu à s'en délivrer.

Cette morale-là, qui prophétise la libération et la résurrection de l'homme, fut-il condamné à la clochardise, à la solitu-

Michel Milberger ou la sculpture d'une identité

de, à l'humble besogne de chiffonnier que nous montre une récente et admirable série de statuettes, cette morale-là dis-je, est celle d'un artiste qui a su s'identifier à la condition des plus démunis, à leur labeur, à leur souffrance, mais aussi aux gestes de la tendresse, de la sensualité, de l'érotisme que l'on voit s'échanger dans "l'Etreinte", dans "l'Affection", dans "l'Entente", et plus intensément que jamais, dans l'enchevêtrement d'un couple dont les corps sont l'un à l'autre des coquilles, des réceptables, et leurs membres se confondent comme les pétales d'une fleur géante à deux tiges. Ce couple est tout simplement la transposition d'un verset de *Shir Ha Shirim*, le Cantique des cantiques, qui dit : "Sa main gauche est sous ma tête / et sa main droite m'enlace". C'est de cette façon sans équivalent que la poésie des mots s'intègre naturellement et charnellement à la poésie en acte qu'est la sculpture.

On le voit, l'histoire juive, l'Ecriture sacrée, la culture yiddish, ont tracé un sillage profond, indélébile, dans la sensibilité de Michel Milberger. Il assuma cet héritage essentiel en nous restituant Samson et Dalila, le sacrifice d'Isaac ou le songe de Job. Mais la légende, ici s'affranchit de l'imagerie, grâce à la technique maîtrisée de ce modelé "non finito" que j'ai déjà mentionné.

Qu'elle soit archaïque ou contemporaine, l'histoire juive, dans son essence, dans son quotidien concret, plutôt que dans son extrapoliation métaphysique ou cabalistique, rien ne me paraît l'exprimer avec davantage de force et de vérité humaine - une vérité exempte de pathos, un langage dégagé de toute rhétorique - que certains figurines de terre cuite produites peu de temps avant sa mort en 1998 par Michel Milberger. Le thème de l'attente y joue un grand rôle. Il est illustré tantôt par un homme accoudé à une croix aux branches inégales qui est peut-être une croisée de fenêtre, tantôt par une Baba, c'est-à-dire une mère russe qui est en même temps, n'en doutons pas, une mère juive.

Il y a des personnages assis côte à côte sur un banc comme s'ils étaient déjà, à leur insu, au seuil de l'éternité. Il y a là l'aveugle et son chien, le sentiment du désarroi et l'idée de la complicité, de la compassion protectrice. Il y a le surgissement de la douleur, l'émergence à la surface de la terre du relief de quelques visages féminins, comme enlisés, les mains jointes ou crispées, images flottantes d'une étrange épiphanie du désespoir.

S'il est un message en clair dans l'œuvre de Milberger, c'est celui d'une alerte : il est urgent de veiller à la vie comme à la prunelle de nos yeux. Il est nécessaire d'assurer en l'homme le salut de l'humain, à une époque où l'on vise à l'avilir et à l'anéantir. Regardez ce groupe emblématique dit "En danger" : une mère tient serré contre elle son enfant, qu'elle protège du péril par la seule force du bras qui l'enlace et qui est un geste d'amour. Cet enfant rescapé de l'holocauste, cet enfant que l'on a voulu arracher aux griffes de la nuit, n'a-t-il pas le visage de l'invincible espérance, le visage d'un avenir qu'il nous appartient de sauvegarder ?

* * *

Milberger nous a ouvert par la bande un autre univers, un microscome dont les protagonistes semblent animés d'un mouvement incessant, car le Pygmalion qui les a mis au monde leur a insufflé une âme, le désir d'être des personnes plutôt que des effigies, et des personnes qui cherchent leur voie, leur issue vers l'ailleurs, le moyen de se dépasser, de dépasser leur état de solitude ou de servitude. Il suffit alors d'une petite figurine de femme courbée, tassée sur elle-même, les épaules pesantes, penchée sur un baluchon qui est sûrement tout son bien, pour nous faire éprouver avec une rare intensité tout le drame de la diaspora, de la séparation, de l'exil, le sort des gens que l'on a chassé de chez eux, que l'on traque, des gens voués à l'errance, sans domicile fixe, sans patrie, et sur qui pèse le terrible fardeau des persécutions et du déracinement.

C'est ici que l'art de Michel Milberger atteint peut-être à son apogée, dans l'économie et la simplicité, et qu'il parle pour tous ceux qui n'ont plus de langage, pour les survivants de ce monde yiddish menacé de disparition, à qui le sculpteur offre les balises lumineuses de la légende et des miroirs à métamorphoses si profonds que les images et les ombres ne s'y pétrifient jamais.

NOTES

(1) illustrée en 1920 par "l'Enigme d'Isidore Ducasse" de Man Ray où l'objet désigné est délibérément voilé.

Devi Tuszynski,
MINIATURISTE, DE LA QUÊTE AUTOBIOGRAPHIQUE AU VOYAGE D'ULYSSE

Il se peut qu'une goutte soit la mémoire de l'océan. Une forme animale rituellement reproduite sur la paroi d'une grotte ne nous révèle-t-elle pas la rêverie humaine et la mémoire d'une époque, la projection mentale d'une préhistoire qui a besoin du palimpseste de la pierre ? Le caractère extensible du dessin permet de le ramener à des proportions minimales, tout à fait inusitées, sans pour autant provoquer une déperdition de son sujet. C'est ainsi qu'une miniature peut également nous révéler au moins une fraction du temps que nous vivons, cristalliser suivant sa règle la mémoire individuelle et interpréter du même coup le jeu de la mémoire collective.

L'art de la miniature s'arroge un pouvoir qui n'est pas uniquement de réduction des choses vues et des choses rêvées à leur plus petit commun dénominateur, mais le pouvoir de capter, d'enregistrer et d'emmagasiner toutes les images du monde, erratiques, virtuelles ou réelles, dans une goutte d'encre qui est peut-être la goutte ultime du visible.

Les miniaturistes de tous temps, ont été les maîtres d'une haute-couture et d'un minutieux savoir consistant à habiller et armorier toutes sortes de substances et de supports, principalement le livre, si bien que les textes ont trouvé dans le dessin qui les illuminait le blason de leur noblesse et l'une des garanties de leur durée. Illustrer un livre, c'était lui apporter par quelque éclatante bouture le lustre du merveilleux, celui-ci affleurant soudain grâce à cette lucarne ouverte par le peintre à l'extérieur comme au-dedans de l'ouvrage, déchirure du mystère, irruption de l'image dans l'alignement intangible des signes, modifiant dès lors leur cadrage et leur équilibre visuel. Cette semaille de couleurs, de traits et de figures, comme arrachées à d'autres perspectives, à de plus vastes visions, ou redécoupées plus finement dans leur tissu, nous assure que tout paysage, tout visage déplacés à l'échelle lilliputienne, ne sont ni une perte ni un rabougrissement de l'imaginaire, mais au contraire sa concentration extrême, à la façon des particules de lumière dans le faisceau du laser.

Devi Tuszynski a voué sa vie - il en né en 1915 à Brzeziny en Pologne - à la miniature, et l'on pourrait s'étonner de cette persévérance, de cette vocation assumée jusqu'au bout d'un métier à la fois artistique et artisanal qui semblait pourtant subir une inéluctable régression, depuis les XVIe et XVIIe siècles où il connut son apogée à la cour de la reine Elisabeth d'Angleterre, avec Nicholas Hilliard et son disciple Isaac Oliver, comme en France avec Jean Clouet pour les portraits et, au début du XVIIe siècle avec Daniel Rabel, peintre de fleurs et de ballets sur parchemin. Or Tuszynski participe au contraire d'un regain, d'un développement et d'une transformation de cet art qui a subi maints avatars et dont les archétypes ont été élaborés dès la plus haute antiquité en Egypte et en Grèce, pour parvenir au niveau de raffinement incomparable auxquels ils furent portés en Perse, en Inde et en Chine et d'autre part modélisés à la perfection par la calligraphie arabe et celle des anciens manuscrits hébraïques. C'est sans doute à ce dernier type d'iconographie, accompli par les enluminures de plusieurs Torah et Haggadah célèbres - la Bible de Cervera, en Espagne, ou celle de Burgos, calligraphiée en 1260 par Menahem Ben Abraham Malik, ou encore, toujours en Espagne médiévale, l'illustration du *Môre Néboukhim*, le *Guide des Egarés* de Maïmonide - que se rattache lointainement l'art de Tuszynski.

Cependant, si Devi Tuszynski n'ignore évidemment rien des antécédents d'un art dont l'arbre généalogique a donné tant de fruits extraordinaires, il ne veut en être ni simplement l'héritier ni le fidèle continuateur. Il fallait par la force des choses et la force du temps que sa démarche et sa technique s'accordassent à la modernité, c'est-à-dire en l'occurrence à une vision plus morcelée, plus simultanéiste, décomposant la structure réaliste par l'usage d'une autre logique, ou plutôt d'un illogisme délibéré adapté au très petit format et à la micrographie qui donnent à voir beaucoup plus profond et beaucoup plus loin que ce qu'ils montrent. D'autre part, telle qu'il l'a mise en œuvre, cette technique n'est plus assujettie à l'illustration d'un livre. Non point qu'elle se soit écartée ou affranchie du livre comme terrain privilégié de ses expériences et de ses réalisations, mais elle se garde d'obéir systématiquement à la commande du livre. C'est le livre qui vient à elle et puise ce qui lui va comme un gant et devient son accompagnement nécessaire, dans l'arsenal de dessins et de miniatures que l'artiste tient en réserve, disponibles à des ouvrages où l'image et le texte finissent toujours par s'appeler et se répondre dans des combinatoires incitatrices.

La réputation de Devi Tuszynski, depuis son arrivée en France en 1947, n'est certes plus à faire : cette démarche originale dans le domaine à la fois ample et circonscrit qui est le sien, a été saluée comme un renouveau, dans son pays d'adoption et hors de ses frontières, à l'occasion de nombreuses expositions aux Etats-Unis, en Afrique du Sud, et en Grèce, à Singapour et en Suède, en Espagne et au Portugal, l'une d'elles, et non des moindres, ayant eu lieu à Moscou, au musée Pouchkine en 1991. Au cours de sa longue carrière, parrainée à ses débuts par Paul Fort et André Maurois qui préfacèrent ses albums, comme le firent d'autre part Marcel Marceau, Mendel Mann et Piotr Rawicz son ami intime, l'artiste a fait quelques incursions remarquées dans d'autres secteurs, exécutant des affiches, des décors, des objets en bronze ou en cuivre, des vitraux et des découpages... Mais en fin de compte, la miniature est demeurée la source essentielle de son inspiration. C'est à elle qu'il revient toujours s'abreuver et retrouver la couleur limpide de ses rêves, de sa vie, comme si c'était une fontaine de jouvence ayant la vertu de restituer dans leur lumière originelle les images d'un monde disparu, sans le surgissement desquelles il est impossible de comprendre et de donner un sens au monde présent.

La miniature n'est ni l'île de Robinson Crusoë où l'on pourrait se réfugier pour reconstruire une existence seconde à l'aide de moyens rudimentaires, ni la caverne-leurre de

Platon. C'est un processus de révélation à soi-même et aux autres des beautés encore inaperçues, des impressions pulvérisées et des terribles épreuves qui parsèment notre histoire, soit en laissant en nous des traces douloureuses, soit en les effaçant. L'artiste est celui qui tente par le trait le plus ténu de récupérer ces empreintes fragiles menacées d'évaporation. Ses stylisations sont parfois de minuscules filets, lancés dans les profondeurs des ténèbres afin d'y repêcher peut-être un regard, un visage, une silhouette toujours fugace, par exemple le visage de son frère cadet, Moniek encore un enfant, englouti dans les cendres d'Auschwitz et qu'il s'efforce obstinément de ramener à la surface et jusque dans le cadre asymétrique du miroir noir qu'il a imaginé comme une réplique au miroir voilé de blanc que la tradition religieuse prescrit en cas de deuil.

Mais qu'est-ce qu'une miniature ? Elle découle de l'ancienne enluminure, encore que son nom recèle une équivoque puisqu'on peut le rattacher ou à la couleur rouge du "minium" utilisé dans le traitement des manuscrits, ou bien au mot latin "minus" qui désigne la petitesse. On a pu y voir également une variante du maniérisme puisqu'au XVIII° siècle le mot s'orthographiait "mignature", de sorte que Diderot n'hésitait pas à lui attribuer la joliesse un peu mièvre de ce qui est "mignard".

Avec Tuszynski, on est aux antipodes de cette étymologie qui d'ailleurs n'est qu'un repère historique, tant la manière de l'artiste, si manière il y a - je dirai plutôt : style - se situe ailleurs et autrement que dans l'ornementation. On notera toutefois une exception qui se rapporte à la vie privée de l'artiste, un parchemin dont l'original n'est visible que chez lui. Il s'agit de l'acte de mariage avec Ada, la femme de Devi, un document singulier qui évoque par sa polyphonie graphique et calligraphique, comme par la complexité de sa composition, les fameuses "ketoubah" hébraïques, contrats de mariage manuscrits, tel celui de Padoue, réalisé en 1732 sur parchemin au moyen de la gouache, de l'or mat et de l'encre (1).

En fait, la calligraphie joue un rôle majeur dans l'œuvre de Tuszynski, et tout particulièrement, nous le verrons dans son admirable Psautier. C'est une micro-calligraphie qui traite les caractères hébraïques comme les notes d'une partition pour l'œil plutôt que pour l'oreille, corpuscules qui sont comme chargés d'un courant continu de l'écriture, capables de traduire et de transmettre le magnétisme du mythe et l'enchevêtrement de tous les sentiers de la pensée qui y conduisent. C'est à ce carrefour des alphabets et des arabesques que l'imagination scripturale de Tuszynski rencontre la tradition. Une tradition qui remonte aux calligrammes ésotériques du Zohar, au Pentateuque yéménite de Sana'a (1469) dont la page de garde, outre ses motifs géométriques colorés, comporte en son cercle central une ronde étonnante de poissons figurés par des lettres miniatures. Enfin, comment ne pas penser à la Bible de Tudèle (1300) de Josué Ben Abraham Ibn Gaon (2), enluminure d'un calendrier sur parchemin inscrit à l'intérieur d'un disque mobile et flanqué, sur fond pourpre, de quatre chimères... Ces chimères qui hantent régulièrement les enluminures, ont une filiation évidente avec les chèvres volantes, le cerf à tête humaine, l'oiseau aux pattes filiformes, le paon à roue de miroir noir, la salamandre dont la carapace est tatouée d'une frise d'animaux minuscules et porte sur le dos en médaillon, un visage d'homme, toutes ces créatures hybrides qui peuplent le bestiaire fabuleux de Tuszynski, lequel, s'il fait penser bien sûr à Chagall ne lui doit rien, tributaire qu'il est comme je viens de le rappeler d'une ancienne parentèle hébraïque...

André Maurois a eu raison de définir le talent de Devi Tuszynski comme alliance subtile de la tradition et de la modernité : "Moderne par l'originalité de la conception, classique par la perfection de la forme". C'est pourquoi, dans l'inépuisable florilège de figures qu'il entrelace, on ne cesse de découvrir des ramifications, des prolongements, des dédoublements, comme un transit permanent du présent vers le passé, et vice-versa, du présent jusqu'aux formes conjecturales d'un avenir qui semble germer lui aussi dans la mosaïque et les agencements de son microcosme.

Je disais que dans cette œuvre, l'ornementation est épisodique, sinon accidentelle. Ce qui lui sert en vérité de balise et oriente sa vision, c'est en premier lieu la poursuite d'une quête. Quête d'un ordre familial non pas établi mais destabilisé. C'est dans cet accent mis avec insistance sur l'univers familial que s'affirme le plus intensément le sens de la judéité, tant par l'expérience que par l'expression du tragique.

Le grand-père et le père de Tuszynski en Pologne, furent eux-mêmes des miniaturistes. Mais ce n'est pas tellement l'héritage familial du métier qu'il vise à reformuler dans ses portraits, dans les séquences autobiographiques miniaturisées sur des rouleaux de parchemin. Leurs titres, "Ballade pour une vie" et "Ballade du mal et du bien" révèlent des poèmes visuels où s'incrustent une constellation de symboles ponctuant le long parcours migratoire, depuis le shtetl polonais jusqu'aux garrigues provençales, une brassée de signes du zodiaque, une étoile en train de naître et une volée d'oiseaux d'après le déluge. Ce que le dessin de Tuszynski, fil ininterrompu s'acharne à tisser, à traquer, à décalquer de rien ou de l'imprononçable, de déduire de la nuit et du gouffre, c'est le souvenir palpitant des êtres aimés, des visages épanouis qui ont constitué son terreau affectif, l'humus de son imaginaire. Déraciné par la tempête, son arbre généalogique, il s'attache à le faire repousser d'un trait aussi sûr et patient que le soc creusant son sillon. Et cet arbre se couvre non point de feuilles mais de portraits, parfois imprécis, tout juste ébauchés, à la limite du tremblement et du rêve éveillé, mais toujours différents et renouvelés.

A ce rendez-vous du dessin et du destin, on croise l'aïeul, en tenue de Rabbi kabbaliste à Plotzk, ou en uniforme de l'armée du Tsar dans les rangs de laquelle durant 23 ans, il fut officier de santé arborant sur sa vareuse, au lieu de la panoplie de décorations qui sont les fétiches des Russes, une icône de son modeste village. On y croise la mère, dont le visage se découpe en trois segments cubistes issu d'un séisme du regard. On y croise plus souvent encore, le benjamin Moshe (ou Moniek) que la toile d'araignée du dessin nous montre crucifié, les jambes liées au poteau de la croix, image d'une Passion symboliquement transposée dans le martyrologe juif.

La famille éparpillée, décimée, est ainsi rappelée à la vie, mise au centre de la vue comme un axe brisé autour duquel malgré tout, pivote et gravite la mémoire. Ce qui saisit, c'est moins l'ombre sous-jacente ou infra-linéaire de la puissance divine, que l'incantation lancinante, liturgique, obsessionnelle, de la famille. C'est elle qui légitime, étaye et magnifie le recours au sacré. Le sacré qui émane ici du concret des êtres et des choses, transfiguré par cet amour filial et fraternel que l'absence oblitère et que meurtrit à jamais la Shoah. C'est à la fois un acte de piété et un parcours de vérité : la foi est en symbiose dans cet art iconographique qui se souvient ou se rapproche des icônes byzantines et en multiplie les variations, jusqu'à faire fusionner dans une *Maternité* (3) la ferveur chrétienne et la tendresse hassidique.

"De notre album" porte à son apogée l'extrapolation de rares portraits photographiques en portraits imaginaires et micrographiques. Un rectangle divisé en seize cases est l'étrange coffret où se substituent aux papillons de l'entomologiste les visages familiers au biographe, retracés soit d'un trait précis soit en pointillé, comme ces identités approximatives qu'on appelle "portraits-robots". Et ces pièces d'un puzzle inabouti viennent buter, tel un ressac, sur la case blanche, anonyme, la case vide, l'embrasure de l'innommé.

Pareille tentative de reconstitution d'un univers familial à demi désintégré n'est pas sans rappeler certains assemblages biographiques ou pseudo-biographiques de Christian Boltanski. L'œuvre de Tuszynski est en grande partie une quête autobiographique condamnée à la parcellisation et à l'inachèvement. Mais tout naturellement l'écriture pointilliste du roman familial qui sans répit, noue et renoue ses réseaux, ses lignes de fuite et ses lignes de retrouvailles, a pour contrepoint obligé le roman du shtetl, la ville natale, objet d'un culte parallèle dont la miniature est le foyer d'exaltation.

De ce shtetl les épiphanies sont diverses, quelquefois sublimées en couleurs flamboyantes d'une imagerie populaire à la fois naïve et sophistiquée qui célèbre les 9000 habitants d'une agglomération qui comptait, dit Devi Tuszynski, 9000 tailleurs... L'aquarelle et la miniature témoignent également de la vie quotidienne, incarnée notamment par le vendeur de beigels qui a l'air de danser dans la rue une figure de ballet. Et l'heure sonne où le village tout entier bascule dans la tragédie, au centre d'une roue de feu, allusion au poème de Gebirtig "Notre ville flambe". Le parchemin rappelle aussi une autre chanson du ghetto, "Rozhinkes mit mandlen", (les raisins et les amandes) et va jusqu'à symboliser l'anéantissement par l'image du pendu, potence dressée à l'entrée du village.

Aucune insistance rhétorique, aucune grandiloquence dans ces témoignages : ils font partie d'un itinéraire, de cette "Ballade pour une vie" que compose le miniaturiste.

Mais celui-ci ne l'oublions pas, ne se cantonne pas pour autant dans quelque archivisme familial ou dans quelque archéologie du souvenir. Depuis l'adolescence il a sillonné le monde, partant de sa terre natale, et il se représente lui-même franchissant les frontières et bondissant par-dessus les villes, costumé en clown et enfourchant la chèvre sacrée de la légende.

C'est alors qu'alterneront avec les évocations du village les architectures fantastiques à la Robida de villes miniaturisées, Paris, Venise, Amsterdam ou Bruxelles, un arbre exotique d'Australie et une Tour Eiffel non moins insolite qu'une femme-oiseau enveloppe de ses ailes, le lion du Roi David devient lion de Saint-Marc. Ici le pointillé virevoltant fait merveille, donnant à chaque ville aux maisons et aux monuments de guingois, claudicante ou valsante, l'aspect scintillant d'un mirage. Cette architecture mi-baroque mi-onirique est née de la liberté d'invention et des enchantements improvisés d'un trait qui semble habité par la fièvre. La précision de l'écriture est celle d'une acupuncture qui suivrait dans l'espace imaginaire les nervures et les points névralgiques de tout le non-vu qu'il appartient à l'artiste de détecter et de faire émerger des limbes. A son arbre généalogique il a ajouté un jumeau : l'arbre des énigmes, frondaison touffue en éventail, arbre simultanément végétal, animal et humain, le tronc constellé d'une multitude de figures, les racines confondues avec les renards, les chèvres, les oiseaux.

Le chef-d'œuvre de Tuszynski à mes yeux, est son Psautier, ouvrage exceptionnel, exemplaire unique à ce jour, dans sa reliure carrée de métal et de parchemin. Ce recueil de miniatures sur des thèmes bibliques constitue la quintessence de son art. C'est une chorégraphie de lettres hébraïques qui se transforment en gouttelettes de pluie, comme un des Calligrammes d'Apollinaire. Pluie ou neige noire de l'écriture rythmant ses trajets et ses allégories, David et sa harpe, le lion et la stèle, la main elle-même muée en écriture par ses veines et ses aspérités, l'Alléluia alignant des instruments de musique : son titre en caractères hébraïques est lui-même formé d'une procession de lettres microscopiques. Ici, la petitesse fourmillante est un atout, un complément nécessaire, l'effraction accomplie dans la dimension de l'infinitésimal qui est, d'une certaine façon, la quatrième dimension de l'inconscient où celui-ci accroît par dédoublement son langage. La vue, objet d'une atomisation ; ne s'inverse pas dans le plus petit bout de la lorgnette, mais opère "au-delà" par la lentille et la lanterne de l'écriture qui convertit le visible en poupée-gigogne de la matière.

Devi Tuszynski a défini lui-même son projet : "Depuis vingt ans, je crée des psaumes. Mon époque a été noire, mais je suis sorti du déluge. Roman, Félix et Tola sont sortis de la flamme avec des ailes brûlées et numérotées. Ils ont regardé la fumée noire de notre petit frère martyr Moniek, le benjamin gazé à Auschwitz. Le noir est resté sur ma plume, sur mon pinceau. Je voulais lui donner un habit aux couleurs de la vie, de l'arc-en-ciel jamais regardés, ni sentis, ni respirés. A lui, j'ai dédié en micrographie les Psaumes du Roi David. Que la musique de mes lignes berce ma mémoire. Que les feuilles du papier soient sa pierre tombale..."

Ce Psautier, c'est en somme le voyage d'Ulysse. Mais la pérégrination s'effectue à travers les archipels de la mythologie et de la légende biblique. Une échappée heureuse, hors des fumées opaques de la tragédie. La miniature est alors la boussole précieuse et délicate d'une navigation dans le temps et l'espace qui déroge totalement à nos habitudes de lecture et d'observation du réel. L'instrument d'une mélodie en sourdine, à la fois terrestre et céleste, dont Devi Tuszynski rescapé miraculeux, est un des rares à posséder le secret et dont il sait jouer en virtuose halluciné.

NOTES

(1) Musée d'Israël à Jérusalem.
(2) Bibliothèque nationale de France.
(3) Musée Pouchkine, Moscou.

AU MIROIR DES DÉDOUBLEMENTS : LE CINÉMA YIDDISH, LE DIBBOUK

Il existe un cinéma juif par la sensibilité et l'inspiration, la volonté ou l'intuition, variablement commandé par la psychologie et par l'économie, dans plusieurs pays et diverses langues. Un cinéma polycentrique, de Tel-Aviv à Hollywood, en passant par Paris. Il a rayonné depuis quelques décennies dans le miroir du rire et du burlesque. Il a pris le visage de Groucho Marx (et de ses frères), Mel Brooks, Jerry Lewis, Woody Allen, et quelques autres moins géniaux que ce dernier. Il a même dérapé vers le Rabbi Jacob, clownesque juif d'occasion taillé sur mesure pour Louis de Funès.

Il existe au cinéma, oscillante et renouvelable, une thématique juive, abreuvée à toutes les sources de l'histoire et de la mythologie, bourdonnante de personnages, de types, de scènes à faire et à défaire, de poncifs, de redondances et de vérités qui brusquement déchirent le rideau. Ce cinéma est hanté par l'obsession de dire et de montrer, l'exigence de communiquer une expérience qui s'avère parfois incommunicable. Il évoque - et souvent illustre, c'est-à-dire ornemente - persécutions et résistances, ambiguïtés et aspérités des rapports conflictuels entre Juifs et non-Juifs, réalités et symboles de l'antisémitisme, qu'il soit considéré comme mur d'un ghetto ou comme muraille invisible à l'intérieur de la société la plus évoluée. Il rappelle la persistance du mépris ou de la haine, parfois fondée sur une calomnie (le prétendu crime rituel, prétexte du procès de Beilis) ou attisés jadis par la superstition paysanne, l'intolérance, le dogme de l'Eglise catholique, depuis les chasses aux sorcière de l'Inquisition et l'expulsion massive des Juifs ibériques jusqu'au moderne massacre des innocents appelé Shoah.

Pyramide de fictions, de documentaires, de témoignages

sur grand ou sur petit écran : la condition juive est interrogée et quadrillée par l'image, continuellement ratissée comme un terrain de fouille archéologique. L'image juive est une de branches de l'arbre généalogique du cinéma.

Le cinéma yiddish, qui fut un fruit de cette branche, s'est quant à lui volatilisé. Il en subsiste quelques réminiscences et quelques fantômes de cinémathèque. Un seul chef-d'œuvre en fait, mais inaltérable, sur les quelque 150 films qui furent tournés de 1910 à 1950 en Russie, en Pologne et aux Etats-Unis : *le Dibbouk*, de Michel Waszynski, sur lequel je reviendrai. Il n'y a plus de cinéma yiddish, ni dans le miroir du rire, ni dans le miroir des larmes. Amputée de sa langue vernaculaire et de sa langue créative, l'image est devenue aphasique et amnésique. Elle n'est pas revenue au mutisme originel - base extraordinaire d'invention en raison même d'une technique encore rudimentaire - mais avoir coupé la parole lui a coupé le vivre, le fil qui la reliait à ses locuteurs, et l'a privée du même coup de sa raison d'être.

* * *

Pourtant la culture yiddish était entrée de plain-pied dans l'âge de l'image. L'image animée n'était-elle pas un formidable substitut à l'image peinte si longtemps interdite ou soupçonnée de sacrilège ? La multiplication de l'image de l'homme et de l'image du monde par le cinéma avait laissé le champ libre et accéléré le principe d'identification. L'image qui s'inscrivait sur l'écran, fût-elle encore démunie de la parole et de la couleur, pouvait être sacralisée et reconnue vraie. A la mobilité et à la simultanéité de l'image cinématographique correspondirent, dès la fin du XIX° siècle, la mobilité humaine, les grands déplacements et transferts de population, facilités par la rapidité des transports. Née au seuil d'un nouveau siècle, l'image cinématographique en est véritablement l'accoucheuse. Mais si le Peter Schlemihl de Chamisso désespérait d'avoir perdu son ombre, le "shlemazl" juif (autrement dit le malchanceux) pouvait se vanter d'avoir vu se dédoubler son image, au moment où celle-ci commençait à émerger non seulement des livres, mais du noir et blanc des écrans. Le dédoublement de la personnalité n'est pas forcément une psychose, mais peut-être une constante de ce mouvement perpétuel de leur personne auquel les Juifs ont été astreints depuis l'aube biblique de leur temps... Toujours est-il qu'ils se sont jetés avec une sorte de frénésie dans le cercle magique de l'image. Celle-ci dans les films, fut leur interprète, leur ambassadrice, leur exorcisme. Antidote de leurs frustrations, elle les représentait à la fois tels qu'ils souhaitaient se voir, plus ou moins idéalisés, et tels que les transfigurait le prisme de la comédie et du mélodrame. Mais avant d'être idéalisé, il importe d'être théâtralisé. Passer par le nœud d'une intrigue donne à qui joue et à qui se prend au jeu, un dénominateur et un fil conducteur commun. Le cinéma yiddish s'est fondé sur les mêmes prémisses et les mêmes composantes que le théâtre. C'est pourquoi, même évanoui ou confiné dans les archives et les réservoirs des cinémathèques, il lui arrive de resurgir tel un fantôme que l'on ne parvient pas à désarmer et qui est peut-être en nous la statue du Commandeur que devient notre tyrannique mémoire.

* * *

C'est peut-être au stade ultime de la déshérence que l'on voit se manifester de singulières réapparitions, fugitives récurrences sans doute, dans un cinéma à qui le monde yiddish est devenu totalement étranger. Mais voici qu'il resurgit inopinément, au hasard de l'actualité et de la distribution, dans deux films français qui n'ont entre eux aucun rapport, dont je ne veux évaluer ni les mérites ni les faiblesses, mais constater simplement à quel point l'un et l'autre sont symptomatiques d'une perte qui n'est pas vraiment acceptée ni compensée, à quel point ce qu'ils nous montrent est la recherche et la mise en place de jalons psychologiques et historiques en l'absence desquels il est impossible de comprendre et d'assumer son propre passé.

Le premier film, *Le Violon de Rothshild*, réalisé par Edgardo Cozarinsky avec un casting russo-lituanien (Sergueï Makovetsky, Dainus Kazlauskas, Tönu Kark et Tarmo Männard), a pour principal intérêt de tenter la restitution d'un opéra juif composé à Léningrad au moment de la guerre par un jeune disciple et élève de Dimitri Chostakovitch, Benjamin Fleischman. Celui-ci disparaît au combat, et Chostakovitch décide de ne pas abandonner la partition inachevée, de l'orchestrer et de la faire jouer. Bien que le livret soit fondé sur une nouvelle très connue de Tchekhov, Chostakovitch, en butte à la bureaucratie soviétique et aux embûches d'un antisémitisme hypocrite (on lui conseille de "déjudaïser" l'opéra et de faire oublier son auteur, mort pour la patrie, mais néanmoins suspect de cosmopolitisme...) aura la plus grande peine à mener à bien son projet et à honorer la mémoire d'un musicien prometteur mais indésirable... Ce qui importe dans cette réalisation dont l'idée est originale plus que la mise en œuvre, c'est moins la polémique qu'elle poursuit touchant l'attitude du pouvoir communiste à l'égard de l'esthétique et des Juifs, que la manière dont les images illustrent ce propos, particulièrement les longues séquences consacrées à l'opéra de Fleishman, lequel est représenté dans un décor campagnard très stylisé, à peine un shtetl, quelques maisons isolées. Ce sont des images naïves, que l'on dirait découpées dans une bande dessinée. Pourtant, c'est le cadre où la musique de Fleischman, ses chants et solos expressifs, parviennent à recréer l'ambiance du petit univers yiddish, tel qu'il fut décrit en quelques pages par Anton Tchekhov (1). Opéra de poche, en pleine nature, où se côtoient les animaux et les hommes : parmi eux le principal personnage, Iakov, fabricant de cercueils et violoniste dans un orchestre klezmer qui "se débrouillait pour jouer sur un mode plaintif même les morceaux les plus gais". L'anecdote initiale est mince, mais la musique l'amplifie dans sa gravité et sa résonance, à l'échelle de l'histoire, si bien que la résurrection du village pour les besoins de la mise en scène, par le truchement d'une partition sauvée de l'effacement par Chostakovitch, devient une résurrection de la mémoire.

Résurrection de la mémoire également, sur un tout autre registre, et aux antipodes de l'esthétisme, le second film, *La mémoire est-elle soluble dans l'eau*, de Charles Najman. C'est un film écrit à la première personne, à la gloire d'une mère juive, la mère de l'auteur, qui est aussi sa principale interprète.

Le cinéma yiddish, le dibbouk : au miroir des dédoublements

Aujourd'hui on n'écrit plus, comme dans la chanson "a brivele der mamen" une petite lettre à sa maman : on lui dédie un film. On la prend pour témoin de son vécu souvent tragique. La caméra qui a l'œil de l'amour filial, la suit dans sa déambulation, capte ses confidences. Cela se passe dans une ville d'eaux, Evian, où elle séjourne, parmi d'autres rescapés des camps à présent âgés, retraités, astreints à une cure thermale qui est l'objet de toutes leurs conversations. Cela pourrait verser dans un insupportable narcissisme. Mais le cinéaste n'observe pas les évolutions sophistiquées d'une vedette. C'est sa mère qu'il cherche, qu'il traque, qu'il retrouve. Il enregistre avec précision sa démarche, sa mimique, son rire, son accent, sa façon de parler et de chanter, tantôt en yiddish et tantôt en polonais. C'est une femme pareille à beaucoup d'autres. Un échantillon d'humanité. Elle raconte avec simplicité l'enfer du camp, comment elle a pu survivre à la plus inhumaine des expériences. Survivre et garder intacts avec la dignité de l'âge et malgré sa flétrissure, une sorte de fraîcheur, l'humour, l'entrain, même la pétulance avec une pointe de cabotinage, le goût de réconforter et de partager avec autrui tout ce qui demeure de savoir être et de confiance dans la vie. Ce n'est pas une vedette, oui, mais une femme vraie, douée de magnétisme, de présence, de bagou. Une réalité authentique et du même coup, comme une traîne de comète du monde yiddish presque perdu qui soudain (ıvahirait et traverserait l'écran, dans un film inclassable, qui n'appartient ni au tout venant du cinéma français, ni au cinéma yiddish, mais qui de celui-ci, fugacement, dans son sillage fait rayonner quelque chose.

* * *

Le cinéma yiddish quant à lui, a subi le sort du Titanic, englouti corps et biens dans la fosse d'un siècle où ne manquent pas les icebergs meurtriers et naufrageurs. Englouti avec tout son chargement d'imaginaire, son frêt d'images drôles, émouvantes, puériles, velléitaires, son art un peu appliqué et utilitaire, vite tombé dans la désuétude au regard de ceux plus jeunes, qui éprouvèrent bientôt l'attrait irrésistible de la culture majoritaire. Ces images sont désormais à déchiffrer comme les codes de mœurs et coutumes plus ou moins révolues, des parchemins où ne s'inscrivent plus que les hiéroglyphes des rêves et les biffures de l'inaboutissement...

Ce cinéma n'avait d'ailleurs aucune chance de pouvoir résister à son inéluctable déclin, tant pour des raisons sociologiques que techniques et économiques. Sa situation était celle d'une production marginale à budget réduit, souvent autofinancée ou contrainte à vivre d'expédients, sauf en Russie soviétique où l'aide de l'Etat, conditionnelle, ne dura qu'un temps.

Par le style de ses comédies, mélodrames ou films musicaux, ce cinéma dès le départ, s'était cantonné dans l'héritage et donc dans l'archaïsme. Il thésaurisait un passé glorieux mais qui commençait à se diluer. Il se vouait à la transmission d'une imagerie pieuse, sentimentale ou édulcorée du shtetl, à la culture en serre chaude de la nostalgie, à la reproduction laborieuse des modèles fournis par une abondante littérature romanesque, fourmillante de prototypes et de personnages propres à favoriser l'identification et de thèmes propres à susciter la catharsis. Il ne disposait guère de la faculté d'innover, mais savait avec un certain charme et parfois avec brio, broder l'anecdote et fignoler les scènes de genre. Il fut soumis dès ses débuts muets, à l'influence prédominante du théâtre. En Russie comme en Amérique, il était redevable aux gens de théâtre, acteurs, auteurs, metteurs en scène, de sa base stratégique et logistique. En Russie, il reçut le renfort d'Alexandre Granovsky, Shlomo Mikhoels, Isaac Babel, Benjamin Zuskin, etc... En Pologne, A. Y. Kaminsky, s'attacha à transposer directement sur pellicule les pièces qu'il jouait. Esther-Rachel Kaminska, réputée comme "la mère du théâtre yiddish" (et par la suite sa fille Ida assurera la continuité comme comédienne et directrice du Théâtre juif de Varsovie) fit également carrière de la scène au studio. Jusqu'en 1914, Kaminski poursuivit l'enregistrement de son théâtre filmé, tandis qu'en Russie Alexandre Turkov tournait avec des acteurs non-professionnels. En revanche Sydney Goldin, aux U.S.A. employa des acteurs connus du théâtre yiddish, notamment Molly

Picon et Maurice Schwartz.

Enfant du théâtre, le cinéma yiddish le fut aussi de la littérature dont il se fit l'auxiliaire privilégié. Pour compenser la rareté des scénaristes, on adopta des œuvres imprimées : Mendele Moikher Sforim (*la Haridelle*, d'Edgar G. Ulmer), Shalom Ash (*Dieu de vengeance*, d'Alexandre Arkatov), I.L. Péretz (les *Tables brisées*, film muet de 1912), Anski (*le Dibbouk*, de Waszynski, en 1937) Sholem Aleikhem (*Tévié*, de Maurice Schwartz, 1928), Joseph Opatoshou (*Dans les forêts polonaises*, de Jonas Turkov, 1928, film mutilé par la censure). Ou des œuvres transposées en yiddish comme *le Roi Lear juif*, de Harry Tomaschevski, d'après Jacob Gordin. En 1932, Péretz Markish écrivit le scénario d'un film sonore, *le retour de Nathan Becker*, film de circonstance - réalisé par Boris Ships et Mark Milman - qui répondait aux besoins de la propagande soviétique, comme plus tard paradoxalement, deux œuvres qui en 1938 dénoncèrent l'antisémitisme en Allemagne nazie : *La famille Oppenheim* de Grigori Rochal, d'après Lion Feuchtwanger et *Professeur Mamlock*. Ce dernier film, dirigé par G. Rappaport et A. Minkine d'après un roman de l'écrivain antifasciste allemand Friedrich Wolf, fit le procès des mesures discriminatoires et des interdits professionnels ; il constitua un témoignage significatif et surprenant si l'on considère l'époque du tournage, un an avant le pacte germano-soviétique, lequel stoppa net la diffusion du film et l'envoya aux oubliettes, son succès à l'étranger - notamment en France - n'étant pas pour rien dans cette brutale proscription.

* * *

De cette production en mineur, réservée à une minorité linguistique, quelques films ont laissé des traces. Notons *Yidl mitn fidl*, tourné à Varsovie en 1936 par Joseph Greeen, une plaisante comédie chantée sur des lyrics du poète Itzik Manguer. Interprétée par une actrice très populaire de la scène et de l'écran, Molly Picon, cette histoire d'amour et de musiciens ambulants sortait des sentiers battus grâce aux ambiguïtés et aux dédoublements de son héroïne, travestie en homme et provoquant de troublants quiproquos.

En Pologne, avant la Seconde Guerre mondiale, le cinéma yiddish avait pris son essor avec une pléiade d'acteurs et de metteurs en scène venus du théâtre : outre R.E. Kaminska, Abraham Morewski, R. Samberg, M. Libman, Jonas Turkov firent preuve de leur talent. Quant à Alexandre Ford, auteur de *La jeunesse de Chopin*, *La vérité n'a pas de frontière* et *Les cinq de la rue Barska*, il marqua d'une empreinte originale un film de fiction tourné en 1934 en Palestine, *Sabra*, sur un scénario d'Olga Ford et Maurice Sukhowalski, avec la participation de la troupe du Théâtre Habima, film projeté en yiddish et en polonais. Mais il fit surtout sortir des limbes le film documentaire en yiddish avec *Nous arrivons* et *Combat pour la santé*, moyens-métrages de commande à visée sociale : ils évoquaient l'activité d'un centre aéré, les méthodes d'éducation et de réhabilitation physique d'enfants de milieux modestes, pratiquées suivant les principes du célèbre pédagogue Janusz Korkzak. A ces films, Ford sut imprimer un style d'un réalisme décapant et aigu, proche de Vigo et d'Élie Lotar (*Les enfants d'Aubervilliers*) qui allait donner son impulsion à l'école documentariste polonaise.

Mais à quoi servait en fait le cinéma yiddish ?

De miroir psychologique en premier lieu : l'image abolit la distance et restitue à l'individu son reflet revalorisé. De machine à affabuler et à divertir, contre-pouvoir de réalités abruptes ou insupportables, de contraintes quotidiennes génératrices de stress, sinon de désespoir. Il était en première instance - là comme ailleurs - le tapis volant du rêve et de l'évasion. Il ravivait le souvenir illuminé d'un passé encore proche que l'on avait tendance à sacraliser, d'un mode de vie et de traditions que l'on ne pouvait se résoudre à laisser dépérir.

De concert avec la religion, il contribuait au maintien en Pologne comme en Russie, des liens culturels et communautaires, et d'autre part d'un parler usuel pour tous ceux à qui, aux U.S.A. l'anglais était encore une langue étrangère, sans résonance affective, une langue à apprendre plutôt qu'une langue naturelle, au prix d'un certain effort et avec le risque d'une relative perte d'identité.

Moyen d'évasion et de divertissement, à partir de schémas esthétiques éprouvés et de conventions reconduites de version en version, du muet au parlant, ce cinéma eut pourtant, malgré la modestie de ses ressources techniques, l'ambition de transmettre un message, celui d'une éthique séculaire et courante, d'une manière d'être que la langue étayait, d'une forme de comportement qui était son code de civilisation et se résumait par la formule "yiddishkeit".

Au sein d'une société où sévissaient à tout rompre les méthodes expéditives de parvenir, la corruption, la violence et le crime, le cinéma yiddish s'efforçait de s'en protéger. Il proscrivit la violence au premier degré, l'empoignade brutale, les règlements de compte à main armée et généralement tout ce qui pouvait contrevenir au Commandement : "Tu ne tueras pas". Ce qui ne veut pas dire pour autant qu'il s'abstenait de toute tension, mais les tensions et les affrontements si perturbants qu'ils fussent, se bornaient dans l'ordre social et psychologique.

Le public montrait une prédilection pour le mélodrame, le bon vieux mélo plus sirupeux que sulfureux, et pour le satisfaire on ne lésinait ni sur le larmoiement, ni sur le sentimentalisme ni sur le pathos. Les péripéties souvent rocambolesques de ces films étaient entretissées de lyrics et ponctuées d'inclusions musicales traditionnelles ou folkloriques. C'est ainsi que le mélo, dans cette conception populiste (elle trouvait son équivalent dans la chanson), apparaissait comme un élément constitutif de l'imaginaire. Il fournissait un combustible à la nostalgie et tisonnait les émotions. Rien n'empêchait bien au contraire, qu'il fut placé sous le signe prépondérant de la morale - une morale édifiante et itérative - et qu'il fit en toute occasion référence à la sainte Loi et à la puissance divine. Il fallait que la présence de Dieu fut implicite et impérative afin qu'il pût justifier ou juger avec la plus grande rigueur les actions louables ou mauvaises des personnages. Le mélo traitait principalement dans un cadre très localisé, des conflits sociaux, des intrigues et des problèmes conjugaux, mariages, séparation, éducation des enfants, dans un contexte sociétal où la menace des flambées de l'antisémitisme et des persécutions consécutives était fortement soulignée.

Il faudra attendre Mel Brooks et son sens de la dérision

pour entendre un chef indien dûment emplumé parler yiddish dans une parodie de western... Ni les cavalcades fantastiques, ni les chassés-croisés entre gangsters et policiers ne pouvaient se traduire, sauf allusion comique dans la thématique du cinéma yiddish. Ses héros quelquefois redresseurs de torts, n'étaient en rien d'intrépides hommes d'actions. Plutôt des "luftmensh", des songe-creux, des vagabonds plutôt que des aventuriers. Ils se confrontaient aux aléas et aux embûches du destin, victimes le plus souvent d'une adversité dont les causes leur échappaient. Leur résistance se manifestait par l'exaltation du mysticisme plutôt que par le recours à la révolte. Hantés qu'ils étaient parfois par un obscur sentiment de culpabilité, ils tentaient de repenser le monde, à la lueur d'une fatalité qui y prodiguait tant de fléaux, mais ils ne s'avéraient guère aptes à le transformer.

UN JOYAU : LE DIBBOUK

Le cinéma yiddish nous a au moins légué un joyau, *le Dibbouk*, dont l'irradiation noire et blanche s'avère impérissable. C'est un fait des plus singuliers qui nous conduit à constater ceci : malgré tout ce qui aurait pu soumettre cette œuvre aux ravages du temps, son total anachronisme, son défi au rationnel, tout ce qui dans ce qu'elle exhibe s'est fané ou éloigné à des années lumière, un décor, des costumes, des coutumes, une manière d'être, d'interroger et d'interpréter la religion, d'user de la prière ou du langage, malgré tout ce qui désormais ne semble plus appartenir qu'à l'histoire ou à l'ethnographie - encore que certaines de ces pratiques et conventions ont toujours cours dans les cercles les plus intégristes du judaïsme, en Israël ou en Amérique - ce film sans équivalent a conservé sa grandeur, proche des Mystères du Moyen Age, et sa charge mystique, son originalité de facture, sa puissance de fascination poétique.

Il réunit deux qualités essentielles, la dramatique et la littéraire qui découlent de son origine, l'œuvre théâtrale de S. Anski - de son vrai nom Salomon Rapaport (1863-1920). Pourtant ces qualités auraient pu dans un film s'inverser, aboutir à des effets négatifs de pesanteur et de décalage. Il n'en est rien. Le film a préservé sa spécificité d'œuvre cinematographique, tout en intégrant la diversité des apports, grâce à la magistrale synthèse opérée par Michel Waszynski.

La pièce de S. Anski, créée en 1917 par la troupe de Vilno dans son texte original yiddish, a trouvé son impact et son audience mondiale avec la belle version en langue hébraïque du poète Ch. N. Bialik, mise en scène par Vakhtangov et jouée à Moscou en 1921, en pleine Révolution, par la troupe de la Habima qui venait tout juste de se former. Cette troupe allait connaître un immense succès au cours de ses tournées, saluée notamment par Maxime Gorki et Thomas Mann, et elle vint jouer *le Dibbouk* à Paris en 1926. L'année suivante au théâtre des Champs-Elysées, *le Dibbouk* en français, fut monté par Gaston Baty, brillamment interprété par Marguerite Jamois, Yves Nat, Roger Karl et Lucas Gridoux. Gaston Baty le reprit en 1930 dans une nouvelle variante, dotée d'un dispositif scénique plus moderne, d'une musique de Léon Algazi, et ce fut un triomphe auprès du public et de la critique.

DU THÉÂTRE AU CINÉMA

Pour son film, réalisé en 1937 avec un budget minime, mais dans un authentique shtetl de Pologne, Kouzmir, le cinéaste Michel Waszinski - il fut l'assistant et le disciple de F.W. Murnau, l'auteur de *Faust* et de *Nosferatu* - s'assura la collaboration de deux scénaristes, A. Marek et Alter Katsizne, ce dernier renommé comme poète lyrique et dramatique. C'est ainsi que put s'effectuer dans le film la fusion d'énergies potentielles, dramatiques et poétiques, de diverses provenances, avec les nombreux éléments religieux et ethnographiques recueillis par Anski, lui-même ethnographe, lors de ses enquêtes scientifiques sur le terrain, éléments qui sont à la base de sa *Légende dramatique en trois actes.*

J'ai eu la chance d'assister fin 1995, à l'une des rares représentations de cette "légende dramatique" dans sa version originelle par une troupe de langue yiddish, le théâtre juif d'Etat de Bucarest encore en exercice à cette date, mais jusque-là peu connue en dehors de la Roumanie. Le spectacle eut lieu dans une salle de l'ambassade de Roumanie à Paris, peu appropriée et trop exiguë - il y avait foule ! - mais offrant aux non-yidishophones un système de traduction simultanée. L'intérêt principal pour moi de cette mise en scène, dirigée par Catalina Buzoianou, était d'abord d'entendre le texte original, mais aussi la comparaison possible avec le film de Waszynski, unique point de repère, avec la lecture, dans mon expérience.

Probablement conçue dans le sillage ou dans le souvenir de la Habima, cette exécution fidèle et formellement assez académique du *Dibbouk* m'a surtout semblé une résurrection muséographique. En tenant compte de la modestie des moyens mis en œuvre, elle avait pour mérite de respecter le rituel hassidique, le cadre dépouillé de la synagogue de Miropol ou de la maison du Rabbi, un hiératisme étudié du jeu corporel, parfois à la lisière du mime et de la danse, l'accentuation des symboles par le geste, le maquillage soutenu ou la volée blanche des talith, le souci de véracité dans l'élocution, la tenue et l'interprétation des comédiens. Cependant cette fresque à la différence du film, tel que je l'avais en mémoire - et en cassette vidéo - m'a paru refroidie, archétypale, privée de cette angoisse sourde et de cette exaltation mystique que le cinéaste Michel Waszynski avait su traduire en images avec tant d'intensité.

UN FLAMBOIEMENT MYSTIQUE

En effet, à l'opposé des tableaux vivants agencés par la dramaturge roumaine, lesquels ont l'inconvénient de pétrifier *Le Dibbouk* dans le huis-clos d'un cérémonial religieux et familial, le film quant à lui, ouvre à la légende un espace à la fois réel et surnaturel où se côtoient et s'interpénètrent le monde humain et le monde divin. Dans un style expressionniste, parfois même cubiste, qui n'est pas sans rappeler le Kammerspiel et les dissonances d'ombre et de clarté du *Caligari* de Robert Wiene, il met le drame en situation dans son cadre villageois et ses intérieurs qui témoignent de l'archaïsme du mode de vie, et surtout dans le climat particulier où il surgit et évolue, un shtetl du XIXe siècle où le hassidisme règne sans partage, reconstitué avec une rigueur si minutieuse que la fiction acquiert aussi une valeur semi documentaire. C'est ainsi que le film embrasse et entrelace de multiples significations, suivant un glissement progressif, mais à peine perceptible de la réalité vers le surnaturel.

LA LÉGENDE

Résumons d'abord l'argument. Léa et Honon ont été l'un à l'autre promis dès avant leur naissance par leurs pères, Nisson et Sender qui se jurent une amitié éternelle et, leurs femmes enceintes, y ajoutent ce serment anticipé. Un "Messager" les met en garde : "On n'a pas le droit d'engager sa parole sur ce qui n'existe pas encore". La mère de Léa est morte en couches. Nisson s'est noyé dans un lac au moment où son fils Honon voit le jour. Les années passent. Sender fait fortune et met au point un riche mariage pour sa fille Léa. Il ignore que Honon, le pauvre étudiant talmudiste qu'il héberge, est en réalité le fils de son ami disparu. Léa et Honon s'aiment. Mais Honon désespère de se procurer de l'or qui lui permettrait d'épouser sa bien-aimée. Au moyen de formules puisées dans la Kabbale, il invoque les puissances sataniques et meurt foudroyé. Son âme condamnée à l'errance, devenue "dibbouk", s'empare de Léa, parle par sa voix, rejette l'exorcisme d'un Rabbi thaumaturge. La jeune fille mourra donc elle aussi, mais délivrée des lois divines et humaines, pour rejoindre son prédestiné dans un autre monde inconnu.

UNE PARABOLE

Il s'agit en vérité d'une parabole métaphysique qui met en œuvre jusqu'au point critique où éclate la tragédie de grandes forces antagonistes, Eros et Thanatos, en termes philosophiques, l'amour et la mort, lesquelles traversent et commandent le récit, lui-même contrepoint obsédant d'une marche nuptiale et d'une marche funèbre. Le film obéit d'ailleurs à la tradition en faisant alterner chansons populaires, prières cantilées, psalmodies et chants liturgiques. Dès le début apparaît un orchestre klezmer et en gros plan les mains de l'instrumentiste sur l'archet du violoncelle. La musique soit enveloppante soit assourdie, va rythmer toute la composition gestuelle, accordant une importance majeure à la symbolique des mains : Sender comptant ses pièces d'or, Léa agrippée en dansant au spectre de Honon, le passage de Honon de l'extase à la fièvre du maléfice, le Tsaddik qui tente par les gestes comme par la voix de conjurer l'esprit mauvais. Les mains jouent leur partition comme d'autre part les visages et les regards, hallucinés (le Messager) ou habités par le vertige de la transgression (Honon). Avec la mort, dualité de glace et de feu, l'amour impossible ou rendu impossible, est le noyau de cette parabole et ne peut en fin de compte trouver son accomplissement que dans sa perte et l'infraction des limites, ouvrant dès lors tout un champ d'interrogation quant aux notions de vie et de mort, de profane et de sacré.

Mais dans le contexte du hassidisme qui en détermine les données, les rites et les croyances superstitieuses (le Messager qui apparaît et se dissipe comme un fantôme est une figure messianique autant qu'un substitut à la Cassandre des Grecs) le conflit tient aussi fondamentalement, à l'opposition marquée entre les adeptes du Talmud et ceux de la Kabbale. Le Talmud est d'abord un code qui énonce les volontés supérieures et régente par elles la vie quotidienne des fidèles, tout en faisant appel à leur raison. Le Hassidisme a contesté la rigidité de certains préceptes et préconisé la naïveté de la foi, l'élan et l'allégresse par quoi les âmes simples sont censées accéder à l'extase, à la *deveqout*, cette union avec le Divin ou son approximation. La Kabbale, interprétation ésotérique du Pentateuque, interroge les abîmes de la connaissance, et propose avec le Zohar son prolongement, la numération mystique des caractères hébraïques considérés simultanément comme lettres, chiffres, noms et signes. L'âme est alors sollicitée dans ses profondeurs, attirée par le piège de l'illicite, dans cette zone où peut se produire l'épreuve du *Guilgoul*, cette transmigration de l'âme d'un être ayant rendu son dernier souffle dans le corps d'un vivant, selon la théorie mystique notamment développée au XVI° siècle par Isaac Louria.

C'est ce qui arrive à Honon, lorsqu'il cherche à s'initier aux mystères de l'univers et s'imprègne des principes ésotériques de la Kabbale. Mais à vouloir braver l'interdit, il s'expose à la violente réaction des forces ténébreuses appelées à la rescousse. Il succombe, mais son âme en perdition est vouée à parcourir le cycle de la métempsycose, du Guilgoul, c'est-à-dire à se réincarner dans plusieurs corps humains, végétaux ou animaux, jusqu'à obtenir la purification au cours de cette traversée des apparences.

Honon dira à l'un de ses condisciples, épouvanté par son audace : "Le Talmud est froid et sec, tandis que la Kabbale arrache l'âme à la terre et l'emporte dans les sphères suprêmes ! "Mais il arrive parfois qu'une âme ainsi "arrachée" s'égare et s'introduit dans le corps d'un être aimé. Et c'est cela qu'on appelle un Dibbouk.

LE JEU DES AMBIVALENCES

Le film joue et articule constamment l'ambivalence de ses métaphores dans l'ordre du mythe et dans l'ordre matériel. La naissance simultanée des deux enfants "prédestinés" est placée sous le signe du désastre que résume un plan bref : le chapeau noir de Nisson flottant comme un lotus sur la surface blanche du lac. Une très belle trouvaille visuelle. Mais Waszynski excelle dans le montage plastique - qui rappelle le cinéma muet - les litotes, les raccourcis et le contrepoint, dont il use méthodiquement. La concentration du temps narratif - Léa grandit d'un plan à l'autre, élevée par sa tante Fradé - est parallèle à l'ascension irrésistible de Sender et à l'accumulation de son capital, concrètement évalué en pièces d'or. L'invocation de Satan, proférée par Honon en termes kabbalistiques, alterne avec la ronde hassidique, les chansons "scatées" et les préparatifs de la fête. Lorsque Léa se rend au cimetière suivant la coutume, afin de convier à la noce sa défunte mère, la scène est rythmée par les contre-plans de Sender jetant des poignées de monnaie aux mendiants. Le Messager, intercesseur d'une voyance prophétique, mais paradoxalement privé de regard, son masque figé est celui de la fatalité, intervient avant de s'évanouir pour guider le jeune talmudiste puis pour désigner l'un à l'autre, sans un mot Léa et Honon. L'histoire d'amour se dédouble elle-même en légende locale quand la foule défile sur la place du shtetl devant la tombe d'un jeune couple martyrisé par les cosaques à l'heure même où on le conduisait sous le dais nuptial, et devenu depuis l'objet d'un culte.

Ainsi s'effectuent les chassés-croisés de l'amour et de la mort, de l'humain et du divin, du visible et de l'invisible, dont les frontières peu à peu s'estompent et s'effacent. Le film de Waszinski inscrit aussi la cupidité et l'égoïsme dans la trame des symboles de destruction. Le rôle de l'argent compté et recompté sans relâche par Sender, oublieux de son serment (il ne s'en repentira que trop tard), les antagonismes dus aux différences dans l'échelle sociale, sont explicitement désignés comme un mécanisme implacable qui conditionne lui aussi la fatalité de la tragédie. L'opulence bourgeoise de Sender souligne la misère des loqueteux et des shnorrers à qui il fait la charité, comme la pauvreté et le désarroi de l'étudiant auquel il démontre que sa fille ne saurait épouser qu'un homme riche. Le mariage de Léa avec un falot fils de famille recruté par un marieur dans la ville voisine, fera d'ailleurs l'objet d'un âpre marchandage.

La métaphore superbe de la fenêtre et du miroir est énoncée par le Tsaddik à qui Sender demande ce qu'il voit à travers la vitre. "Le verre de la fenêtre lui répond-t-il, laisse voir le monde et les gens qui passent. Mais le même verre, s'il est recouvert d'une mince pellicule d'argent, se transforme en miroir et ne laisse plus voir que sa propre image à celui qui regarde".

UN CHEF-D'ŒUVRE EXPRESSIONNISTE

Le Dibbouk de Michel Waszynski est un chef-d'œuvre de l'expressionnisme, sans pour autant appartenir entièrement à cette école. L'écriture filmique y fait preuve d'une étonnante fluidité dans la conduite du récit, la modulation des éclairages, des structures géométriques du décor, des apparitions en fondu-enchaîné ou en surimpression. Son esthétique en fait, n'emprunte pas au langage du fantastique des procédés ou des truquages, mais il en est totalement investi. Sa vision est poreuse au surnaturel, comme emportée par le souffle de la possession et de la dépossession, par la lame de fond du vertige et de la nuit, comme le fut le *Nosferatu* de Murnau. La caméra se fait précise dans la description et la mise en valeur de certains détails - un drap tendu qui se gonfle dans la synagogue, l'éclat blanc d'un suaire ou des châles de prière. Ou bien prise d'ivresse, elle virevolte au milieu des invités de la noce, dans une séquence breughelienne, mi-macabre mi-grotesque avec ses visages difformes ou ses masques de faux carnaval. La fiancée est obligée de participer au rite, de danser avec la mort ce spectre de l'inavouable, tandis que se poursuit frénétiquement autour d'elle la ronde hassidique. Ainsi les traditions religieuses et les coutumes de la vie quotidienne, le mariage manqué et l'échec de l'exorcisme opèrent un singulier virage vers le mythe. Tout se passe comme si du fond des âges et de la mémoire collective, rejaillissait ce flot d'irrationnel, d'effrayante aberration, que la croyance religieuse a suscitée et entretenue mais que la religion s'avère incapable d'endiguer fut-ce par le canal de l'institution rabbinique.

S'entretisse alors un réseau d'images symboliques scandées par les contrastes appuyés de la lumière et de l'ombre : inquiétante densité de la nuit, préférée au jour lorsqu'on dresse le dais nuptial ou qu'on ensevelit à la sauvette l'amoureux malchanceux.

C'est l'ombre de la mort, tantôt plus ténue, tantôt plus opaque, qui oscille d'un être et d'un décor à l'autre, obscurcissant la synagogue de Brinitz ou baignant d'une clarté pâle celle de Miropol comme si s'inversaient les signes prémonitoires suivant la progression et la tension du drame. On voit s'établir d'intimes corrélations et de subtiles variations entre impureté et pureté, renoncement et sacrifice, selon que Léa se vêt de noir ou de blanc, pour recouvrer finalement quand elle s'allonge sur la dalle funéraire, la blancheur immaculée de sa robe de mariée.

L'étrange beauté du film réside dans cette polyphonie des allégories et des lectures qu'elles suggèrent. Léa est l'otage de son dédoublement, possédée par la voix de ventriloque dont elle ne peut ni interrompre ni contrôler le discours blasphématoire. De même, tous les autres personnages de la légende semblent captifs à leur insu, de la cage de verre des apparences et d'un destin, qui parfois se mue en miroir où l'amour et la mort s'affrontent, s'échangent, perdent la face et sont en même temps mis en question.

NOTES

(1) Anton Tchekvov : Oeuvres . Ed. de la Pléiade. T. 3.

TABLE DES MATIÈRES

Une légende à vif	7
Le yiddish une langue	19
La poésie yiddish, quelques étapes d'une longue marche	25
Quand tout commence par des chansons	91
L'art de conter ou les mots qui font vivre	127
Un classique du roman yiddish : Tévié le laitier de Sholem Aleikhem	151
H. Leivick, une voix essentielle de la continuité	167
Péretz Markish ou le mariage du ciel et de l'enfer	175
Avrom Sutzkever héritier de la pluie et de la mémoire	189
Moshe Shulshtein et les Intentions secrètes	195
Mordechai Litvine, un magicien de la traduction	203
Marc Chagall, la poésie	213
Quatre poèmes de Marc Chagall, traduits du yiddish	219
La reconquête de l'image	225
Un poète de la tapisserie : Thomas Gleb	233

Table des matières

La gravure d'Abraham Krol
ou le temps retrouvé   241

Ilex Beller,
le défi à l'oubli   253

Michel Milberger,
la sculpture d'une identité   259

Devi Tuszynski, miniaturiste :
de la quête autobiographique au voyage d'Ulysse   271

Le cinéma yiddish et le Dibbouk :
Au miroir des dédoublements   281